DOM W TOSKANII

porta morte i inne historie

Anita Stojałowska

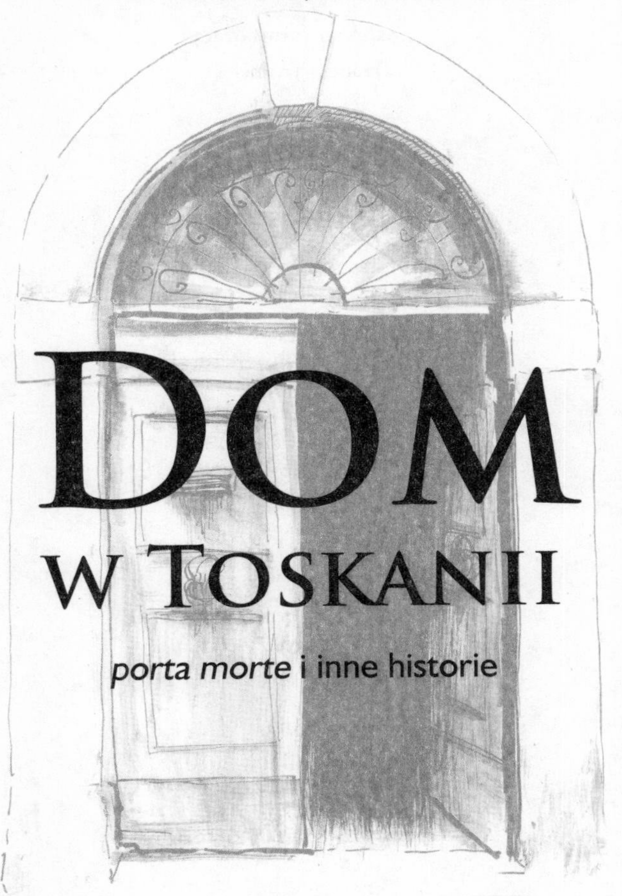

Dom w Toskanii

porta morte i inne historie

ZYSK I S-KA
WYDAWNICTWO

Redaktor prowadzący
Izabela Troinska

Redakcja
Karolina Pawlik

Projekt okładki
Cristoforo Borghese

Opracowanie ilustracji
Beata Horyńska

Opracowanie graficzne i techniczne
Jarosław Szumski

Wydanie I
Oddano do druku w 2010 r.

ISBN 978-83-7506-586-2

Zysk i S-ka Wydawnictwo
ul. Wielka 10, 61-774 Poznań
tel. 61 853 27 51, 61 853 27 67
dział handlowy, tel./faks 61 855 06 90
sklep@zysk.com.pl
www.zysk.com.pl

Część I

Gdy na początku kwietnia rozpakowywałam kolejne pudła z książkami, siedząc na błyszczącej ceglanej podłodze w swoim toskańskim domu, na dnie jednego z kartonów znalazłam czerwoną, wypłowiałą kartkę z ogłoszeniem. „Sprzedam dom, 360 m kw., trzy piętra, taras, tel…” Mimo enigmatycznej, suchej treści, pozaginanych rogów i szorstkiego, zabrudzonego papieru, ten mały, zniszczony przez deszcz i słońce kawałek kartki, zapisanej niedbałym, jakby dziecięcym pismem spowodował, że moje serce zaczęło bić szalonym, gwałtownym rytmem, a schowana głęboko w brzuchu szara kulka lęku podskoczyła, gotowa zacząć swój rytmiczny taniec.

Sięgnęłam do pudełka i delikatnie wyjęłam ogłoszenie. Wygładziłam je ręką i położyłam przed sobą, na podłodze. Dwa lata temu, pewnej majowej, gwarnej nocy, stojąc na jednej z ulic średniowiecznego Sansepolcro, zdjęliśmy je ze ściany starej, zniszczonej kamienicy w spontanicznej, nagłej potrzebie przypieczętowania podjętej właśnie decyzji. Chcieliśmy zachować na zawsze ten niepozorny, ale wymowny dowód naszej odwagi, szaleństwa i miłości. Nie zdawaliśmy sobie wówczas sprawy, że tym jednym, wzruszającym nas wtedy gestem uruchamiamy lawinę zdarzeń, która zmiecie nas bezlitośnie z bezpiecznych torów dotychczasowego życia i sprawi, że ockniemy się w zupełnie innym, nieznanym i obcym miejscu. Nie przypuszczaliśmy, że w tym momencie życie rozpoczęło przygotowywanie dla nas scenariusza, w którym, czy tego chcemy czy nie, musimy odegrać swoje role do końca.

Przez ten czas dom trwał jak stara, sprawdzona dekoracja, jak ładne tło mających nastąpić wydarzeń. Niewzruszony, z kamiennym spokojem przyglądał się moim łzom, rozpaczy, chwilom uniesień i zwątpień. Towarzyszył mi w każdym momencie włoskiego życia, spokojny i przekonany o swojej racji. Przez setki lat swojego istnienia wsłuchiwał się w pospieszne kroki mieszkańców, krzyki narodzin, senne westchnienia, miłosne szepty, radosne śmiechy i cichy płacz w nocy. Znał wiele sekretów, ale był dyskretny i milczący, niechętnie dzielił się wspomnieniami. Zimny i obcy, z biegiem czasu stawał się coraz bardziej otwarty i czuły, obejmował mnie swoimi ramionami i szeleszcząc wieczorami w zakamarkach, nucił mi ciche kołysanki. Okazał się uroczym, podstępnym uwodzicielem. Kusił mnie prawem do decydowania, jaki ma być, odsłaniał co jakiś czas małą tajemnicę, by mocniej przywiązać do siebie, i codziennie dawał nadzieję na kolejne rozkosze i zmysłowe przygody.

Wypłowiała kartka z ogłoszeniem była jak akt ślubu, przypieczętowujący nasz trudny, gorący romans. I tylko czasem zastanawiam się, jaki będzie koniec tej wielkiej i szalonej miłości, bo przecież ani on, ani ja nie jesteśmy dziećmi, każde po przejściach i z przeszłością, i obydwoje wiemy, że nic nie trwa wiecznie.

I.
Nanna, czyli efekt motyla

1.

— Cholera jasna! Znów nic!

Kuba, oderwany nagle od czytania, spogląda na mnie nieprzytomnym wzrokiem. Odkłada z niechęcią książkę.

Siedzimy w naszym sopockim mieszkaniu, jak zawsze, każde przy swoim komputerze. Słońce zachodzi, na drewnianej podłodze przesuwają się cienie krzeseł. Zapalam papierosa, dym miesza się ze złotym kurzem w powietrzu. Ładne to. Patrzę na Kubę. Pytająco unosi głowę.

— Słuchaj, wygląda na to, że ta cholerna Dunka zrobiła nas w konia. Wpłaciłam jej kasę, jak Bóg przykazał, ona miała tylko potwierdzić termin. I od tygodnia się nie odzywa. Bez potwierdzenia przecież nie pojedziemy. Niech to szlag trafi! — Znów zaczynam się wkurzać. — Chyba nici z naszych wakacji. Rozumiesz, przez jakąś babę. Nazywa się Nanna Christiansen, nawet jej na oczy nie widziałam, ale zapamiętam sobie to nazwisko na zawsze. No, powiedz coś. Co jeszcze możemy zrobić?

Kuba milczy. Patrzymy na siebie wyczekująco, w końcu przerywam ciszę.

— Co robimy? Czekamy dalej?

Jest sierpień 2007 roku. Do naszego wyjazdu do Kopenhagi zostało dziesięć dni. Mieliśmy tam pojechać na krótki, tygodniowy, może ośmiodniowy wypoczynek. Jeśli właścicielka zarezerwowanego mieszkania odpowie nam tuż przed samym wylotem, bilety lotnicze nas zrujnują. Albo nie będzie już biletów. Albo kupimy bilety, a ona nie raczy się odezwać, i co? Jedziemy w ciemno i koczujemy pod jej domem? To śmieszne.

Kuba, zatopiony we własnych myślach, trochę nieobecny, nie wydaje się specjalnie przejęty. Zerka ukradkiem do odłożonej książki. Wygląda na to, że zagaiłam w złym momencie. Bardziej go zajmuje historia muzyki niż zmarnowane wakacje.

— Kuba, skup się. Jeśli ten babsztyl nie odpowie, mamy problem.

Kuba poprawia się na krześle, odsuwa książkę i zaczyna z namysłem nabijać fajkę. A to znaczy, że wrócił do niewygodnej rzeczywistości. Wypuszcza kłąb dymu, który wędruje niespiesznie do góry, unoszony ciepłym powietrzem, i spogląda na mnie znad kolejnej chmury.

— Poczekajmy do jutra, okej? Pisałaś do niej, że musimy rezerwować lot?

Patrzę na niego z rezygnacją. Tak, tak — potakuję. Napisałam przynajmniej pięć maili, tyle tylko, że o tym nie trąbię. Przecież to oczywiste.

— Wyślij jeszcze jednego maila i zagroź, że jeśli nie odpowie, rezygnujemy. Oczywiście, ona ma naszą kasę i wie doskonale, że nie będziemy słać reklamacji w przestrzeń kosmiczną... Hmm, coś wymyślimy. — Uśmiecha się i dodaje filozoficznie: — Zobacz, jaka siła tkwi w stereotypach... Nasza Dunka zarabia na wierze w skandynawską rzetelność. I na naszej naiwności, bo jesteśmy pewni, że Duńczycy nie kłamią.

— Bo mają zadbane, czyste mieszkania i proporcjonalne rysy

twarzy — dodaję. — Rumunce nie wysłałabym zaliczki. Nawet ładnej. To nie jest fajne, co?

— Nie.

Kuba wypuszcza dym i zaczyna myślami wędrować coraz dalej i dalej. Więcej z niego dziś nie wycisnę. Wyczerpaliśmy dzienną dawkę zaangażowania. Znów popadamy w milczenie. Odsuwam zasłony, na zewnątrz jest już szaro.

Za oknem słychać odgłosy wieczornej sierpniowej ulicy: nawoływania dzieci na kolację, szczekanie wyprowadzanych psów, rozmowy spacerowiczów. Górny Sopot prowadzi swój własny, letni dialog. Uspokajam się i nasłuchuję z przyjemnością. Patrzę chwilę przez okno, na ciemniejące o zachodzie wzgórza. Jakiś zabłąkany trzmiel uderza głośno o szybę. A może dać sobie spokój z wyjazdem i zostać w domu? Spędzić czas na słodkim nicnierobieniu? Mieć w końcu czas na wylegiwanie się do południa, długie rozmowy w łóżku, picie wina do śniadania, uprawianie seksu trzy razy dziennie i czytanie do wieczora? Uśmiecham się. A potem można posiedzieć ze znajomymi na Monciaku, poprzyglądać się, nie bez złośliwej satysfakcji, strzaskanym na heban i spalonym na szkarłat turystom, pogadać o niczym, ponarzekać na knajpy i umawiać się na wyjazd do Skowronek, gdzie są zawsze puste, białe plaże. Kusi mnie perspektywa starych przyjemności. Po namyśle postanawiam jednak wysłać Nannie jeszcze jedną, jasno sformułowaną wiadomość. Cóż mi pozostaje? Na szczęście nie zapłaciłam jej całej kwoty, tylko niewygórowany zadatek. Co nie zmienia faktu, że mam prawo być wściekła. Mamy tylko parę dni wakacji w roku, ten wyjazd planowaliśmy od wiosny, wszystko jest niemalże dopięte na ostatni guzik! Chyba już nie lubię Duńczyków.

2.

Nanna Christiansen nie odpowiedziała. Dwa dni później siedzimy z Kubą przy stole w kuchni, pijemy kawę i milczymy smętnie. Sięgam po ulubione ciastko czekoladowe, nic tak nie koi zgryzoty jak coś słodkiego. Wyjazd do Kopenhagi to nie miał być zwykły wakacyjny wypad, to miała być jednocześnie pierwsza przymiarka do życia w Danii. Rozglądanie się po mieście z myślą, czy da się tam zamieszkać i odnaleźć. Nasz luźny, nie do końca sprecyzowany życiowy plan zakładał, że w perspektywie kilku lat osiedlimy się w Kopenhadze, by wieść tam nudne, mieszczańskie i pozbawione polskiego polotu życie. Uporządkowany, przewidywalny świat. Bezpieczeństwo na ulicach, dobra kawa w każdej knajpie, ładne wzornictwo, fajne ciuchy, spokojna starość. Brak psów obronnych i ich testosteronowych właścicieli. Kameralność Kopenhagi była dodatkowym atutem. Nasze słowiańskie dusze, jakby wbrew sobie, marzyły o skrępowaniu się poprawnością i zasadami. A teraz wakacyjne plany leżały przed nami pokruszone jak ostatnie herbatniki w pudełku.

— Co robimy? — zadaję po raz kolejny to samo głupie pytanie. I dodaję: — Sprawdzałam loty. Do Kopenhagi nie ma już miejsc na piętnastego i szesnastego sierpnia.

— Lećmy później.

— Później przyjeżdża Marta, nie widziałam jej z pół roku, ja zaczynam kolejne zlecenie, zaraz wrzesień, twoja szkoła, dupa.

Zapada cisza. Sięgam po kolejne ciasteczko czekoladowe. Zjadam je powoli, w ten sam sprawdzony sposób: najpierw czekolada z wierzchu, później owocowy środeczek, na koniec kruchy spód. Pycha.

— Idę po komputer.

Kuba wstaje i znika za drzwiami. Aha, teraz on bierze sprawy w swoje ręce. Ciekawe, jak zmusi Dunkę do jakiejkolwiek reakcji. Co takiego jej wyśle, żeby coś napisała, choćby tylko tyle: „Frajerzy, pozdrawiam z Cyklad, dobrze się bawię za waszą kaskę, nie jedźcie do Danii, bo mnie tam nie ma, buziaki". Kuba wraca z laptopem i siada przede mną. Zrezygnowana przyglądam się Serkowi, jednej z naszych dwóch kotek devonek, śpiącej na siedząco na wąskim kaloryferze. Pochyliła nisko głowę i kołysze się nad przepaścią, czyli szparą pomiędzy grzejnikiem a stołem.

Czekam cierpliwie na kocią katastrofę. W myślach rzucam monetą; orzeł, czyli nie spadnie.

Wierzę w różne umiejętności mojego męża, ale tutaj nie liczę na jakiś wielki sukces. Patrzę, jak Kuba w skupieniu coś pisze.

— Sprawdzam loty z Gdańska — informuje mnie mój ukochany. — Możemy lecieć do Rzymu, bezpośrednio, Wizzairem. Są miejsca.

Zaspany Serek z hałasem ląduje na podłodze. Jęk. To ja.

— Rzym? Latem? Chcesz nas zabić? Skąd ci to przyszło do głowy?

— Masz lepszy pomysł?

Nie mam, fakt. Moim pomysłem było pozostanie w domu. Mało odkrywcze, wiem, ale proste i tanie. Kurczę, Rzym. Zaskoczył mnie. Kolejne ciasteczko znika w moich ustach. W myślach daję sobie po łapach. Dosyć. Ostatnie. No więc Rzym. Wydawało mi się, że jeśli tam, to tylko na pielgrzymkę. A na to mam czas. Moja osobista księga grzechów ma jeszcze kilka pustych kartek.

Ubiegły urlop spędziliśmy w Portugalii, pierwszy raz bez samochodu. Podróżowaliśmy pociągami na trasie Lizbona–Coimbra–Porto. Było super. Czas się dla nas zatrzymał. Może mała powtórka?

— Ale nie chcę wyjeżdżać do Rzymu. Gorąco, tabuny turystów, brud.

— Anka, nie kwękaj, dobrze? Poza tym jedziemy do Włoch, a to duży kraj. Nie chcesz Rzymu, okej, jedźmy do Sieny. Albo do Lecce. Ale jedźmy, bo za chwilę okaże się, że siedzimy w domu i opłakujemy zakończony właśnie sierpień.

Patrzy na mnie z uśmiechem. Sięga po moją rękę, kładzie blisko siebie na stole i nisko pochylając głowę, całuje mnie w wierzch dłoni. Unosi wzrok i mruga do mnie porozumiewawczo.

— Okej? Kopenhaga tym razem nie dla nas. Pojedziemy tam później, znajdziemy naszą Dunkę, wynajmiemy jej mieszkanie i wszystko wysmarujemy polską musztardą, chcesz?

Uśmiecham się i zaraz marszczę nos. To opłakiwanie to

o mnie. Ale nie dam się sprowokować. Wizja musztardowej fiesty trochę mnie uspokaja. Co nie przeszkadza mi sięgnąć po następne ciastko. Spoglądam na Kubę. Ciekawe, czy wie, że nieszczęśliwe kobiety ważą więcej. Ale z kolei chude nie potrafią cieszyć się życiem... tak przynajmniej pocieszają się te grubsze. Do diabła z tym! Odkładam nadgryzione ciastko na talerzyk. Jeśli mam jechać do ciepłych krajów, to muszę w siedem dni zrzucić siedem kilo.

— Zobaczyłaś Chiny, a nie widziałaś kolebki zachodniej cywilizacji. — Mój mąż wyciąga kolejny dziwaczny argument.

— Ty też — odcinam się mało błyskotliwie.

Patrzymy na siebie lekko zjeżeni.

— Anka, słuchaj, jedźmy do cholernej, zachwalanej do obrzydzenia Toskanii. Nigdy tam nie byliśmy, może już czas, byśmy sprawdzili, czy jest o co się bić? Będziemy narzekać na temperaturę, pocić się na rozgrzanych placykach średniowiecznych miasteczek, będziemy upijać się tanim winem *della casa* i robić awantury w restauracjach. A w międzyczasie będziemy potykać się o zabytki, aż pościeramy sobie kolana. A potem pojedziemy gdzieś na kilka dni nad morze zatruć się porządnie rybami. To co, wchodzisz w to?

Uśmiecham się do Kuby. Chyba jednak go kocham.

— Zapomniałeś, panie mądry, o bąblach na stopach i skradzionych dokumentach. Ale i tak brzmi to nieźle.

Ciągle jednak myślę o sopockich letnich przyjemnościach, o uroczej wieczornej rewii i Rosjankach śpiewających przy akompaniamencie akordeonu...

— Okej. — Kuba zamyka laptopa i kończy sprawę. Wstaje, wkłada kubek po kawie do zmywarki, sięga po ciastko, jedyne, co z westchnieniem stwierdzam, i bierze laptopa. Patrzy na mnie przez chwilę.

— Wiesz co, Anka, ten pomysł jest... hmm... doskonały. Pamiętaj, kto na niego wpadł. A teraz ty znajdź kogoś, kto zajmie się naszymi kotami i psem — rzuca na odchodnym.

Mądrala, dla niego ordery, a dla mnie dźwiganie szabli. Boże, co za wojskowe porównania, co się ze mną dzieje? Przecież planowanie wakacji to nie wojna.

Jakby czując, że o nim mowa, Serek wskakuje na kaloryfer, patrzy mi przez chwilę w oczy tym swoim ponurym, ciężkim wzrokiem seryjnego mordercy i zaczyna ponownie mościć się do snu.

Odwieczny problem właścicieli zwierzaków — poszukiwanie jelenia, który latem będzie sprzątał kupy nie swoich kotów i psów. Mamy w tym względzie nie najlepsze doświadczenia: stara ciotka z Piły, która zamęczała naszych sąsiadów szczegółowymi opowieściami, jak to „ci lekarze złodzieje wycięli jej pół okrężnicy". Musiała to być traumatyczna, długa opowieść z wieloma detalami, bo większość sąsiadów przestała się nam kłaniać. Potem był syn przyjaciół, przygotowujący się do egzaminów, który w ciągu ośmiu dni wypił cały zapas naszego alkoholu i zjadł pięć kilo najlepszego, kaszubskiego miodu. Swoją drogą, nigdy nie miałam okazji dowiedzieć się, czy zagryzał miodem, czy go zapijał. Rozstaliśmy się burzliwie, ale z tego, co słyszałam, egzaminy zdał. A ostatni był rozwodzący się kolega, który potrzebował spokoju, by przemyśleć życiowe decyzje. Później okazało się, że każdy wieczorny spacer z psem kończył, wiedziony jakąś szczególną refleksją, w sopockim SPATiF-ie, skąd nasza poczciwa Pinia wyprowadzała go o czwartej nad ranem i holowała pijaniutkiego do domu. To nie było chyba właściwe towarzystwo dla dziesięcioletniej suki. O tańcach na stołach nie wspomnę, widocznie Marek należał do tej grupy mężczyzn, którym o własnym rozwodzie najlepiej myśli się w ruchu, w towarzystwie gołobrzuchych szesnastolatek.

— Jeśli o to chodzi, to mam pewien pomysł — komunikuję, zanim Kuba zniknie, by znów pogrążyć się w lekturze. — Kaśka.

Kuba zatrzymuje się, posyła mi szeroki uśmiech, unosi kciuk do góry i faktycznie znika. Wraca do swoich historycznomuzycznych książek w poczuciu dobrze spełnionego obowiązku. Całą nudną resztę, czyli zakup biletów, szukanie noclegów, rozmowę z Kaśką i obmyślanie trasy, pozostawia mi, bez żalu czy wyrzutów sumienia, bo obydwoje wiemy, że zrobię to lepiej. Idę więc do swojego komputera, nie zapominając o naprawdę ostatnim już ciasteczku. Na korytarzu słyszę, jak Serek z hukiem ponownie ląduje na podłodze. Jednak reszka.

3.

Dzwonię do Kaśki, do Poznania, zaufanej sąsiadki mojej nieżyjącej już babci. Kaśka to prawie rodzina. Moja ukochana babcia Marcia przeszła dawno temu na emeryturę i zaraz potem zaczęła marnieć w oczach i narzekać na zdrowie. Stało się dla wszystkich jasne, że brak pracy jej nie służy. Gdy więc pewnego dnia zapukała do niej mieszkająca naprzeciwko Kaśka, by prosić o pomoc w opiece nad małym Marcinkiem, babcia natychmiast i ochoczo przyjęła propozycję. Potem Kaśce urodziło się kolejne dziecko, Gosia, i tak zeszło prawie piętnaście lat. I niespostrzeżenie moja babcia stała się babcią dla rodziny Kaśki, w której mimo licznych potyczek i rodzinnych wojenek wszyscy są ze sobą blisko zżyci. Kasia, jej trzy siostry, brat, żyjący jeszcze tato, wszyscy mężowie sióstr, żona brata, kuzyni, wszystkie wnuki, cała familia, razem będzie tego pewnie z pięćdziesiąt osób. Dla mnie, córki jedynaczki, wychowywanej także bez rodzeństwa, taka rodzina to absolutny folklor. Te wszystkie urodziny, imieniny, spotkania, niedzielne obiady, święta, śluby, pogrzeby. Te rozmowy o dalekich i bliskich krewnych, wymyślanie prezentów, cotygodniowe spotkania przy cieście i kawie, koniecznie z fusami i w szklankach. Gdy Kaśka kupuje w sklepie herbatę, wkłada do koszyka od razu dziesięć paczek, bo przecież musi kupić również dla Krysi, Danusi i Zosi. I wzajemnie.

Muszę przyznać, że od lat przyglądam się tej rodzinie ze zdziwieniem i pewną zazdrością, obserwując ich wzajemne relacje i delikatną sieć zależności, i czasem zastanawiam się, jak bardzo byłabym inną osobą, gdybym miała obok siebie takie nieprzebrane tłumy bliskich. Czy byłoby mi łatwiej nawiązywać przyjaźnie i związki z mężczyznami, czy miałabym w sobie więcej empatii, umiejętności dostrzegania innych? Czy może ta wspólnota zabiłaby we mnie to, co sobie tak cenię, czyli możliwość bycia ze sobą, w samotności? Nigdy nie poznam odpowiedzi na takie pytania, bo moja rodzina, po śmierci babci, skurczyła się do dwóch osób, Marty i Kuby.

Babcia się starzała, a Kaśka, nie wiadomo kiedy, zamieniła się z nią rolami i teraz ona zaczęła opiekować się moją babcią Marcią. Przynosiła rosołki, robiła zakupy, sprzątała i zamawiała wizyty lekarskie. Wszystkie święta i uroczystości rodzinne babcia obowiązkowo spędzała z Kaśką, jeśli akurat mnie nie było w pobliżu. Wtedy już nie żyła moja mama, a ja przemieszkiwałam często za granicą.

Gdy dzwonię do Kaśki, by odbyć z nią poważną rozmowę o naszych wakacyjnych planach, czuję lekkie podenerwowanie. Co prawda podczas naszego ostatniego spotkania padły z jej strony pewne deklaracje, ale nie ma żadnej gwarancji, czy coś się nie zmieniło. W końcu tak duża rodzina to utrapienie i wieczne niespodzianki.

— Będziesz u nas w sobotę, prawda? Pamiętasz o naszym wyjeździe? — walę prosto z mostu.

— Kochana, pamiętam, ale...

Cóż, wiedziałam. Znam Kaśkę i bezbłędnie poznaję, co się święci. Zaraz zacznie się litania miliona powodów, dla których musi zostać w domu. A ja będę musiała spokojnie tej opowieści wysłuchać. Postanawiam powalczyć. Kuszę więc desperacko:

— Mam już dla ciebie bilet na festiwal. Będzie Kozidrak... — Czekam na jakąś reakcję, ale Kaśka wzdycha ciężko po drugiej stronie słuchawki. — Kaśka, proszę cię, nie wzdychaj tak potwornie, nie przyjmuję odmowy...

— Ale jest taka sprawa...

Teraz muszę cierpliwie poczekać. Nie ominie mnie historia, jak to Danusię ostatnio boli brzuch, Marek znów zaczyna zaglądać do kieliszka, a suczka Kama spodziewa się małych, więc

z wyjazdu nici. No i koniecznie, ale to koniecznie trzeba zaprawiać pomidory, bo w tym roku był urodzaj.

— Tylko mi nie mów, że Kama w ciąży, a Gosia złamała nogę! Albo odwrotnie. Błagam! A te cholerne pomidory niech zaprawi Krysia.

— Ania, jakie pomidory? Jest taka sprawa, bo widzisz, Dziadziuś...

Zrezygnowana zapalam papierosa. Mam już pewność, że nie wyjedziemy. Dziadziuś, czyli tato Kaśki, ponadosiemdziesięcioletni, szykowny, szczupły pan, zawsze w białej koszuli, zapiętej starannie pod szyją. Pewnie jest chory, a wtedy Kaśka nie ruszy się z domu, mimo że Dziadziuś mieszka z jedną z jej sióstr i ma całodobową opiekę. To będzie powód moich zmarnowanych wakacji. Patrzę z niechęcią na swoje odbicie w lustrze nad kominkiem. Boże, jakie pożałowania godne samolubstwo. Jedyne, co mnie usprawiedliwia, to fakt, że jestem jedynaczką i mam atrofię uczuć.

— Bo widzisz, kochana, Dziadziuś chce jechać ze mną — wypala w końcu Kaśka i milknie.

W ciszy słyszę, jak kamień z mego serca spada obok mojej lewej stopy i rozbija się w pył. Bozia czuwa nade mną, nieczułą bezbożnicą. Głos mi drży z radości.

— I tym się zamartwiałaś? Kasia, bierz Dziadziusia i w drogę! Kupię drugi bilet. Koniecznie powiedz Dziadziusiowi, że będzie w telewizji, więc niech go cała rodzinka wypatruje.

— Możemy przyjechać razem? Bo wiesz, tak się bałam, że może odmówisz i będę musiała siedzieć u was sama.

Hm, świat jest dziwny. Dla Kaśki siedzenie w samotności, bez całej tej hałaśliwej ferajny, bez gotowania codziennych obiadów i użerania się z coraz częściej zamroczonym alkoholowo mężem, bez zrzędliwej córki, bez syna nieroba i sióstr tyranek, to ciężka kara za grzechy. To, co dla mnie jest rajem, dla niej jest czeluściami piekieł. W dobrej wierze, unoszona szczęściem wypalam:

— Kasiu, wiesz przecież, że twoja rodzinka jest zawsze dla nas miłym gościem. Pakuj Dziadziusia i przyjeżdżaj. Tak się cieszę, że będziesz mogła sobie u nas odpocząć. — To takie małe, niewinne kłamstwo, bo przecież wiem, że z trójką zwierząt nie będzie lekko.

Ustalamy jeszcze techniczne szczegóły i biegnę do Kuby obwieścić dobrą nowinę. Opijemy się w tym roku chianti.

4.

Rzym okazał się gorszy, niż przypuszczałam. Z ulgą kupujemy bilety do Sieny na Roma Termini i, ponieważ mamy dużo czasu do odjazdu, siadamy w małej knajpce obok dworca, by nieco ochłonąć.

— Kolebka cywilizacji. Te tabuny Afrykanów z porozkładanymi bezpośrednio na chodnikach torebkami-podróbkami od Gucciego i Dolce&Gabbana to ostatni poganie handlujący w świątyni? — pytam złośliwie.

Kuba spokojnie pije białe wino i przegryza oliwką.

— W świątyni nie handlowali poganie tylko kupcy, kobieto... — Mój mąż kiwa się na krześle, pali swoją fajkę i popija zimne *spumante*. Kończy pierwszy kieliszek i leniwie się przeciąga. Widzę, że nic go nie ruszy, więc daję spokój. Szkoda energii na bezproduktywne zaczepki. Upał mnie wkurza i szukam winnego.

No więc jesteśmy we Włoszech, na wakacjach. Nasze zdrowie. Pijemy kolejny kieliszek, a wokół nas przemieszczają się co jakiś czas obładowani tobołami, niemiłosiernie spoceni turyści. Z kolei Włosi wyglądają, jakby dopiero co wyszli spod prysznica, są zadbani i świeży. Bez śladu potu czy zmęczenia. Hm, przypomina mi się, jak dawno temu wyjechałam z moim narzeczonym do Grecji, był rok 1984, szare czasy końca komuny. Uciekliśmy z Polski, wyjeżdżając na wycieczkę na Peloponez. Po roku mieszkania w Atenach z pewnym zdziwieniem i niedowierzaniem przyglądaliśmy się turystom, którzy pod koniec września paradowali po mieście w sandałach i koszulkach bez rękawów; dla nas i dla Greków była już jesień, pełne buty, dżinsy, a wieczorem swetry z długimi rękawami. A przecież rok wcześniej też umieraliśmy z gorąca. Wszystko jest względne, myślę sobie, kończąc drugi kieliszek. Wino i słońce nastroiło mnie z lekka refleksyjnie i spowodowało, że straciłam poczucie czasu. Kuba pierwszy się orientuje, że zaraz mamy pociąg. Zrywamy się, płacimy w pośpiechu i spoceni biegniemy z bagażami na dworzec. Tradycji stało się zadość.

Lądujemy w pociągu w ostatniej chwili. Upał zabija. Wewnątrz jeszcze goręcej. Okna zamknięte na stałe, wnioskuję, że jest klima. W naszym przedziale siedzi bez ruchu smutne, starsze szwedzkie małżeństwo i trzech nerwowych Chińczyków. Szwedzi milczą wpatrzeni w okno, jakby czekali na powiew znad Bałtyku. Chińczykom za to nie grozi deficyt konwersacji. Każdy z telefonem komórkowym przy uchu. Wszyscy jednocześnie rozmawiają, przekrzykując się wzajemnie i podskakując z emocji na siedzeniach. Zaraz oszaleję. Pociąg rusza. Czekam na jakikolwiek ruch powietrza, ale nic z tego. Szwedzka para zamarła, zastanawiam się, czy żyją. Zamknięci w rozgrzanej i brudnej metalowej puszce, z Chińczykami wrzeszczącymi jak w malignie, mokrzy od upału i rozczarowania, patrzymy na siebie z wyrzutem i niemym pytaniem, jaki to idiota wpadł na pomysł tej podróży, i żadne z nas nie ma zamiaru wybaczyć.

— Spierdalamy stąd! — Patrzę Kubie prosto w oczy i mówię bezgłośnie, poruszając ustami, jakbym głupia obawiała się, że w tym hałasie ktoś mnie usłyszy, a co gorsza, zrozumie. — Natychmiast!

— Dokąd? — pyta spokojnie, w ten sam niemy sposób.

— Do Kopenhagi! Na północ! Gdziekolwiek!

Do Livorno docieramy po godzinie i szybko przesiadamy się do małego, regionalnego pociągu, który okazuje się zupełnie pusty i chłodny. Działa klimatyzacja. Cisza. Nie ma Szwedów w stuporze, nie ma też ani jednego Chińczyka, co wydaje się darem niebios. Do Sieny jedziemy cztery godziny. Pociąg staje na każdej stacji, gdzie nasz konduktor zawsze musi pogadać z jej zawiadowcą. Zachodzi słońce, w oddali, na wzgórzach czerwienią się wielkie, kamienne domostwa, jak pomalowane ochrą. Prowadzą do nich kręte drogi, wysadzane cyprysami, prawie czarnymi w gasnącym świetle dnia.

— Boże, jak pięknie. Uszczypnij mnie, kochany.

Patrzę oczarowana przez okna. Zapominamy o szaleństwach poprzedniej podróży, o zakurzonym Rzymie, o Kopenhadze.

Przytulam się do ramienia Kuby, gapię w zachwycie na krajobrazy, jem winogrona i czuję, że chyba zaczynają się najlepsze wakacje w moim życiu. Mały dobry kac po białym winie koi słodko skołatane nerwy.

5.

Do Sieny dojechaliśmy wieczorem. Zapadał zmrok. Z dworca do starego centrum dotarliśmy taksówką. Przed nami, na wzniesieniu, wyłaniało się miasto, mocno oświetlone i monumentalne. Nie tego się spodziewałam.

— O cholera jasna! — szepczę, gdy opada nieco zaskoczenie. — Boże! Jaka wielka! — Pociągam Kubę za rękaw. — Zobacz, Siena jest ogromna. I piękna. Kocham cię, kochanie moje. To twoja wina, że tu jesteśmy!

Kuba całuje moją dłoń, pociera nią o policzek i uśmiecha się, tak jak lubię, czyli z jednej strony bardziej.

— Hm, owszem, niezła.

Niezła. Mocno powiedziane. Pełna ekspresja i flaki na wierzchu, jak zwykł mówić Artur, nasz przyjaciel chirurg.

— Zostawiamy wszystko w hotelu i biegniemy do miasta, okej? Nie mogę się doczekać, czuję się jak tuż przed Wigilią Bożego Narodzenia! — Nosi mnie, mam ochotę biec.

Krótka wizyta w hotelu, szybki, a właściwie superszybki prysznic i już pędzimy do *centro storico*, jak wskazują drogowskazy z centrycznymi kołami wokół czarnej kropki. Od dziś będzie to dla mnie najważniejszy znak.

Jest już całkiem ciemno, gdy mijamy podświetlony na żółto

kościół San Domenico, potem małymi uliczkami docieramy do głównego placu. Nie jesteśmy przygotowani na to, co tam zastajemy. Setki ludzi z trąbkami, sikawkami, flagami, śpiewające grupy przemieszczającej się młodzieży.

— Co tu się, do cholery, dzieje? Co oni tu robią, pielgrzymka jakaś czy co? — Staję zaskoczona.

— A co, myślisz, że jak tłum ludzi, to tylko pielgrzymka? Albo strajk, co? Masz niezaleczoną traumę stanu wojennego.

— Trauma stanu wojennego! Komuch.

Siadamy na schodach prowadzących na *piazza*. Dzieci, wrzeszcząc, zbiegają z pochyłości placu, ludzie siedzą lub leżą bezpośrednio na ceglanej nawierzchni, we wszystkich otaczających plac knajpach tłum. Po prostu superchaos. Gapię się wniebowzięta.

— To co, mądralo, co tu się dzieje?

— Fiesta, moja piękna. Za kilkanaście dni będzie Palio, coroczny wyścig konny. A tak naprawdę tradycyjna walka dzielnic. Zajebiście prestiżowa sprawa dla mieszkańców Sieny. Pewnie dziś jest jakaś uroczystość z tym związana, *you know*?

— *I know*, a coś ciekawego dla nas?

— Przed Palio konie biorące udział w wyścigu poświęcane są przed kościołami, a jeźdźca, który wygra wyścig, dzielnica nosi przez rok na rękach, symbolicznie, rzecz jasna. A po Palio jest wielka wyżerka.

— Hm, wyżerka!

— Tak, ale zapomnij. Miejsca sprzedane rok wcześniej, tłum ludzi z całego świata, a wielkie żarcie i tak tylko dla swoich, z dzielnicy. Chodź, wścieklico, zapraszam cię na prawdziwe włoskie lody. Jak spróbujesz, nie odpuścisz. I wyjedziesz stąd gruba. Ale za to może bardziej dobroduszna.

Ruszamy przed siebie. Oświetlona lodziarnia na rogu przyciąga tłumy ludzi. Mały sprzedawca uwija się w środku jak w ukropie, mimo że ledwo go widać zza lodowych, wielkich gór. Szybko nakłada łopatką olbrzymie porcje. Nie mogę się zdecydować, jaki wybrać smak, za duży wybór. Jestem dzieckiem siermiężnych lodów Bambino. Śmietankowe albo w czekoladowej polewie, te ostatnie prawie zawsze niedostępne. Zaczynam się nerwowo wiercić, zaraz moja kolej. W ostatniej chwili postanawiam: czekolada *fondente* i wanilia. I jeszcze trochę sorbetu pomarańczowego. Dostaję oblepiony lodami rożek, potężny, jak dla wielopokoleniowej rodziny. Próbuję i mrużę oczy. Jezu, przepyszne. Najlepsze lody świata. Idziemy i liżemy w skupieniu. Czuję się jak w niebie, mruczę.

— Właśnie dotykam absolutu, wiesz? Wyjadę stąd bardzo, bardzo gruba.

— Hm, ja też.

— Co też? Dotykasz czy wyjedziesz gruby?

— Gruby... i dotykam...

Palio jest bardzo skomercjalizowane, te bitwy o miejsca, wycieczki turystów, pamiątki. Ale z drugiej strony jest niesamowicie autentyczne. Dzień później widzimy na jednej z ulic przemarsz młodych mieszkańców Sieny, z trąbkami i z flagami w czerwonych, granatowych i białych kolorach, symbolu którejś z dzielnic. Chłopcy, siedemnasto-, dwudziestoletni, mimo wielkiego upału, byli starannie przebrani w stroje z epoki. Żadnej prowizorki czy kompromisów. Wszyscy przejęci, zaangażowani. Gdy przystawali przy mijanych po drodze knajpach, z każdej wychodzili ich kumple i, żartując, częstowali ich winem i mocniejszymi alkoholami. Prawdziwe, nieudawane poczucie wspólnoty i wzajemnej radości. Z przyjemnością patrzyłam na to szaleństwo, na młode, spocone twarze, uśmiechy, na potargane włosy, posklejane od potu kosmyki. Słuchałam ich nawoływań, rozmów, śmiechu. Twarze z obrazów Michała Anioła czy Piera della Francesca. Żadnej ściemy, pozorów zabawy, gry. Żadnego skrępowania z powodu cudacznych strojów czy nakryć głowy. Piękni, superapetyczni chłopcy, włoscy do bólu, każdy z głębokim poczuciem, że jest na swoim miejscu.

Mijamy na ulicach tabuny Japończyków, przewalające się z jednej dzielnicy na drugą, nawet niezwalniające przy robieniu zdjęć. Uderza mnie ich bezwzględna, przerażająca karność. Jak na komendę wszyscy podnoszą aparaty do oczu, pstryk i biegniemy dalej, proszę wycieczki!

— Smutne to, nie sądzisz? Siena oglądana przez soczewkę. I to tempo! Biegną jak konie w wyścigu.

— Może ćwiczą przed Palio — Kuba patrzy na mnie niewinnie.

— Kucyki nie biegną w Palio — nie pozostaję dłużna. Wybuchamy śmiechem.

— Japończycy są dziwni — ciągnę dalej. — Wiesz, że produkują gry pornograficzne, w których można gwałcić, ile wlezie? Że tak się wyrażę, ha, ha, ha.

— Ale wymyślili telefon komórkowy, więc czapki z głów.

— To paranoicy, najpierw wymyślają telefon, a potem umierają ze strachu, gdy dzwoni.

— A i tak ludzkość będzie im wdzięczna za jeden jedyny pomysł — sztuczny penis. Wiedziałaś, że to ich?

— Nie. Ale doceniam, choć mnie nie przekonałeś.

Zjadamy szybko topniejące lody i zmykamy na jedną z pustych uliczek, by spokojnie pokontemplować Sienę. Z małych, otwartych okien dochodzą dźwięki zwyczajnego życia, głośny telewizor, brzęk rozkładanych talerzy, dziecięce głosy. Zadzieramy głowy, by zobaczyć choć przez chwilę, jak to życie wygląda. Ale nie ma mowy! Okna są wysoko nad ulicą i odsłaniają tylko fragmenty pięknych, belkowanych sufitów, z ciemnoczerwoną cegłą, nigdy wcześniej niewidziane, zachwycające.

Prawie nie rozmawiamy. Trzymamy się za ręce, gapiąc się na wszystko w cichym zachwycie. Po kilkunastu minutach trafiamy na mały, oświetlony placyk. Trwa koncert jazzowy. Czytam na plakacie, że trwa letni festiwal muzyczny. Nie ma dużo ludzi, choć wszystkie krzesła zajęte. Z przyjemnością siadamy na wciąż ciepłych od słońca schodkach przy małym kościele i oparci o siebie trwamy sobie, zupełnie zauroczeni. Kuba z knajpki obok przynosi wino w kieliszkach i tak, odmierzany kieliszkami czerwonego chianti, upływa nam pierwszy włoski wieczór. Do hotelu docieramy nad ranem, gdy zaczyna świtać. Zamroczeni Sieną i winem. *La bella vita*.

6.

Postanowiliśmy zostać w Sienie cztery dni, a potem ruszyć na Elbę. Elba-melba. Będziemy kąpać się w morzu i opalać na złocisty brąz. Ale najpierw zwiedzamy Sienę i okolice.

Codziennie rano jemy śniadanie w hotelowym ogrodzie, na tyłach budynku. Rogaliki, słodkie bułeczki z dżemem, cappuccino przygotowane przez miłą starszą panią, jak się później okazuje, Rosjankę, wszystko jest bez zarzutu. Dziś jesteśmy po pierwszym porannym spacerze. Wstaliśmy wcześnie, przed szóstą, zabraliśmy aparaty fotograficzne i wyruszyliśmy na stare miasto. Słońce miało wstać za niecałe pół godziny. Niebo na wschodzie było zielonkawe, na jego tle kamienne domy z niezliczoną ilością okien i mansard, rozpostarte szeroko na wzgórzu, wydają się szarym, koronkowym wachlarzem. Gdy dochodzimy do kościoła San Domenico, wstaje słońce, niebo ciemnieje i ceglane mury świątyni zaczynają płonąć w świetle dnia. Miasto jest wyłącznie nasze. Przez pierwszą godzinę spotykamy tylko samotną zakonnicę, przemierzającą szybko *piazza*, z rozwianym białym welonem, łopoczącym głośno na wymarłym o tej porze placu, i rowerzystę pędzącego na złamanie karku przez wąskie, kręte uliczki. Pojawia się nagle, jak wielka mucha w czarnym, obszernym podkoszulku i wściekle zielonych szortach. Oczy przesłaniają mu duże, ciemne okulary, okrągłe i połyskujące w pierwszych promieniach słońca. Pan Mucha jest zjawiskowy, jego rower także. Zostawia za sobą zapach dobrej wody toaletowej i cichnący powoli dźwięk popiskujących kół.

Jemy zasłużone śniadanie, zerkamy na palmy rosnące wokół, otaczające nas wille, ciche, ze szczelnie pozamykanymi okiennicami, i zamyślamy się często, ciągle pod wrażeniem porannego spaceru.

— Fajnie tu — mówię, mając na myśli Włochy, a nie hotel, dość zwyczajny i położony przy ruchliwej ulicy. Kuba, zajęty rozsmarowywaniem masła na ciepłym rogaliku, nie słucha mnie zbyt uważnie.

— Nawet, nawet.

— Myślę o Sienie, Italii, południu Europy, rozumiesz?

— Hm... — Kuba zaczyna powoli jeść. — Owszem.

— Powiedz, że jest ci tu dobrze!

— Okej.

— I cudownie. Siena piękna do bólu. Powiedz to.

— Kobieto, daj żyć. — Kuba sięga po kawę.

— Powiedz to.

— Dobrze, cudownie, pięknie. Mogę już skończyć śniadanie?

— Chciałabym tu zamieszkać.

Kuba powoli pije kawę. Odstawia filiżankę i mówi:

— Ja też.

Patrzę na niego w milczeniu. Spogląda na mnie, gryząc rogalik. Nie żartuje. Chłodna Kopenhaga rozpłynęła się niepostrzeżenie jak włoskie lody na włoskim słońcu. Stała się dalekim wspomnieniem, jak przeczytana wiele lat temu książka — coś tam nam się roi, ale szczegółów nie pamiętamy. Zastanawiam się, czy to wpływ tutejszego powietrza, wina czy może starość? A może doświadczenie pod tytułem Nanna Christiansen? Zostawiam ten problem bez odpowiedzi, bo przychodzi mi do głowy kolejna myśl.

— Moglibyśmy kupić małe mieszkanie i na początku przyjeżdżać tu co roku na wakacje. A w pozostałe miesiące wynajmować je znajomym. Dobry pomysł, co?

— Doskonały.

— Bądź poważny. To dobry pomysł.

— Też tak uważam. Tyle tylko że nas nie stać. Nieruchomości tutaj muszą być pioruńsko drogie. Nie mamy dużych oszczędności. Mamy za to niezły kredyt, pamiętasz?

Chryste, pewnie, że pamiętam. Ale nie o to chodzi w życiu, by myśleć o niespłaconych kredytach. Trzeba marzyć.

— Trzeba marzyć — powtarzam głośno.

Jemy w ciszy. Zamyślam się, gryząc jabłko. Małe mieszkanko, dwa pokoje, widok na okolice Sieny. Przyjeżdżamy latem, otwieramy okiennice, jesteśmy u siebie. Jemy kolację na tarasie, wino, oliwa, niesolony toskański chleb, sery. W doniczkach kupiona na targu bazylia i rozmaryn. Lniany obrus i szorstkie, proste prześcieradła. Miłość przy otwartych oknach, wieczorny chłodek na skórze, w oddali szum miasta.

— ...i Monteriggioni. Słuchasz mnie?

— Słucham. A co mówiłeś?

— Mówię, że powinniśmy zobaczyć San Galgano i Monteriggioni. Co wybieramy na dziś?

— A co bliżej? — pytam, bo mam pewien pomysł.

— Myślę, że San Galgano.

— To jedźmy tam. Ale najpierw przejdźmy się jeszcze raz przez miasto, dobrze?

— Dopiero co wróciliśmy.

— Wiem, ale chciałabym rozejrzeć się jeszcze raz.

— Czego szukamy?

— Agencji nieruchomości.

7.

Siena roi się od biur nieruchomości. Do żadnego nie weszliśmy. Wystarczyło nam przeczytanie wywieszonych w witrynach ogłoszeń. Ceny absolutnie, nieprzyzwoicie i jednoznacznie kosmiczne. Stać nas na kupienie dwunastu metrów kwadratowych powierzchni. Akurat tyle, by postawić po przyjeździe torbę, zdjąć buty i położyć się samotnie na podłodze, z psem w nogach. Reszta rodziny może tylko stać w drzwiach i podziwiać apartament, bo już się nie mieszczą.

W drodze do San Galgano rozmawiamy o naszym porannym pomyśle. W autobusie jesteśmy sami, gdy ruszamy spod dworca kolejowego. Przed nami półgodzinna trasa. Nieopatrznie siadamy na pierwszych miejscach, obok kierowcy. Chcemy mieć lepszy widok, bo jak informują przewodniki, droga zapiera dech w piersiach. Jeszcze nie wiemy, że nam zaprze na tyle skutecznie, że będziemy potrzebować godziny, by przeszło nam drżenie rąk i nóg.

— Oni chyba poszaleli. Osiem tysięcy euro za metr kwadratowy. Powiedz, że to jakiś żart. — Nie daję za wygraną. — Nie przyjmuję tych cen do wiadomości.

— To Siena. Myślę, że to jedno z najdroższych miast w Toskanii. Jeśli mamy myśleć o tym poważnie, musimy rozejrzeć się po jej okolicach. Tu nie damy rady.

— Ale co, myślisz, że mieszkanie to dobry pomysł?

Wyjeżdżamy z miasta. Przed nami, w oddali, widać góry, już nie mogę się doczekać, gdy w nie wjedziemy. Kuba bierze moją rękę i przytrzymuje w swoich dłoniach.

— Jeśli mielibyśmy tu zamieszkać na stałe, to nie. Mieszkanie to tylko dach nad głową, dom pozwala stworzyć miejsca dla turystów, wynajmować je, rozumiesz?

— Myślisz o B&B? — patrzę zaskoczona na Kubę. — To świetny pomysł. Cholera, nie doceniam cię.

— Wiem. Stale ci to powtarzam, moja droga. A wracając do sprawy, Toskania stwarza, sama z siebie możliwości zarabiania. Musimy mieć to stale na uwadze. Jeśli mielibyśmy tu zamieszkać, będziemy musieli się utrzymywać, zanim odnajdziemy się w swoich zawodach. Jeśli w ogóle się odnajdziemy.

Autobus staje na przystanku. Patrzymy na nowego pasażera. Kierowca z radością rozpoznaje w nim znajomego, witają się wylewnie i hałaśliwie.

— To ciekawy pomysł — wracam do naszej rozmowy — podoba mi się. Nie masz pojęcia, z jaką ulgą zostawiłabym firmę, nie mam już serca do tej pracy.

Zaczynamy wspinać się coraz wyżej, jest pięknie. Spoglądamy zdziwieni na kierowcę. Jak na nasz gust za często się śmieje i próbuje podzielić swoją uwagę pomiędzy drogę a ulubionego kumpla. Na prostej drodze jakoś dało się to znieść, ale wjechaliśmy w góry, zakręt za zakrętem, wąsko, a ci rechoczą i co rusz się poklepują. Kierowca ma utrudnione zadanie, ale widać, że dla niego to nie problem. Częściej patrzy na siedzącego za nim ziomka niż przed siebie. Autobus wspina się coraz wyżej, a my czujemy, że robi się coraz niebezpieczniej.

— Obawiam się, że kierowca to wariat, widzisz, puścił kierownicę. — Kuba ściska moją dłoń. — Gada i wymachuje łapami.

Przyglądam się mężczyznom. Wydają się całkowicie pochłonięci rozmową.

— Zobacz. — Kuba mocniej zaciska palce. — Bez przerwy odwraca się do tego drugiego gościa. Zaraz pójdą na tył wozu, by pograć w karty. Na pewno chcesz tu mieszkać?

Kierowca rechocze, uderza pięścią w kierownicę, drapie się po wielkiej klacie, ściera pot z twarzy. Wydaje się zupełnie nie przejmować znakami drogowymi oraz faktem, że balansujemy nad przepaścią.

— Kuba, daj spokój, skup się, pogadajmy o naszych planach — mówię cicho, ciesząc się na perspektywę rozmowy o marzeniach. Nagle prawie przyklejamy się do skalnej ściany, którą mijamy w odległości pięciu centymetrów. Wyrywam swoją rękę z uchwytu Kuby i wczepiam się w jego ramię.

— Jezu, ten człowiek nas zabije!

Kierowca z wyciem silnika wspina się na niekończącym się ślimaku, zarykując się wraz z drugim pasażerem do łez. Z fantazją trąbi na nadjeżdżających z naprzeciwka, którzy przerażeni i w popłochu zjeżdżają na pobocze przed rozpartym na środku drogi autobusem. Wokół boski widok, Toskania w pełnym słońcu, doliny i wzgórza, prawie raj, a w moim sercu czarna trwoga.

— Planach? Nie będzie żadnych planów, ten facet to morderca. Zobacz, jak ten gnój ścina zakręty! Kurwa, chcę się z tobą zestarzeć, ale to się chyba nie uda!

Czuję, że jest mi niedobrze, nerwowo szukam w torbie foliowego woreczka. Zawsze mam ich pełno, bo przynajmniej jeden zabieram na każdy spacer z psem. Nie chcę zabrudzić autobusu, choć może mały paw na przedniej szybie otrzeźwiłby kierowcę kretyna. Żołądek kilkakrotnie wędruje mi do przełyku i wraca na miejsce. Po piętnastu minutach uspokajam się nieco, bo wokół robi się bardziej płasko. Patrzę przed siebie i oddycham powoli.

Kuba wyciera chusteczką wilgotne czoło i z nienawiścią zerka na wyluzowanego i zadowolonego kierowcę. Dotykam podbródka Kuby i kieruję jego twarz w moją stronę. W oddali, na wzgórzu widać kamienną ruderę.

— Zobacz, kochany, jaki piękny opuszczony dom. Może byśmy taki kupili? Remontowaliśmy dom na Żuławach, możemy wyremontować w Toskanii. Będzie taniej. I nie patrz na kierownicę, znów nikt jej nie trzyma.

8.

Wszystkie kolejne dni upływają nam na codziennych wyprawach w okolice Sieny i gorących rozmowach o naszym nowym pomyśle. Oglądamy miasto pod kątem ewentualnego zamieszkania, czytamy wywieszone na domach ogłoszenia o sprzedaży. Dochodzimy ostatecznie do wniosku, że Siena nie dla nas. Za droga i zbyt turystyczna. Zwiedzamy w ciągu dnia Pienzę, San Gimignano, Montalcino. A wieczorami, siedząc na Piazza del Campo, pijemy chianti i spieramy się do upadłego, czy chcielibyśmy mieć dom czy mieszkanie. Zamieszkać tu na stałe czy może kupić coś na letni wynajem i korzystać z tego raz w roku? W małym czy może w dużym mieście? Do remontu czy wykończone? Czy B&B jest dobrym pomysłem? No i podstawowa kwestia: z czego mielibyśmy się tu utrzymywać i za co kupić nieruchomość? Moja mała firma reklamowa od pewnego czasu wykonuje duże zlecenia w Chinach. Są bardzo pracochłonne, obarczone ryzykiem, bo chińscy dostawcy potrafią czasem zrobić potworną fuszerkę, ale też bardzo intratne. Wychodzi mi, że jeśli zrealizujemy kolejny kontrakt i wszystko pójdzie zgodnie z planem, jeśli sprzedamy nasze mieszkanie w Sopocie i zaciągniemy kredyt, możemy zacząć poważnie myśleć o zakupie włoskiego domu. Jednak kwestia pomysłu na życie pozostaje otwarta. W pewnym momencie zaczynamy być tak skołowani i zakręceni, że przezornie postanawiamy, że skończymy temat. W każdym razie tutaj, we Włoszech. Po powrocie do Polski rozejrzymy się w Internecie po innych toskańskich prowincjach, przejrzymy oferty z okolic Lukki, Arezzo czy Pizy i zastanowimy się na zimno, co dalej. W przeciwnym razie ostatnie dni włoskich wakacji bezpowrotnie zmarnujemy na jałowych rozmowach.

Nasz pobyt w Sienie zakończyliśmy mocnym akordem, wizytą w Monteriggioni. Malutka, urocza twierdza słynie z czternastu wyniosłych wież, tworzących regularną koronę. Idealna do zwiedzania podczas przedpołudniowej, krótkiej wycieczki.

Wysiedliśmy przy jakimś barze na rozwidleniu dróg, a ponieważ zanosiło się na deszcz, uznaliśmy, że trzeba wybrać najkrótszą drogę. Kelner, w niezbyt czystej białej kamizelce, leniwie ścierał stoliki na tarasie, nucąc coś pod nosem.

— W którą stronę do Monteriggioni, w prawo czy w lewo? — pytam po angielsku. Facet nie patrzy na mnie, coś mruczy i niedbale wykonuje ruch ręką. Spoglądam na Kubę. Podnoszę brwi.

— Zrozumiałeś, co mówi?

Kuba kręci przecząco głową.

— Zapytaj go po włosku, facet nie rozumie angielskiego.

— *Scusi, per andare a Monteriggioni?*

I znów identyczna odpowiedź, koleś od niechcenia macha ręką po nieboskłonie i nie racząc nas spojrzeniem, spokojnie nuci dalej. Czekamy na dalszy ciąg, ale wychodzi na to, że przestaliśmy dla niego istnieć. Stoimy niezdecydowani, w końcu odmachujemy mu równie niecenzuralnie i ruszamy przed siebie.

— W prawo czy w lewo?

Stoimy na skrzyżowaniu, przed nami rozwidlenie, asfaltowa droga prowadzi w prawo, a bita wąska — w lewo.

— W lewo — odpowiadam. — Nie słyszałeś, jak przemiły pan ze ścierą powiedział „w lewo"? Trzeba słuchać tubylców.

Idziemy więc, w zasadzie zadowoleni, deszczyk troszkę kropi, ale jest ciepło i miło. Przechodzimy pod drogą ekspresową i oto przed nami w oddali rysuje się wspaniały widok twierdzy, ponurej na tle jeszcze bardziej ponurego, prawie grafitowego nieba. Wokół, jak okiem sięgnąć, aż do samego wzgórza rzędy ciemnozielonych winorośli. Po prostu, kurczę, pięknie. Do miasteczka, wśród upraw, pnie się wąski trakt w niesamowitym, ceglastoczerwonym kolorze. Niezwykły kontrast szarości murów i zieleni roślin. Idziemy sobie dalej, rozprawiając o wszystkim i o niczym i oglądamy rozpięte na drutach i precyzyjnie powiązane krzaki winogron.

— Ania, trzeba przyznać, że do tego potrzeba cierpliwości. Zobacz, jaka koronkowa robota. — Kuba kuca i uważnie przygląda się krzewom. — Chodź tu i zobacz.

Oglądamy razem rośliny. Z bliska widać, że każdy krzak został starannie przywiązany do poprzeczek. Dzięki temu ciężkie grona owoców nie opadają na ziemię. Ja jednak wolę patrzeć na winorośle z szerszej perspektywy; rzędy identycznych roślin, stojące w równym porządku na łagodnym zboczu, idealna harmonia natury i ludzkiej ingerencji.

— A powiadają, że Włosi są leniwi i niedokładni. — Kuba wstaje z klęczek. — Te krzewy temu przeczą, no chyba że zrobili to nasi, pod butem ukraińskiego nadzorcy.

— Przestań, ten dramat był na południu, tu jest inaczej. Chyba.

— O Polakach mówi się, że są pijani, brudni i kradną samochody. Przecież my zawsze upijamy się z jakiejś okazji, a to zupełnie zmienia postać rzeczy.

Wraca do mnie wspomnienie naszego krótkiego pobytu w Niemczech. Czas spędzaliśmy głównie na chodzeniu po księgarniach. W Berlinie przed jedną z nich, na Charlottenstrasse, jakiś kierowca mercedesa, obładowany książkami, zatrzasnął kluczyki w bagażniku i przyblokował nasz samochód. Ponieważ zanosiło się na to, że przynajmniej pół godziny będziemy czekać na serwis, Kuba zażartował, że ponieważ jesteśmy z Polski, spróbujemy mu pomóc. Przyjrzał się dokładnie drzwiom auta, pomedytował i poprosił o metalowy, gięty wieszak. Przy zgromadzonych wkoło pracownikach księgarni i ulicznych gapiach w ciągu trzech minut otworzył wóz. Dostał oklaski, tym większe, gdy obwieścił, że to jego debiut. Właściciel mercedesa był wyraźnie speszony, ale naprawdę dziwną minę zrobił, gdy mu powiedziałam, że Kuba jest wykładowcą uniwersyteckim. Pewnie do tej pory boryka się z tym dysonansem poznawczym.

— Co się tak zamyśliłaś?

— Myślę o twoim udanym berlińskim debiucie, pamiętasz tego mercedesa przed księgarnią? Wiesz, co pomyślałam wtedy? Że z tobą nie zginę. Że ogień rozpalisz, mając dwa patyki i garść słomy, i jak trzeba, otworzysz konserwę bez otwieracza. No i świśniesz samochód, gdy zamarzę o ucieczce w nieznane. Czyli ogrzejesz, nakarmisz i zabawisz. A to dobry punkt wyjścia, by myśleć o reszcie.

— Jestem ideałem.

— W czym?

— We wszystkim.

— Ta skromność cię kiedyś zabije. Prawię ci komplementy, więc podziękuj ładnie. I też powiedz coś miłego. Możesz skłamać.

— Mam piękną żonę. — Kuba ze śmiechem uchyla się przed moją ręką. — Przecież pozwoliłaś mi kłamać, do diabła!

Zaczyna mocniej padać, więc przyspieszamy. Nagle, gdy jesteśmy w połowie zbocza, tuż przy nas rozlega się ogłuszający grzmot i zaczyna się potężna burza. Wokół nas nie widać świata. W jednej sekundzie jesteśmy całkowicie mokrzy. Zaczynamy biec, by jak najszybciej dotrzeć do murów miejskich. Pioruny walą wkoło, a mi natychmiast przypominają się wszystkie potworne historie o uderzeniu pioruna, jakie do tej pory słyszałam. Więc drę się do Kuby, przekrzykując grzmoty, że musimy się natychmiast skryć, bo jesteśmy najwyższym punktem na zboczu i zaraz razem zginiemy. Kuba jednak nie zważa na moje krzyki, chwyta mnie za rękę i uparcie ciągnie za sobą pod górę. Oczywiście zapieram się i szamoczemy się w szaleństwie ulewy, ja go ciągnę w krzaki, on wlecze mnie za sobą. Burza szaleje. Próbujemy utrzymać równowagę, co nie jest łatwe, bo nogi nam się rozjeżdżają na wszystkie strony; piękna czerwona ścieżka zmienia się w gliniasty potok, glina oblepia nasze buty tak szczelnie, że robią się wielkie i ciężkie, zaczynamy przypominać postaci z wczesnych kreskówek Disneya, z groteskowo powiększonymi stopami.

— Anka, zlituj się, jak nie uciekniemy z tego gówna, będzie źle! — Kuba wściekły szarpie mnie za rękę i ryczy: — Biegnij, do cholery jasnej!

Biegniemy więc dalej, woda zalewa nam oczy, potykamy się o własne buciory, każdy waży pewnie z pięć kilo, grzmoty huczą wkoło i po kilku potwornie długich minutach docieramy bez tchu do bramy miasteczka. Szczęście i adrenalina dodają nam sił, ruszamy do podjazdu i niespodziewanie zjeżdżamy w dół. Kamienne, wygładzone przez setki lat płyty stały się rwącą rzeką, nie ma żadnego występu, nic, na czym moglibyśmy oprzeć nogi. Atakujemy bramę ponownie, potem jeszcze raz, za każdym razem gubiąc w rwącym potoku wody czerwone grudy gliny, odpadające z naszych z butów. Wygląda to upiornie, jakby nasze stopy krwawiły po każdym ześlizgnięciu. W końcu, po wielu próbach, wdrapując się na czworakach, trochę bokiem, podtrzymując się wzajemnie i ciągnąc, podczas gdy ulewa i burza bez zmian, pokonujemy diabła i wpadamy na pustą, zalewaną deszczem uliczkę twierdzy.

Jeszcze jeden szybki sprint i wskakujemy do pierwszej otwartej knajpy. Ludzie milkną. Akurat jest pora lunchu, lokal prawie pełny. Wyglądamy jak zamorskie potwory, widzę to po twarzach gości. Jakaś bardziej przytomna kelnerka podbiega z czystymi obrusami, dzięki czemu możemy się choć trochę doprowadzić do porządku. Postanawiamy zostać, zjeść coś i napić się wina. Nie mam zupełnie siły. Siadam bezwładnie przy najbliższym wolnym stoliku. Patrzymy na siebie bez słowa. Przyklejone do ciała ciuchy, potargane, sterczące na wszystkie strony włosy, mokre, lekko zaczerwienione twarze.

W końcu wybuchamy śmiechem.

— Zamów wino i daj mi się upić w sztok. Chcę być brudna, pijana i uciec bez płacenia rachunku. Pokażmy im polską fantazję. Piekło za nami.

Kiedy kończymy lunch, wypogadza się, wychodzi słońce i już do końca dnia na niebie nie ma ani jednej chmurki. Gdy postanawiamy wracać, okazuje się, że do drugiej, przeciwległej bramy prowadzi szeroka, asfaltowa ulica, z wygodnym parkingiem, którą bez trudu i w każdą pogodę pokonają zarówno słabe staruszki, jak i maluchy na trójkołowych rowerkach. Wystarczyło iść na prawo.

9.

Potem pojechaliśmy na Elbę, by poleżeć na plaży i odetchnąć morską bryzą po maratonie po toskańskich miastach. W tym czasie nasze mieszkanie, koty oraz pies były pod opieką Kaśki i Dziadziusia. W każdym razie tak myślałam.

Scenariusz naszego pobytu na Elbie był codziennie taki sam: rano plaża, o trzynastej małe co nieco, zwykle jakaś pasta, sałatka i wino, a potem słodka sjesta: spokojny, popołudniowy sen i leniwy, niespieszny seks. A wieczorem *passeggiata*, tradycyjny włoski spacer, kolacja i gapienie się na odpływające promy, rybaków, koty nabrzeżne i filmy dokumentalne z lat 60., które ktoś z mieszkańców wyświetlał przy marinie. Po prostu raj.

Idylla trwała cztery dni, gdy podkusiło mnie, by zadzwonić do domu i upewnić się, czy aby wszystko dobrze. Odebrała Kaśka, szczerze ucieszona moim telefonem.

— Anka, dobrze, że dzwonisz! Kochana, nic się nie martw, u nas wszystko dobrze, Dziadziuś czuje się wspaniale, dostał kolorków i apetytu. Te twoje kotki są takie pocieszne, Dziadziuś godzinami może je obserwować. Tylko dlaczego one są tak strasznie zabiedzone i chude, nie karmisz ich czy co?

— To taka rasa, wyglądają, jakby miały lada dzień zdechnąć. Nie dawaj im ludzkiego żarcia, bo będę musiała je potem znów przyzwyczajać do suchej karmy.

Znam Kaśkę, na siłę będzie dokarmiać zwierzęta, by „nabrały

ciałka". Wyobraziłam sobie nasze devony, spasione, wylegujące się przed kominkiem. Brzuchami do góry. Fuj, brzydka wizja.

— Anka, mam małe pytanko, bo widzisz — Kaśka waha się chwilę i ciągnie dalej — czy nie masz nic przeciwko, że przyjedzie tu do nas Tereska? Zajmiemy się razem twoim domem... i pieskiem... i wszystkim. Znasz przecież Tereskę, moją kuzynkę.

No znam, fakt. Widziałam ją raz podczas jakiejś ich rodzinnej uroczystości, w tłumie czterdziestu osób. Gruba i wąsata pani z mocną trwałą, w koronkowej bluzce z dużym dekoltem. Moja wdzięczność dla Kasi zniesie nawet wąsy Tereski, co mi tam.

— Kasia, nie ma sprawy. Będzie ci łatwiej.

— Bo właściwie to Tereska już jest. I zabrała Łukaszka, swojego wnuczka — ciągnie dalej niespeszona Kaśka — a Łukaszek to synek Tomka. Tomka musisz pamiętać, taki napakowany, jest kierowcą tira, ciągle w trasie. I wiesz, to biedne dziecko bez ojca wychowywane, w dodatku Tomkowi z tą jego żoną się nie układa, żal nam się dzieciaka zrobiło, więc pomyślałyśmy, że kilka dni nad morzem sprawi mu radość.

Pomyślałyśmy? A kiedy to zaplanowały, do diabła? Biorę łyk wody. Okej, nie bądźmy małostkowi. W końcu dzięki Kaśce mamy wspaniałe wakacje. Poza tym nie potrafię się na nią złościć, ma w sobie pewną nieporadność, coś, co mnie rozbraja.

— Kaśka, daj spokój, w porządku. Ile ten mały ma lat?

— Słuchaj, sześć z kawałkiem, słodki chłopczyk, uwielbia waszego pieska. No i szczęśliwy nad życie, bo po raz pierwszy od bardzo dawna może spędzić czas z ojcem.

Bang! Pierwsza czerwona lampka ostro zaświeciła w mojej głowie. Z czyim ojcem, do cholery?

— Z ojcem?

— No tak, bo widzisz, jak tylko Tomek dowiedział się, że Tereska z Łukaszkiem jest w Sopocie, to zaraz pobiegł do szefa i dostał tydzień urlopu, wyobrażasz to sobie?

Nie, nie wyobrażam. Przesuwam ręką po twarzy i patrzę na Kubę. Chyba zauważa, że coś się dzieje, bo przysuwa się bliżej.

— I widzisz, tak się porobiło, że jak Dziadziuś zobaczył Tomka, Tereskę i Łukaszka, to żyć mi nie dawał. Wiesz, Dziadziuś jest zdziecinniały i jak sobie coś ubzdura, to nie ma siły. Więc cały, rozumiesz, calutki dzień mi nudził, że on też chce być ze swoim synkiem. Synkiem! Wyobrażasz sobie? A Zbyszek to stary koń, pięćdziesiątka na karku, a dla niego to synek, ha, ha. No i w końcu nie wytrzymałam i dzwonię do Zbyszka wieczorem, i mówię mu, jaka jest sprawa z Dziadziusiem. A Zbyszek jak to Zbyszek, teraz bez pracy, nie trzeba mu dwa razy powtarzać, kupił bilety i myk do Sopotu.

Myk? Spojrzeliśmy na siebie z Kubą pełni złych przeczuć. Myk!

— To Zbyszek też tam jest?

— No tak, tłumaczę ci przecież, że z Dziadziusiem nie dało się wytrzymać. Trzeba było coś zrobić, bo w żaden sposób nie mogłam mu tego pomysłu wybić z głowy. A poza tym, wiesz, on stoi już nad grobem — głos Kaśki zadrżał niedostrzegalnie — nie można mu odmawiać ostatnich zachcianek, prawda?

Milczymy. Liczę w myślach: Kaśka, Dziadziuś, Tereska, jej syn, Łukaszek, Zbyszek. Razem sześć osób. Jeśli będą używać naszej sypialni, czego nie planowałam w najgorszych snach, mają gdzie się pomieścić.

— No więc Zbyszek przyjechał, i wyobraź sobie, zabrał swoje bliźniaki, Mariuszka i Bogdanka, tylko mi nie mów, że ich nie pamiętasz. To były takie fajne piegowate lontrusy, gdy byli mali, ciągle trzeba było na nich uważać, boby się pozabijali. Ale teraz to duże chłopy, po dziewiętnaście lat każdy. Uspokoili się trochę.

Boże, ja śnię! Nad Elbą zgasło słońce. Wstrząśnięci milczymy, bo żadne mądre słowa nie przychodzą nam do głowy. Na końcu języka mam tylko przekleństwa, i to z tych najgorszych. Pamiętam, oczywiście, Mariuszka i Bogdanka. Ostatni raz ich widziałam, gdy mieli po dwanaście lat, kościste, podrapane, patrzące spode łba rude wyrostki, gotowe w każdej chwili do bójki. Uspokoili się trochę! Czy to znaczy, że już nie plują na podłogę i nie wycierają smarków w rękawy?

A Kaśka ciągnie dalej:

— I widzisz, to jest tak, Mariuszek jeszcze się uczy, ale Bogdanek jest po wojsku, dorosły facet, ma już dziewczynę i na jesień planują ślub. Naprawdę ładna i miła. Z moją Gosią chodziły do jednej klasy.

Bang! Kolejna czerwona lampka migocze w moim mózgu. Zaschło mi w ustach.

— Ładna? Widziałaś ją? — pytam cicho.

— Oczywiście! Jest tutaj! Poszli na spacer, zabrali Dziadziusia nad morze, a ja z Tereską gotuję obiad na jutro. Słuchaj, przecież chłopak nie zostawi dziewczyny samej — tu Kaśka ściszyła głos — w ciąży.

Zapalam papierosa. Muszę się uspokoić i zebrać myśli. Jestem potworem, jak mogłam pomyśleć, że młodociana ciężarna mogłaby zostać w domu sama. Przecież w Sopocie są fajniejsze dyskoteki. Usiłuję się skoncentrować, ale w głowie mam pustkę.

— Spytaj, kto jeszcze tam jest — szepcze mi do ucha Kuba.

— Już.

Zaciągam się papierosem i staram się, by mój głos nie zabrzmiał emocjami.

— Kaśka, możesz powiedzieć, kto jeszcze przyjechał?

Kaśka jednak wyczuwa w moim grobowym głosie, że nie wszystko gra. Jestem pewna, że zaprzeczy, i mam rację. Ale nie do końca.

— Anka, no coś ty! Już nikt. Tylko moja Gosia chciała mnie jutro odwiedzić, z Damiankiem, rzecz jasna, bo ma być ładna pogoda i chcieliby spędzić czas na plaży. Już żeśmy rozmawiały z Tereską, że umyjemy ci okna, razem z Gosią w jeden dzień powinno się udać. A Damian pytał, czy mogą zabrać jego siostrę, nie znasz jej, fryzjerka, świetnie robi balejaż, wiesz? No i zostaliby na weekend, bo co mają się nudzić w domu, kiedy mamy takie piękne lato, prawda?

Prawda. Jeśli myślałam inaczej, to mam serce z kamienia. Wyszło mi, że będzie wszystkiego dwanaście osób, jeśli oczywiście siostra fryzjerka nie zabierze ze sobą swojej kulejącej matki, chłopaka, co właśnie wyszedł z więzienia, a on swoich kolegów z wojska. Kończę papierosa, trzęsą mi się ręce. Oczami duszy widzę, jak depczą moje woskowane podłogi, jak sypie się z nich piasek, jak używają, Jezu, naszego łóżka, jak codziennie smażą ryby i palą fajki w mojej kuchni. A nasze koty wpadają w rozpacz i zdychają za pralką. Chce mi się wyć i zabić Kaśkę. Na śmierć. Kuba widzi, co się dzieje, i głaszcze mnie po plecach, co dodatkowo wkurza. Okej, stary, będzie dobrze, tylko przestań mnie myziać! Oddycham głęboko, w tym czasie Kaśka jeszcze chwilę gada o pysznych rybkach w przystani, tłoku na Monciaku i schodzącej z pleców skórze. Kończymy rozmowę.

Milczę, patrząc przed siebie. Na Elbie zmierzcha. Zapalam drugiego papierosa.

— Kuba, powiedz, że to był sen. To nie dzieje się naprawdę. Tych ludzi tam nie ma. — Chce mi się płakać. Spoglądam błagalnie na mojego męża, który nie wydaje się specjalnie poruszony. — Będą spać w naszym łóżku, pocić się w naszej pościeli, uprawiać w niej seks, Chryste…

— Jaki seks? I kto? Dziadziuś z Tereską? Mariuszek z Tomkiem? Daj spokój, oni żyją po bożemu, nie tak jak my. Wszystko będzie dobrze. Nic nie zrobimy, dzieli nas ponad dwa tysiące kilometrów. Można było się domyślić, że Kaśka nie wytrzyma sama, bez tej swojej porąbanej, licznej rodzinki. Będzie dobrze — powtarza, jakby sam w to nie wierzył. — Znasz ją, przed wyjazdem wysprząta mieszkanie na błysk, przygotuje nam zrazy, pamiętasz, jakie robi pyszne? W dodatku zamrozi pierogi i umyje okna, a to nie byle co, w końcu jedenaście sztuk secesyjnej stolarki. Same plusy. No, prawie same — dodaje po chwili, spotykając mój ciężki wzrok.

Bez słowa ruszamy do baru. W tym momencie marzę tylko o kielichu, i to nie włoskiego, beztroskiego wina, ale dobrze zmrożonej, depresyjnej polskiej wódki.

II.

Ursula, czyli szukajcie, a znajdziecie

1.

Rozpoczęła się jesień. Kuba wrócił na uczelnię, ja realizowałam zlecenie dla wielkiego koncernu spożywczego, Marta zaczęła trzeci rok studiów. Kilka razy musiałam lecieć do Hongkongu, by dopilnować wszystkich spraw. Wszystko biegło swoim torem, z tą różnicą, że każdą wolną chwilę spędzałam w Internecie, przeglądając oferty nieruchomości w Toskanii. Czasem towarzyszył mi Kuba, ale zwykle sama wyszukiwałam ciekawe propozycje i wysyłałam mu mailem. W listopadzie miałam już tak głęboką wiedzę, że mogłabym z powodzeniem zająć się prowadzeniem biura pośrednictwa nieruchomości. Znałam nazwy najważniejszych pośredników w Toskanii, pojęłam skomplikowane procedury zakupu, kolejność poszczególnych kroków, związane z tym koszty, możliwości zaciągnięcia kredytu, a przede wszystkim ceny domów i mieszkań w wybranych prowincjach oraz konkretne propozycje.

Nie ukrywam, że sprawiało mi to wielką, zmysłową radość, takie wędrowanie od jednego domu do drugiego i przymierzanie ich do siebie. Oglądanie zdjęć, porównywanie, szukanie wybranych miejsc na mapie. Wszystko to było trochę magiczne, a trochę niedorzeczne. W październikowe popołudnia siedziałam wygodnie w swoim sopockim mieszkaniu, słuchałam muzyki i oswajałam poprzez Internet inne, obce domy, oddalone ode mnie o tysiące kilometrów, całe w ciepłych kolorach szarości i ochry. Przykładałam je do siebie jak piękne, wymarzone sukienki i przeglądałam się z przyjemnością, czy do mnie pasują. Dalekie, a jednocześnie na wyciągnięcie ręki, czekające na swój wybór.

Każdy dom był osobną opowieścią, nową historią. Każdy intrygował, zaciekawiał. Każdy był gotowy nas przyjąć, przygarnąć, zawłaszczyć. Wystarczyło tylko powiedzieć „tak".

Jesteśmy w bibliotece, w pokoju od podłogi po sufit zapełnionym półkami z książkami. Tak naprawdę to zawsze miała być tu jadalnia, na środku stanął nawet duży stół, a wokół niego kilka wygodnych krzeseł, ale niestety, Kuba szybko zaanektował to pomieszczenie dla siebie. Nie wiadomo kiedy wstawił swój komputer, na stole i krzesłach porozkładał książki, i to tak skutecznie, że mimo wysiłków nie potrafię teraz znaleźć miejsca, by usiąść i postawić swój kubek z kawą. Na podłodze potykam się o pudełka z płytami CD, nawet długi i szeroki parapet jest zawalony szpargałami. W zasadzie pokój nie nadaje się do użytku, jadamy przy stole kuchennym, co wszyscy tak naprawdę lubimy. Czasem tylko, gdy przygotowujemy kolację dla większej liczby przyjaciół, pojawia się problem, jak uprzątnąć cały ten bałagan. Oczywiście nie mogę Kubie pomagać, bo, jak twierdzi, i tak to całe przekładanie powoduje, że gubi wątek, a gdy będę próbowała odłożyć coś po swojemu, to wtedy będzie całkowita katastrofa. Marudząc, próbuje poupychać wszystko pod starą, zapchaną po brzegi biblioteczkę, płyty odsuwa pod ściany, komputer stawia na parapecie i niezadowolony narzeka przez cały wieczór, że przez te porządki nigdy nie skończy swojej książki.

Jeszcze większą zmorą jest dla niego poczciwa pani Halinka, która raz na dwa tygodnie przychodzi pomóc mi w sprzątaniu.

— Błagam, powiedz tej kobiecie, niech nigdy, przenigdy nie wchodzi do mojego pokoju. — Kuba ściska mi rękę i szepcze gorączkowo do ucha, podczas gdy Halinka robi sobie poranną kawę i podśpiewuje „Gdy mi ciebie zabraknie". — Nie wolno jej do mnie wchodzić, bo następnym razem ją zabiję. Wpada jak burza z odkurzaczem i od progu nadaje: i jak, panie Kubo, pracuje pan, co, pracuje, widzę, ile książek, Jezu, i co, wszystko pan przeczytał, na pewno nie, nie wierzę, dlatego wszyscy okulary nosicie, oczy zepsute od tego czytania, nawet Martusia, odsuń się, kochaniutki, te pana książki to ja bym w kartony i do piwnicy, kto to widział, na podłodze i krzesłach, ta pani Ania to cierpliwa kobieta, znosi to wszystko, niech pan pracuje, ja nie będę przeszkadzać, tylko te karteluchy przesunę, co? Jezu, ile tego, pan to chyba zupełnie nie ma nic z życia, tylko te książki i pisanie, a ten pana komputer, Boże drogi, daj mi odkurzyć, panie Kubo, ja tylko na stole trochę sprzątnę, nie zjem przecież, ha, ha, ha! — Kubie aż rwie się oddech.

Wybucham śmiechem.

— Błagam, to nie jest śmieszne, ona jest potworem. I możesz nie wierzyć, ale jak jeszcze raz tu wejdzie i zacznie tokować, to nie ręczę za siebie. Nic na świecie mnie tak nie wkurwia, jak nasza pani Halinka i radio w jej tyłku. Bez regulacji głosu. Mówię serio, będzie trup.

— Trup w bibliotece. — Śmieję się, ale widzę, że sprawa jest poważna. Przytulam Kubę mocno, całuję w usta i idę do Halinki, bo słyszę, że wyciąga odkurzacz.

— Pani Halinko, proszę nie sprzątać u pana Kuby, jest zajęty, pracuje, potem sama sprzątnę ten pokój. I niech pani nie otwiera do niego drzwi, bo to może mu przeszkadzać. Jak będzie pani miała jakąś sprawę, proszę zadzwonić do mnie, nawet jeśli akurat Kuba jest w domu, dobrze?

Halinka, korpulentna, rumiana, ruchliwa, po pięćdziesiątce, patrzy uważnie na mnie, wyjmuje z kieszeni burego fartucha w szare grochy czystą, białą chusteczkę i głośno wydmuchuje nos. Potem starannie chowa chustkę do przepastnej kieszeni. W jej wzroku widzę współczucie.

— Pani Aniu, mogę nie sprzątać, ale kochaniutka, powiem pani, co myślę, bo tam zawsze tak brudno, pan Kuba, to za przeproszeniem, syf ma wokół siebie, te książki i papierzyska, wszystko zakurzone, i na podłodze pełno śmiecia, jak mu niedawno trochę poukładałam, to zrobił się taki blady i tak patrzył na mnie, że nie wiedziałam, co powiedzieć, jakby chory był albo co, więc pytam się go, czy może chory, bo źle wygląda, blady, zielony prawie, i mówię, że to pewnie od kurzu, ale już będzie lepiej, bo uprzątnięte, ale on jeszcze bledszy, mówię pani, jakbym mu tam wypucowała ten jego gabinet dokładnie, to byłoby inaczej, żal mi go strasznie, jak Boga kocham...

— Pani Halinuś, niech mu tam pani nie wchodzi — przerywam jej — tak będzie lepiej. Jak nie chce, by sprzątać, to nie sprzątamy, okej?

Halinka nieprzekonana kręci głową i otwiera usta, by kontynuować, ale zmykam do Kuby i zamykam szybko drzwi.

— Okej, nie wejdzie, ale czy będzie pamiętać następnym razem, nie obiecuję. Zamykaj drzwi na klucz.

— Te mogę zamknąć, ale co z tymi przeszklonymi, będzie za nimi stała, na wprost mnie, robiła miny, skrobała w klamkę, a wtedy, Anka, oszaleję.

Całuję go w kark, wącham włosy i wychodzę. Dla mnie sprawa załatwiona. Nie wszystkim natręctwom Kuby mogę zaradzić. Z niektórymi musi zmierzyć się sam.

Ale teraz siedzimy w jego pokoju, jest początek listopada, szukam miejsca na postawienie kubka, mamy pogadać o wyjeździe i naszych planach. Kuba odrywa się z trudem od książki, robi mi miejsce na stole i zdejmuje swoje notatki z krzesła. Siadam i wyciągam stopy w stronę kominka.

— No więc tak. Mamy wybrane dwa domy i dwa mieszkania w Castiglion Fiorentino i dwa domy w Sansepolcro. Możemy jechać w pierwszych dniach grudnia. Ursula z agencji w Castiglion zarezerwuje nam jakiś tamtejszy B&B, wszystko poustawiałam, decyzja należy do nas. Co ty na to?

— Może być.

Patrzę na Kubę z wyrzutem. Nie o to mi chodziło.

— Kuba, słuchaj, nie chcę z tobą tak gadać. Zostaw tę książkę, do cholery, odłóż daleko i doceń, proszę, moje wysiłki. Sama nie będę targać tego worka. — Jestem zła, bo Kuba ma sposoby na wykręcenie się od rzeczy dla niego nudnych, a ja tych sposobów nie znoszę i wtedy wpadam w rozdrażnienie.

— Jakiego znowu worka? — pyta, ale odkłada książkę i siada na wprost mnie.

Pomijam ten marny żart milczeniem. Przysuwam się do kominka, aż ciepło zaczyna mnie szczypać. Hm, fajnie.

— Najpierw termin. Czy początek grudnia jest okej, nie masz jakichś ważnych spraw na uczelni?

— Może być — Kuba zakrywa uśmiech filiżanką. Dobrze, panie żartujący, za miło mi teraz, bym miała się pieklić.

— A co z tymi nieruchomościami? Może masz coś jeszcze na oku? Nie jestem pewna, czy tego właśnie szukamy, te dwa domki, była piekarnia i stolarnia, są bardzo malutkie. Mieszkania też takie jakieś, no, cienkie. Podoba mi się kominek w domu w Sansepolcro, ale sam dom to wielka ruina, widziałeś ten gruz na zdjęciach. W zasadzie to żadna z tych ofert mnie nie kręci, stracimy cztery dni, a i tak prawdopodobnie nic nie znajdziemy. A potem w ostatnim tygodniu przed świętami mam ostatni wyjazd do Chin i, prawdę mówiąc, wolałabym przed tym pobyć w domu i się zorganizować. A jak wrócę z Chin, to będą już święta, więc widzisz, to chyba nie jest dobry pomysł z tym naszym wyjazdem, co?

— Pękasz, nie? — Kuba przysuwa się do mnie i kładzie sobie moje stopy na kolana. — Przestraszyłaś się trochę, przyznaj się. Bo powoli klamka zapada. Wymyślasz problemy, wiesz o tym…

— Nie. To znaczy trochę. A właściwie to tak, boję się. Jechać latem, na wakacje, to zupełnie inna sprawa. A teraz mielibyśmy patrzeć na Włochy twarzą w twarz, wiesz, bez żadnych pretekstów. Szukamy dla siebie miejsca w tym kraju, przyznaj, że to brzmi trochę brutalnie. Cieszy mnie ta podróż, chcę zobaczyć Toskanię zimą, chcę w końcu wejść do tych domów, które setki razy odwiedzałam wirtualnie, ale to takie, wiesz, ostateczne.

Kuba masuje mi stopy, Petunia usiadła na jego ramieniu i zamarła z rozkoszy, w cieple promieniującym z kominka i wełnianego swetra Kuby. Milczymy, wpatrując się w rozgrzane, pomarańczowe szczapy.

— Ania, nic nie musimy. Jeśli uznamy, że to nie dla nas, że coś nam nie pasuje, zmienimy decyzję, rozumiesz? Nic na siłę. Jeśli pojedziemy, to po to, by sprawić sobie przyjemność, pobyć tam razem, połazić bez celu. Przy okazji coś zobaczymy, kupimy oliwę i wino i wrócimy. Mamy czas. Jakiej byśmy nie podjęli decyzji, będzie dobra, okej? Lubisz takie wyprawy, wszystko zorganizowałaś, jak zwykle perfekcyjnie, to będzie fajna przygoda. I na razie nic więcej, dobrze?

Dobrze. Jak zawsze, bez wysiłku i ględzenia, mój kochany potrafi mnie uspokoić i wyciągnąć z dołka. Nawet takiego, który sama pracowicie wygrzebuję. Teraz z kolei Serek wskoczył mi na kolana, popatrzył ciężko i ułożył się wygodnie. Siedzimy w ciszy, patrzę na Kubę, wygodnie rozpartym w tym jego bałaganie, na śpiące koty, kominek. Dobrze mi. Mieszkamy tu raptem od dwóch lat. Wygodne, miłe, sopockie mieszkanie w secesyjnej kamienicy, z wielkimi oknami wychodzącymi na pobliskie wzgórza. Przed domem stare kasztanowce. Ciepłe, drewniane podłogi, cicha, przytulna sypialnia z wielkim lustrem i malutką werandką, akurat by wypić małą poranną kawę i pogapić się na wschodzące słońce. Ktoś powiedział: „Zbuduj twierdzę i ją zburz" — czy potrafię chwycić łom, wziąć zamach i łupnąć w ten spokojny, czuły dom, a potem spokojnie się odwrócić, by ruszyć w drogę? Tyle razy bez wahania, żeby nie powiedzieć z radością, zostawiałam dotychczasowe miejsca, ludzi, sprawy i nie oglądając się za siebie, wybierałam inne, lepsze światy. I nigdy nie żałowałam swoich decyzji. Wszystkie okazywały się dobre, bo podejmowałam je sama, i nawet jeśli potem było naprawdę kiepsko, wszystkie one doprowadziły mnie do miejsca, w którym teraz jestem. Ale dziś nie jestem tak pewna, czy potrzebuję nowego wyzwania. Po raz pierwszy czuję, że myśląc o zburzeniu tego spokojnego domu, wypuszczam z piekła demony.

2.

Castiglion Fiorentino okazało się malutkim, kamiennym miasteczkiem na wzgórzu, jakich setki w Toskanii. Gdy dotarliśmy tam wieczorem, wiał silny wiatr i było przeraźliwie zimno.

Ursula, pośredniczka z biura nieruchomości, wyszła po nas na stację i podjechaliśmy razem do zarezerwowanego pensjonatu. Byliśmy jedynymi gośćmi. W środku dramat. To znaczy pięknie, tak pięknie, że aż boli.

— Zobacz, przypatrz się dokładnie, jak nie powinien wyglądać B&B. Te płytki udające cotto, szyfonowe zasłonki w zielono-fioletowe kosmiczne wzory, zimne kaloryfery i namalowane na suficie cegły — mówi do mnie Kuba, wyjmując z torby cieplejszy sweter.

— Kochanie, nie obrażaj mnie, do cholery, przecież widzę. — Jestem rozdrażniona i zmęczona, denerwuje mnie oczywista brzydota pokoju. — I wyjmij mi szary szalik, bo ciarki przechodzą mi po plecach. Sama nie wiem, z zimna czy z estetycznych rozkoszy.

Ubieramy się ciepło i wyruszamy z Ursulą wymarłymi uliczkami na kolację. Nigdzie żywej duszy, wiatr szarpie naszymi ubraniami, w knajpie też jesteśmy sami. Zaraza jakaś czy co?

Ursula jest Włoszką z Alp lub Austriaczką z Włoch, jak kto woli. Bez problemu rozmawia ze mną po angielsku, by zaraz, mówiąc do Kuby, przejść swobodnie na niemiecki. Wysoka, na oko pięćdziesięcioletnia, postawna kobieta z lekką nadwagą, o srebrzystych, krótko ściętych włosach. Opowiada ze swadą o Castiglion Fiorentino, w którym mieszka od kilkunastu lat, śmieje się głośno i zaraźliwie i z bez skrępowania wypytuje nas o nasze plany. Zamawiamy wino i jakieś przekąski, nie mamy ochoty na bardziej konkretny posiłek. Ursula wlewa wino do kieliszków i wypijamy za spotkanie. Kuba, zainteresowany historią, znajduje w niej wdzięcznego rozmówcę, bo Ursula okazuje się z wykształcenia historykiem sztuki. Pochłania ich bez reszty rozmowa o kulturze etruskiej, obecnej na terenie Toskanii, i o tym, co ludzie znajdują w swoich studniach, gdy czasem urządzają sobie wspólne seanse archeologiczne. Kubę temat całkowicie wciągnął, ja bez pośpiechu wcinam sery, popijam winem i po chwili czuję, jak alkohol zaczyna krążyć we krwi. Milczę, przyglądam się wielkiej witrynie z winami i dobrze mi w tym milczeniu. Zresztą niemiecki to nie moja specjalność, nigdy nie miałam serca do tego języka, bo brzmi, jak na moje ucho, zbyt kategorycznie.

Sączę chianti i myślę o pewnym Niemcu, starszym, ponadosiemdziesięcioletnim, kulturalnym panu, poznanym przypadkiem kilka lat temu. Odwiedził nas w naszym starym, menonickim domu na Żuławach i był pierwszą i jedyną osobą, która zachwyciła mnie swoją piękną niemczyzną.

Nasze życie w tamtym miejscu to sześcioletni, niezwykły epizod. Odwiedziny starszego pana są historią tragiczną, i czasem wraca do mnie ich wspomnienie, w chwilach refleksji nad przemijaniem i okrucieństwem zwykłych, ludzkich losów.

Mieszkaliśmy w Gniazdowie kilka miesięcy, gdy pewnego wieczora przybiegła do nas sąsiadka, pani Staryczna, Ukrainka, przesiedlona na Żuławy w akcji „Wisła". Była ponurą, spiętą kobietą, na której twarzy nigdy nie gościł cień uśmiechu. Zapukała głośno, weszła do środka i bez wstępów zapytała, czy możemy do nich przyjść, bo odwiedzili ich Niemcy, którzy kiedyś mieszkali w ich domu, i trzeba się dowiedzieć, czego chcą, i czy możemy tłumaczyć. Ubraliśmy się niechętnie, bo dopiero co wróciliśmy z Gdańska, zmęczeni i głodni.

Na podwórku Starycznych stoi samochód kempingowy. Pies ujada jak oszalały. Wchodzimy do domu. Mijamy zwykłą, nie najczystszą kuchnię, na piecu stoją wielkie gary, dalej jest pokój gościnny. Pod ścianami tapczany, na środku stół, cerata, nad stołem goła żarówka. Na ścianie święty obrazek. Przy stole siedzi siwiutki staruszek, ubrany w jasny sweter, obok niego równie siwa, malutka, starsza pani. Przy nich tęga, na oko czterdziestoletnia, ruda kobieta, zaraz obok mąż Starycznej, otyły, ponury mężczyzna, bez przerwy ocierający pot z twarzy. Nigdy nie zamieniliśmy z nim słowa, mimo że czasem mija nasz dom w drodze do wsi. Na stole, jak wielki wykrzyknik, stoi flaszka wódki, tzw. krowa. Zamknięta, ani śladu kieliszków. Wszyscy milczą. Atmosfera jak z Kafki. Dramatyczna. Siadamy na podsuniętych przez Staryczną krzesłach.

Starszy pan przedstawia siebie i swoją córkę. Siwa pani, Astrid, jest znajomą, mieszkała w tym domu przed wojną. On też mieszkał na Żuławach, ale dalej, obok Marzęcina. Jego dom już nie istnieje. Kuba tłumaczy, że przyjechali się pożegnać z tym miejscem, są już starzy i nigdy więcej tu nie wrócą. Staryczni oddychają z wyraźną ulgą. Zaczynamy rozmawiać, ruda kobieta mówi po angielsku, staramy się jak najdokładniej przekazać treść rozmowy, po to nas w końcu zaprosili. Pytamy, jak kiedyś wyglądało tu życie, jak pamiętają koniec wojny. Astrid mówi, że widziała z ganku płonący Gdańsk, przed domem był sad, którego już nie ma, i przez czarne gałęzie drzew żarzyła się czerwona łuna. Wszyscy wtedy płakali, czuli, że kończy się świat.

Żyli bardzo skromnie, jadło się zupę na mące, w tym pokoju była sypialnia jej rodziców, miała sześć lat, gdy żołnierze pod bronią kazali im się pakować i uciekać. Zbliżali się Rosjanie, a Żuławy miały zostać zalane. Miało to powstrzymać front, a jednocześnie chodziło o to, by zatopić najbogatszy rejon Pomorza. Nie wszyscy chcieli odejść, ludzie żyli tu od pokoleń, tu były groby ich bliskich, ich domy. To była wielka tragedia, kończy wzruszona.

— To ja mam taką historię — niespodziewanie odzywa się Staryczny — przetłumaczcie im. — I kontynuuje: — Jak zaczęliśmy się tu osiedlać, to okazało się, że w domu obok ukrywa się jakiś stary Niemiec. Jak przetrwał zalanie i front, nie wiem, przecież wszystko stało pod wodą, ale nie chciał się wynosić, skubaniec, trzymał się drzew pazurami, więc sąsiad zastrzelił go w ogrodzie. I tam pochował. Jeden szkop w tę czy w tę stronę… — Wyciera spoconą twarz i milknie.

Siedzimy zszokowani. Nie potrafię nic z siebie wydusić. Kuba jest równie wstrząśnięty. Niemcy patrzą to na nas, to na Starycznego, nie rozumiejąc, co się stało. Milczymy dłuższą chwilę.

— No, przetłumaczcie im. To prawdziwa historia, nie żadne tam duperele.

Kuba przełyka ślinę, zastanawia się chwilę i zaczyna tłumaczyć po niemiecku, że Staryczni bardzo się cieszą z tego spotkania i z tego, że mogli porozmawiać i poznać poprzednią właścicielkę. Starsi Niemcy uśmiechają się do gospodarzy, którzy kiwają z aprobatą głowami.

— Nie mówiłem, że dobra historia? Spodobała im się, co?

Nie wyprowadzamy go z błędu. Dzisiejsze spotkanie, ten dom, zimne światło żarówki, wszystko to sprawia mi wielką przykrość, jak myśl o samotnej śmierci w szpitalu, w blasku jarzeniówek. Wspomnienia Astrid wydają się tutaj zbyt intymne, niechciane, za bardzo ludzkie.

Następnego dnia, przed wyjazdem, Niemcy odwiedzają nasz dom. Astrid opowiada o jego przedwojennych właścicielach, rodzinie Grodnig. Pamięta małego chłopca, Hansa, bawiła się z nim czasem. Cała rodzina zginęła podczas rejsu „Gustloffa". Starszy pan chodzi samotnie po ogrodzie, patrzy długo na pobliskie pola i zatrzymuje się pod piękną, starą lipą, naszą dumą i ozdobą ogrodu. Jej gałęzie zwisają do ziemi, tworząc olbrzymi, zielony parasol. Teraz jest wczesna jesień, liście zżółkły i się przerzedziły. Mężczyzna dotyka pnia, stoi w milczeniu i nagle zaczyna recytować przepiękną niemczyzną poemat Goethego. Stoimy zasłuchani, wzruszenie ściska nam gardło.

Wyjechali tego samego dnia i już nigdy nie pojawili się w Gniazdowie.

Do rzeczywistości i do Castiglion Fiorentino przywołuje mnie głośny śmiech Ursuli. Wychylam prawie pełny kieliszek wina, poruszona wspomnieniem tamtej wizyty, niezrozumiałych, pięknych słów i cichego smutku, jaki wszyscy wtedy czuliśmy. Kuba spogląda zdziwiony.

Późnym wieczorem żegnamy Ursulę i idziemy na spacer przez wymarłe, puste miasteczko.

— Nie podoba mi się tutaj, Kuba. Pusto jak w grobie. Żadnych ludzi, wiatr dmie, zimno.

— Bo jest zima. Co tak wlewałaś w siebie to wino?

— Zapijałam robaka.

— Poczekajmy do jutra, będzie dobrze, a teraz wracamy do hotelu, bo zimno jak cholera.

Nie wyprowadzam go z błędu, niech myśli, że chodzi o miasteczko. Nie chce mi się gadać o tamtych ludziach, zresztą już nigdy się nie spotkamy. Pewnie dlatego tak mi źle.

W naszym pokoju jest lodowato jak w psiarni, jak mawiała moja babcia. Wskakujemy pod kołdrę i przytulamy się mocno do siebie. Wypite wino i przejmujący smutek to dziwna, dotkliwa mieszanka, która działa równie mocno na duszę, jak i na ciało. Potrzebuję zbliżenia, żeby uciszyć rozedrgany umysł i rozgrzać spragnione ciepła serce. Kuba mocnym uściskiem przesuwa ręką po moich plecach i zanurza rękę we włosy. Zamykam oczy i odwzajemniam dotyk. My jesteśmy nieśmiertelni.

3.

Poranek w Castiglion zupełnie nas zaskakuje. Jest słonecznie, ciepło, zielono. Jakby zbliżała się wiosna, a nie Boże Narodzenie. W naszym B&B oczywiście nie ma śniadań. Jesteśmy wdzięczni, że chociaż są łóżka.

Idziemy do kawiarni na kawę i coś słodkiego. Wybieramy cappuccino i cudownie pachnące kruche tarty z jeszcze ciepłym budyniem. Rozgrzewamy się słońcem, padającym na nasz stolik przez wielką witrynę.

Dziś będziemy oglądać pierwsze nieruchomości, w brzuchu czuję łaskotanie. Opróżniam filiżankę pospiesznie, nie mogę się już doczekać.

— Kuba, pij tę kawę, do cholery, jesteśmy spóźnieni. Zobacz, ja już skończyłam.

— Ty zawsze kończysz pierwsza. Zamiast gryźć, połykasz, zamiast pić, wlewasz w siebie. Umrzesz na raka okrężnicy. Albo żołądka.

— Wypluj te słowa. Jeśli w ogóle umrę, to na zawał, przez ciebie.

— Nie będę teraz pluł, ludzie patrzą. Potem będą gadać, że Polacy to taki naród, co to rano musi napluć na stół, żeby dobrze zacząć dzień. Wystarczy, że widzą, jak pożarłaś to śniadanie. Jakbyś nie jadła od tygodnia.

— Nienawidzę cię. Wychodzę na fajkę. Jak skończę, idę do Ursuli i nie czekam, pamiętaj.

Ursula już jest na *piazza*. Ale nie po to, by iść oglądać z nami nieruchomości. O nie! Czeka, by zabrać nas na kawę, do kawiarni mieszczącej się w imponującej loggii, zaprojektowanej przez samego Vasariego. Kuba triumfująco milczy. Po raz pierwszy stykamy się z czymś, co będzie miało towarzyszyć nam przez cały czas pobytu we Włoszech: spokój, zero pośpiechu, czas na kawę i rozmowę i leniwa zmiana planów. Stoliki stoją na zewnątrz, przez portyk patrzymy na Val di Chianę. Na szczęście Ursula nie zapomina, po co tu jesteśmy. Ma ze sobą wydrukowane oferty, każda z dokładnym planem, opisem i ceną nieruchomości.

— To dla was. Potrzebny będzie wam taki mały przewodnik, bo po trzech wizytach zacznie wam się wszystko mieszać. Każdemu się miesza. Od ilości wrażeń. — Wręcza je nam i z zainteresowaniem czemuś się przygląda. Podążam za jej wzrokiem. Przez plac przebiega rudy, wypielęgnowany pies, Ursula przywołuje go cmoknięciem, tarmosi i całuje, i znów tarmosi. Gada przy tym po włosku, niemiecku i angielsku, a jej donośny głos i śmiech odbija się od budynków wokół *piazza*. Za psem pojawia się jego pan, brodaty, mały i potargany człowieczek, jak się potem okazuje, bliski przyjaciel Ursuli, jej były klient, profesor filozofii z Berlina. Mieszka w Castiglion od ponad trzech lat.

— Jorgen, chodź tu do nas i potwierdź, że ci się wszystko pomieszało. — Ursula zaśmiewa się do łez, widząc zdziwioną minę właściciela psa. — No, gdy szukałeś dla siebie domu, a ja woziłam cię po okolicy. Pamiętasz? Kiedyś ślęczałam pół nocy i w końcu narysowałam ci mapę Val di Chiany. Powklejałam na nią zdjęcia odwiedzanych budynków, nawet pokolorowałam pisakami, to było piękne dzieło sztuki. Niestety, zaraz ją zgubiłeś.

Jorgen uśmiecha się z zakłopotaniem.

— Ursula, wiesz dobrze, że do tej pory mi się miesza. Czasem próbuję otworzyć drzwi do mojego domu, walczę pół godziny, a potem okazuje się, że mieszkam obok.

Wybuchamy śmiechem. Ursula nas przedstawia i Kuba szybko wdaje się z Jorgenem w pogawędkę, dopytuje o wrażenia, o jakość życia w miasteczku, o uniwersytet berliński, gdzie w ramach wymiany naukowej prowadził rok temu seminarium.

Pies wypieszczony, właściciel psa wyraźnie zadowolony, my opici kawą, a Ursula przynajmniej po czterech dowcipach, a wszystkie świńskie, ruszamy więc na pierwszy rekonesans. Pierwsze dwa domki, znalezione przeze mnie w Internecie, to dawne budynki gospodarcze Palazzo Vitti. Należały do dużego kompleksu budynków rodzinnej twierdzy i pełniły funkcję stolarni i piekarni. Schodzimy z Ursulą pochyłymi uliczkami w stronę murów miejskich. Okazuje się, że ród Vittich zajmował dużą część miasta. Czytałam o rodach, konkurujących między sobą w miastach i komunach, o wieżach, w które musiała być wyposażona każda siedziba rodziny, o wiecznych, nieprzemijających animozjach, wynikających z walki o władzę i, jak sądzę, o przestrzeń. O porwaniach, morderstwach, podstępach. Ale dopiero będąc tutaj, dostrzegam złożoność takiej rodowej siedziby i jej samowystarczalność. Na ciasnych, wąskich uliczkach miasteczka widzę też absurdalność tych walk i konfliktów; przecież ci ludzie, do diabła, sąsiadowali ze sobą czasem na wyciągnięcie ręki.

Mała stolarnia z zewnątrz jest niezwykle przyjemna i pełna uroku. Kamienny, narożny budyneczek, jedno wejście od frontu, drugie, starsze, z boku budynku. Duże okna wychodzące na miejskie mury i usytuowaną dokładnie naprzeciwko nich furtkę, z widokiem na dolinę. Piękne, zielone okiennice, mały placyk przed domem, na którym można postawić ławkę i donice z kwiatami. Niestety, czar pryska, gdy wchodzimy do środka. Tak jak przypuszczałam, przeprowadzony niedawno remont kompletnie zdewastował budynek. Całość wnętrza ma silny, betonowy rys: ogromne, rewiowe schody, zajmujące pół parteru, cementowa kopia starego kominka, brzydkie, nowe i, co widać, tanie cotto na podłogach. Ten, kto remontował domek, bardzo się starał, by zabić jego duszę. I śmiało można mu pogratulować, zrobił to perfekcyjnie. Aby cokolwiek wykrzesać z tej nieruchomości, trzeba by najpierw wrzucić do środka granat.

Inną kwestią jest fakt, że domek byłby dla nas za mały. Sześćdziesiąt pięć metrów kwadratowych, z których dwadzieścia zajmują karykaturalne schody. To stanowczo za mało. Każde z nas musi mieć swój kąt do pracy, a Kuba nawet cztery.

Dawna piekarnia jest tuż obok. Jest inna w charakterze: otynkowana na ciepły, żółty kolor, nagrzana słońcem, z piękną, imponującą pinią pochyloną tuż nad jej dachem. Przed budynkiem są już mury miasteczka, ale przestrzeń pomiędzy nim a murami należy jeszcze do piekarni, wraz, co nas zaskakuje, z fragmentem muru. Na mur prowadzi kładka, po której dostajemy się na szeroką na ponad metr i długą na cztery platformę, skąd rozpościera się niesamowita panorama doliny.

To kolejne nowe doświadczenie, które czasem będzie się powtarzać przy oglądaniu włoskich nieruchomości: często będzie się okazywać, że należą do nich fragmenty innych, niesąsiadujących budynków. To pozostałość dziwacznego i pokrętnego dzielenia domów w ciągu setek lat, w trakcie rozrastania się rodzin i konieczności upchnięcia coraz większej ilości jej członków na nierozciągliwej przecież powierzchni.

Tak więc z zewnątrz piekarnia jest przyjazna i miła, ale, tak jak w poprzednim domku, w środku jest po pierwsze zdecydowanie za mała, ma tylko dwa pokoje i malutką kuchenkę, a po drugie, jej wykończenie budzi nasz gorący sprzeciw. Jest co prawda przytulna, bo wykończona i umeblowana, ale wydaje się zupełnie nowym, standardowym mieszkaniem, pozbawionym jakichkolwiek indywidualnych cech. Nowe, balkonowe okna wychodzą na kamienne podwórko, na podłogach zwykła, pospolita terakota, płaski, biały sufit.

— Kuba, co my tu robimy, przecież to jakieś nieporozumienie.

— Nabieramy doświadczenia, kochanie, czyli czegoś, co będzie nam bardzo potrzebne, gdy trafimy na nasz dom.

No tak, ładnie powiedziane. Ma rację. Już w Polsce było wiadomo, że obydwa domki są za małe, by dało się tu żyć. Musielibyśmy kupić obydwa, w jednym byśmy spali, a w drugim rozlokowałby się Kuba i nasze wszystkie książki. Fajny pomysł, ale trochę głupi. Przyglądam się wszystkiemu dokładnie, by zapamiętać jak najwięcej rozwiązań, których powinniśmy unikać, gdy będziemy remontować naszą nieruchomość.

Ursula otwiera i zamyka okna, pokazuje łazienkę, mikroskopijną kuchenkę, do której wpycha się z niemałym wysiłkiem, i oczywiście widok z murów. Ma trudne zadanie, bo po naszych minach widać, że nie ma w nas zachwytu. W końcu macha ręką.

— Okej, to chyba nie dla was, tego domu wam nie sprzedam. Chcecie kamiennych schodów, ozdobnych krat w oknach i wielkich, oryginalnych kominków. Szkoda tu naszego czasu, idziemy do Palazzo Banti, chcę, żeby oczy wyszły wam na wierzch. Zastanówcie się tylko dobrze, czy na pewno tego chcecie, bo potem już żadna nieruchomość nie będzie dla was wystarczająco dobra. I pomyślcie, skąd wziąć kasę, by kupić to, co zacznie wam się już niedługo śnić po nocach.

Patrzymy na siebie zaskoczeni.

— Palazzo Banti?

— Banti. — Ursula szuka w swojej wielkiej torbie kluczy, które dostrzegam na stole i wskazuję jej ręką.

— To brzmi jak nazwa afrykańskiego plemienia.

— Spokojnie, wiem, co mówię. — Ursula wybucha śmiechem, zamykając drzwi piekarni. — Obiecałam, że wyjdą wam gały, to wyjdą. A poza tym, od początku nie widziałam was w tych domkach. No, ale jak chcieliście zobaczyć, to macie, wasza wola.

Jej głośny śmiech rozbrzmiewa na pustej, zalanej słońcem uliczce. Lubię ją, tylko czemu, do diabła, tak głośno rży?

4.

Ursula, jak wytrawny psycholog, przejrzała nas na wylot. Zdaje się, że dla niej dwie pierwsze nieruchomości to także było zbieranie doświadczeń i informacji. O nas. I szybko zorientowała się, o co nam tak naprawdę chodzi. Chytra lisica. W dodatku naprawdę sympatyczna. Jednym słowem, niebezpieczna kobieta, a raczej, by być precyzyjnym, pośrednik.

Umówiliśmy się na trzecią i pognaliśmy wygłodniali coś zjeść. W loggii, przy wystawionym na zimowe słońce stoliku zamówiliśmy szynkę parmeńską, sałatkę *caprese* i wino.

— Czy wiesz, że polubiłam to smutne, wyludnione miasteczko? Nie tak bardzo oczywiście, by tu mieszkać, umarłabym z nudów w pierwszym tygodniu, ale ma swój urok. No i ta loggia, przyznaj, że robi wrażenie. — Nałożyłam sobie furę sałatki i podałam talerz Kubie.

— Za małe i za puste. Zauważyłem przynajmniej pięć wywieszek „sprzedam", czyli nasza Ursula ma trudne zadanie, dużo nieruchomości na rynku i żadnych kupców. Zauważyłaś tu jakichś zainteresowanych? A czy urywał się jej telefon, gdy oglądaliśmy te dwie chałupki? — Kuba upił wina i ostrożnie odstawił kieliszek. — Nie. Puchy, moja droga.

— Może wyłączyła komórkę, by w spokoju z nami pogadać?

— Anka, nie. Po prostu nikt nie dzwonił. Że tak się wyrażę, kolejek brak. A to znaczy, że jesteśmy dla Ursuli skarbem, szczęściem i uśmiechem losu.

— No i co z tego. Po pierwsze, nie mamy worka z pieniędzmi, a po drugie, nie chcemy tu nic kupić. Czyli jaka to dla niej korzyść? — Kończę sałatkę, przegryzam chleb pokropiony oliwą i sięgam po wino. Mimo głodu próbuję jeść wolniej. Kuba ma rację, jem szybko, chodzę szybko, mówię szybko. I do tej pory w zasadzie tego nie dostrzegałam, dopiero dzisiejszy poranek, śniadanie i późniejsze niespieszne pogaduchy z Ursulą uświadomiły mi, że można inaczej. Moje życie w codziennym kieracie obowiązków i konieczności, stałe, instynktowne powtarzanie „muszę" i „powinnam", ciągły pośpiech powodują, że nie dostrzegam drobiazgów. Czasem, podczas świąt czy choroby, gdy sytuacja zmusza mnie do zatrzymania się i bezruchu, zauważam bogactwo szczegółów. Z zaskoczeniem konstatuję, jak wielką przyjemnością jest powolne, spokojne obranie pomarańczy, poczucie jej faktury i zapachu skórki, w skupieniu, bez myślenia o przyszłości. Jakby ta pomarańcza była całym światem, jedynym faktem, który się zdarza. I jaką radość daje długie stanie przy oknie i obserwowanie spływających po szybie kropel. Słuchanie stuku wody, rozbijającej się na parapecie.

Odstawiam kieliszek i patrzę na Kubę. Jemu zatrzymanie się w miejscu przychodzi dużo łatwiej. Codziennie poświęca godziny na opracowanie jednego detalu, ma praktykę w przyglądaniu się szczegółom.

— Korzyść? — Kuba wyrywa mnie z zamyślenia, odchylając się na krześle i sięgając do kieszeni marynarki po fajkę. — Korzyść jest taka, że ma klientów poważnie zainteresowanych kupnem domu w Toskanii. Dla pośrednika to podstawa. Domów i mieszkań na sprzedaż jest, za przeproszeniem, jak psów, tylko brakuje chętnych. Spytaj lepiej, jaka z tego wynika korzyść dla nas.

— Tu chyba sprawa jest prosta? Możemy kaprysić, wybrzydzać, kręcić nosem…

— I dyskutować o cenie, prawda? I będziemy to robić, gdy tylko pojawi się coś interesującego.

Kuba pali, grzejąc się w słońcu, ja zamawiam kawę. Rozmawiamy przez jakiś czas o oglądanych domach i nieszczęściu, jakie spotyka zabytki, gdy trafiają w ręce natchnionych budowniczych. Wydawało nam się, że to tylko polska ułomność, ale okazuje się, że Włosi też mają swoje sukcesy. Różnica jest tylko taka, że oni mogą szaleć wyłącznie w środku, na zewnątrz nie mają pola do popisu, surowe przepisy i nieprzejednane służby konserwatorskie nie dopuszczają do niszczenia zewnętrznych elementów architektury, co, dzięki Bogu, pozwala wszystkim zachwycać się urokiem włoskich ulic. Postanawiamy zgodnie wypić zdrowie tej anonimowej armii nieprzekupnych, upierdliwych i upartych urzędników, dzięki którym Włochy zapewniają nam codzienną porcję estetycznych wzruszeń.

5.

Palazzo Banti jest wielką, narożną kamienicą w samym centrum miasteczka. Ciężkie, skrzypiące drzwi prowadzą do sieni, skąd schodami w dół można zejść do przepastnych piwnic, a klatką schodową i prowadzącymi z niej równie pięknymi, kamiennymi schodami wejść na trzy górne piętra.

Dom jest z XV wieku, olbrzymi, rozległy, i bardzo drogi. Kosztuje ponad milion euro, co natychmiast dyskwalifikuje go w naszych oczach, ale Ursula, zgodnie ze swoją filozofią, nie daje za wygraną.

— No to co, że za drogi? Mój Boże, dajcie spokój. Dziś oglądamy, wy się zachwycacie, potem możemy porozmawiać. Teraz i tak się nie da, bo zatka was z wrażenia!

Wybucha tym swoim głośnym, niepohamowanym śmiechem. Ta kobieta mnie wykończy.

— Poza tym Marco jest otwarty na propozycje. Chciałby, co chyba jasne, sprzedać całość i mieć święty spokój, ale myśli też o sprzedaży poszczególnych pięter i piwnicy. To od czego zaczynamy?

Postanawiamy najpierw zejść na dół.

Szerokie i wygodne schody są mocno zniszczone w środkowej partii, musiano się tu często zapuszczać. W środku, zamiast spodziewanego labiryntu małych, ciemnych klitek, znajdujemy obszerne, wysokie sale, ze sklepionymi, ceglanymi sufitami, połączone kamiennymi portalami i schodami, bo piwnica ma kilka poziomów. Na końcu, przez szpary w niedbale zamkniętych, wiekowych, bardzo zniszczonych drzwiach sączy się silne, słoneczne światło, tworząc w pomieszczeniach sieć słonecznych, promienistych linii. Nasze wejście wprowadza w ruch wszechobecny kurz, który zaczyna wirować barwami i kłębić się w świetlistych smugach.

Stajemy oniemiali i zaskoczeni, co zaraz zauważa Ursula i co natychmiast wywołuje jej wesołość.

— Zatkało? — pyta retorycznie, bo przecież widać, że zatkało.

W wyższej partii piwnicy widać kamienną, okrągłą studnię, do której wrzucam znaleziony obok niewielki kamień. Rozlega się plusk. Otwieram szerzej oczy.

— O Boże, tu jest woda!

Zaglądamy do środka. Cicho i czarno. Czuć chłód wody i zapach wilgoci.

— Studnia była zawsze w środku domu, strzeżono do niej dostępu, bo jej zatrucie było jednoznaczne ze śmiercią całego rodu. — Ursula pochyla się z nami nad otworem. Jej głos dudni, odbity od wody. — Dom zawsze musiał mieć studnię, to była niezależność i życie.

Niższe poziomy piwnic, od strony ulicy na tyłach domu, mają swoją bramę wjazdową z niezwykle malowniczym, malutkim, kamiennym podjazdem. Ursula otwiera ją z trudem. Spomiędzy kamieni wyrasta trawa, brama ledwo trzyma się na przerdzewiałych, pamiętających pierwsze lata domu zawiasach, w stojących pod ścianami terakotowych donicach nie ma już żadnych roślin.

Archetyp włoskiego zaułka, który natychmiast rzuca mnie na kolana. Pomieszczenie, do którego tędy wjeżdżano, jest bardzo wysokie, z pięknym, otynkowanym sklepieniem, ze śladami obmalowań i ozdobnym portalem, prowadzącym w głąb piwnic. Ursula pokazuje nam znajdujące się obok stajnie i miejsca dla osłów, z zachowanymi jeszcze drewnianymi żłobami i drągami do przywiązywania zwierząt.

Chodzimy po piwnicach, w milczeniu przyglądając się detalom, kamiennym, wyświeconym miejscami posadzkom, olbrzymim beczkom na wino, stojącym w ciemnym, chłodnym pomieszczeniu na najniższym poziomie, resztkom siana w stajni. Zapach końskiego łajna, ledwo wyczuwalny, unosi się w powietrzu. Wracamy na małe podwórko z malowniczym podjazdem.

— Kuba, kurczę, jestem porażona. Nie sądziłam, że mogą istnieć takie miejsca, z historią na dotknięcie ręki. To wszystko ma setki lat, te wydeptane schody, te rozeschnięte drzwi, te beki. Chodź, powąchaj, pachną winem. Jestem... jestem... wstrząśnięta.

Kuba w skupieniu ogląda niewielki herb nad wjazdem z tyłu domu. W zaułku, gdzie stoimy, odciętym od ulicy, w otoczeniu wyblakłych, żółtych ścian, z odchodzącym w wielu miejscach tynkiem, mocno grzeje słońce. Po zimnych, piwnicznych salach jego energia przyjemnie rozleniwia. Kuba przyciąga mnie mocno do siebie, zatapia twarz w moich włosach i całuje w szyję. Ursula, niewidoczna z naszego miejsca, zawzięcie dyskutuje przez telefon.

— Spokojnie, kochanie, musisz być twarda — Kuba mruczy z twarzą przy moim karku. Czuję, jak lekko przesuwa językiem po skórze. — Pamiętaj, że na razie jesteśmy w piwnicy, przed nami jeszcze trzy piętra... Oszczędzaj emocje, od tego zależy, czy wyjdziemy stąd żywi, czy na strychu umrzemy... hm... z rozkoszy.

Pierwsze i drugie piętro robi na nas równie piorunujące wrażenie. Przeprowadzony remont nie zniszczył prawie wcale wyglądu pokoi. Ściany, pomalowane na zachwycające, mocne kolory, z wzorzystymi dekoracjami, dziś wypłowiałe i stonowane, nic nie straciły na swoim pięknie. Podłogi, albo z błyszczącego, nierównego cotto, albo z kamiennych, dużych, schodzonych płyt dopełniają wrażenia. W jednym z pomieszczeń Ursula otwiera z pomocą Kuby zakurzone, balkonowe drzwi i skrzypiącą okiennicę. Przed nami niespodziewanie rozpościera się panorama okolicy, pofałdowane wzgórza, poprzecinane cyprysami, jak zielonymi wykrzyknikami i ogołocone z liści, z daleka podobne do zapałczanego płotu, rozległe winnice.

Pokój jest duży, jasny, w chłodnych kolorach wyblakłej, miejscami szarej żółci. W rogu stoi duża, biała, żeliwna wanna na ozdobnych nogach w kształcie lwich łap. Nad nią wisi zmyślny dzwonek, ze smętnie zwisającym sznurkiem. Poza tym nie ma nic, tylko lniana zasłona, zawieszona niedbale przy ścianie. Złote światło, wpadające przez uchylone okiennice, potęguje wrażenie opuszczenia. Jakby przed chwilą ktoś stąd wyszedł, po długiej, odświeżającej kąpieli.

— W latach czterdziestych mieszkał tu ostatni potomek rodu, prawie dziewięćdziesięcioletni Alessandro Banti. Samotnie, z jednym, prawie równie jak on starym służącym. Zajmował część pierwszego piętra. Tutaj była jego łazienka. Pozostała część domu, pełna mebli, pamiątek, obrazów, broni, pozostawała zamknięta na cztery spusty. — Ursula opiera się o ścianę, wkłada ręce do kieszeni i patrzy przez okno. — Gdy umarł, dom stał niezamieszkany przez ponad czterdzieści lat. Później jacyś spadkobiercy sprzedali wszystkie wartościowe rzeczy, resztę wywieźli, a dom wystawili na sprzedaż. Był tak zniszczony i zdewastowany, że poszedł za grosze.

Stoję w oknie, odwrócona tyłem do pokoju. Wyobrażam sobie samotnego starca, bez krewnych, bez rodziny, poruszającego się z trudem, patrzącego, jak teraz my, na dolinę i zielone wzgórza ze wznoszącą się w oddali małą twierdzą Montecchio Vesponi. Z ulicy dobiegał go odgłos zwykłego życia, ulicznych pogaduszek, krzyki dzieciaków goniących za piłką. A wokół niego puste, zimne, ciemne pokoje, zatrzaśnięte drzwi, zamknięte okiennice.

A przecież ten wielki dom musiał być kiedyś pełen ludzi, zapachów i rozmów, kiedy mały Alessandro biegał po wszystkich tych schodach, zaglądał do pobliskiej, gwarnej kuchni, wykradał smakołyki, przeganiany przez hałaśliwe kucharki. Teraz pozostał tam tylko wielki, zimny, osmolony kominek. I ta przygnębiająca, chłodna nawet w ciepłe dni łazienka, jak na ironię z widokiem pełnym życia i migotliwego światła, w której coraz bardziej zniedołężniały, przy pomocy ostatniego sługi, brał długie, nieprzynoszące ulgi kąpiele.

Świadomość, że jest się ostatnim, że żaden syn lub córka nie przejmie domu, w którym spędził całe życie, że po śmierci obcy zaczną dotykać i oglądać ciekawym okiem to, co było cenne, ważne albo po prostu bliskie, ta świadomość musiała być straszna i rozpaczliwa. Wzdycham.

Zostawiamy Ursulę i przechodzimy do drugiego pomieszczenia, gdzie zatrzymujemy się przy małym okienku z ozdobną, renesansową kratą. W dole widać zaciszny, nagrzany słońcem podjazd.

— Wiesz, co ci powiem? — Kuba sięga po fajkę i powoli nabija ją tytoniem. — Nawet nie mamy śmiałości wyobrazić sobie, że można byłoby tu normalnie żyć. Nie dociera do nas, że to nie jest żadne pieprzone muzeum, rozumiesz, że to dom na sprzedaż. Czeka na właściciela, chcesz, to możesz tu mieszkać. Możesz codziennie wieczorem siadać na renesansowych schodach, upijać się i śpiewać sprośne piosenki, możesz w dawnej kaplicy zrobić zajebistą łazienkę albo powiesić na ścianie fotografię Saudka z wielką, rozlazłą, gołą babą, rozumiesz?

Patrzymy w milczeniu na zardzewiałą, misterną kratę i wzgórza za oknem. Wsuwam rękę pod jego marynarkę. Jest mi zimno.

— Mnie ten dom przygnębia. Nie potrafię przestać myśleć o ludziach, którzy w nim mieszkali, i o tym samotnym biedaku, który tu umarł bezpotomnie.

— Może facet był wrednym, skąpym skurwysynem, który rzucał nocnikiem w swojego służącego i zasłużył sobie na taki los?

— Przestań, nikt nie zasługuje na samotną śmierć. Ten dom, to *palazzo*, jest jak dla mnie zbyt — szukam w myślach odpowiedniego słowa — zbyt intensywne. Wiesz, absorbujące, egocentryczne. Jakby nie ludzie byli w nim ważni, a bardziej te mury, schody, poręcze. Jakby opuszczenie spowodowało, że teraz jest... no... zgorzkniały.

— Kochanie, co ty pieprzysz. Jak dom może być zgorzkniały. — Kuba przyciąga mnie do siebie i mocno przytula. Przywieram do niego, bo jest ciepły i żywy, pachnie ładnie, trochę tytoniem fajkowym, trochę mydłem, a ja jestem zmarznięta i chcę się ogrzać.

— Słuchaj — podnosi mój podbródek — nie chcesz? Nie kupimy Palazzo Banti, okej?

— I tak byśmy nie kupili, bo nas nie stać... — Całuję go w nos. Już mi cieplej.

Oglądamy z Ursulą ostatnie pokoje na górze, a mój początkowy zachwyt powoli znika. Jestem, oczywiście, pod wielkim urokiem tego domu, jego zmurszałej estetyki, jednak zbyt wiele znaków w każdym zakątku przypomina mi o dawnych mieszkańcach. Ornamenty na ścianach, które przez lata towarzyszyły im w codziennym życiu, wytarte stopnie, które brzmią ich krokami. Minęło wiele lat, a sadza w kominie wciąż pachnie dymem i ciepłym powietrzem. Nawet spatynowane, gdzieniegdzie tylko błyszczące uchwyty przy okiennicach mówią o wszystkich letnich, słonecznych dniach, przed którymi należało chronić chłodne wnętrze. Patrzę na brudne, zaniedbane posadzki, poplamione miejscami zaprawą; one także wołają o czułe ręce, które kiedyś z uporem i bez pośpiechu, przez setki lat, zmywały codzienny kurz.

Gdy jesteśmy na parterze, Ursula pokazuje nam jeszcze jeden pokój, w pięknych barwach szarego błękitu, z namalowanym w centralnym miejscu sufitu herbem rodu Banti: owalna tarcza z krzyżem i dwiema twierdzami oraz wieńczący ją hełm z pióropuszem, wszystko w białej, ozdobnej rozecie. Pokój ma dwa wyjścia bezpośrednio na ulicę: jedno to duża, solidna brama, drugie to niepozorne, małe drzwi, jak się okazuje, jedne z ważniejszych w domu.

— To *porta morte*. Wiecie, co to jest? — I ciągnie dalej, nie czekając na naszą odpowiedź. — To drzwi śmierci, musiały być w każdym średniowiecznym domu. To przez nie wynoszono zwłoki zmarłych na miejsce pochówku. Drzwi były zawsze zamknięte i zamurowane od zewnątrz, otwierano je tylko podczas pogrzebu i natychmiast zamurowywano. Wierzono, że w ten sposób duch zmarłego nie ma możliwości powrotu do swojego domu. Gdyby użyto zwykłych drzwi, to zmarły bez trudu potrafiłby je otworzyć i niepokoić żywych. Chodźcie na ulicę, pokażę wam coś. — Ursula otwiera bramę i wskazuje na okno obok. — To są *porta morte*, widzicie, z tej strony są zwykłym oknem, niczym nie różnią się od pozostałych. My, Włosi, od zawsze byliśmy przesądni i przebiegli. — Ursula rozbawiona własnym żartem ze śmiechem zatrzaskuje bramę.

Stoimy przed fatalnym oknem. Zastanawiam się, ile razy przez te sześćset lat istnienia kamienicy wzywano murarzy, by rozkuli ścianę. Kuba dotyka tynku i gwiżdże cicho.

— Niezła zmyłka, co? — Patrzy na mnie z uśmiechem. — Też będziemy takie mieli, chcesz?

— Kuba, do cholery, nie chcę. Jestem zupełnie skostniała i smutna. Na dziś mam dosyć śladów zza grobu. Chodź na kawę, albo jeszcze lepiej na wino. — Znów wsuwam dłonie pod marynarkę Kuby i obejmuję go z tyłu. — To miejsce mnie mrozi.

Późnym popołudniem, za namową Ursuli, odwiedzamy jeszcze jeden dom. Z zewnątrz to ładna, średniowieczna kamieniczka, w środku jednak wywołuje jęk rozczarowania. Na początku XX wieku wiele włoskich domów zostało przebudowanych w stylu secesyjnym, wyrzucano wtedy z upodobaniem stare cotto, zmieniano schody na szersze i niższe, dodawano gięte, kute poręcze, na podłogach pojawiła się *graniglia*, czyli inaczej mówiąc, prostackie lastryko. I nawet jeśli było interesujące, z kolorowymi ornamentami, to było produktem przemysłowym i nie mogło się równać z robionymi ręcznie cegłami. Likwidowano wówczas także wielkie, kamienne kominki, by w ich miejsce wstawić coś bardziej nowoczesnego. I taka właśnie jest ta kamieniczka, wypatroszona ze wszystkiego, co mogłoby dla nas stanowić argument na tak. Właścicielka musi być chyba bardzo zdeterminowana, bo postanowiła wcześniej napalić w kominku, by stworzyć w domu w związku z naszym przyjściem miłą i ciepłą atmosferę. Być może jesteśmy pierwszymi od dawna klientami. Gdy pukamy do drzwi, otwiera nam osmolona kobieta, tłumacząc się od progu, że ona bardzo przeprasza, że taki dym, bo ten kominek normalnie nie dymi, teraz coś się z nim stało i dlatego całe mieszkanie śmierdzi. Widzę, że Ursula ledwo powstrzymuje się od śmiechu, ale dzielnie pomaga kobiecie otwierać okna i wietrzyć. Oglądamy dom pobieżnie, bo już w progu widać efekty wielkiej demolki sprzed stu lat. Jedynym miejscem, nietkniętym podczas dawnego remontu, jest mała piwniczka. Ale to zdecydowanie za mało, by powiedzieć: *si, signora*.

— To co, kochani, zobaczymy się jutro o dziesiątej, tak? — Żegnamy się z Ursulą przed małym sklepikiem na *piazza*. — Dziś dałam wam trochę w kość, musicie odpocząć. Ale nikt nie obiecywał, że będzie lekko, nieruchomości to ciężka tyrka, ja coś o tym wiem. — Ursula podaje nam do pocałowania dwa policzki, po włosku, i śmieje się jak zwykle zbyt hałaśliwie. — Jutro rano oglądamy mieszkania, a po południu jedziemy na wycieczkę do Sansepolcro. *Ciao* i dobrej nocy. — Macha na pożegnanie i znika za rogiem.

Zostajemy sami. Zapadł już zmrok, na placu jest pusto, z otwartego jeszcze sklepu bije zimne światło jarzeniówki.

— Co robimy? Jest ósma.

— Jestem zmęczona, zmarznięta i cała śmierdzę dymem. Wracajmy do hotelu.

— Dobrze. — Kuba ma czerwony nos i uszy, o tej porze jego ciepła sztruksowa marynarka już nie chroni przed zimnem. — Ale chodź, wejdziemy do sklepiku i kupimy jakieś wino i ser.

6.

W hotelu, kompletnie skostniali, postanawiamy rozgrzać się w wannie. Pokój jest brzydki i wiecznie zimny, chociaż stojący przy oknie rozklekotany piec akumulacyjny stale grzeje. Za to łazienka jest ciepła i przyjemna, i co najważniejsze, ma dużą, naprawdę obszerną wannę. Napuszczam gorącej wody i przystawiam krzesło, które będzie stolikiem na tacę z winem. Wchodzę ostrożnie do wody, bo jestem tak wychłodzona, że odnoszę wrażenie, iż wlałam do wanny wrzątek.

Kuba otwiera wino, przynosi szklanki i na wszelki wypadek, gdybym miała ochotę, kładzie moje papierosy i popielniczkę. Zanurzamy się po szyje, każde po przeciwnej stronie, i czekamy w błogim milczeniu, aż zaczniemy tajać.

— Bardzo wygodna wanna. Taką powinniśmy mieć w domu, a nie ten nasz skurwiały brodzik. Co z tego, że duży, skoro nie daje takich przyjemności. — Kuba wyciąga się wygodnie. — Zobacz, ile miejsca.

— Jaki znowu skurwiały? To porządny brodzik, dziewięćdziesiąt na sto dwadzieścia. Na upartego zmieści się w nim siedmioosobowa rodzina!

— Wanna lepsza. Mogę sobie leżeć cichutko, z niewinną miną i bezkarnie macać cię pod wodą, a ty nie wiesz, kto to. Tak jak teraz. Domyśliłabyś się, że to ja?

— Nigdy w życiu... Kiedyś nocowałam w nieistniejącym już hotelu Monopol w Gdańsku, pamiętasz, naprzeciwko dworca, tam też były takie wielkie wanny.

— A z kim?

— A co cię to obchodzi? — Upijam łyk wina i uśmiecham się do Kuby. — Hm, spróbuj, świetne wino.

Kuba pije, potem bierze do ręki butelkę i czyta uważnie etykietę.

— Musimy kupić kilka butelek przed wyjazdem. Bardzo dobre. To z kim?

— Z moim ówczesnym narzeczonym. Ale nie skorzystałam

z wanny, bałam się jakiegoś chorubska. — Piję z przyjemnością. — To był początek lat osiemdziesiątych, depresyjna ponurość komuny, w hotelu urzędowały panienki. A my obmyślaliśmy plan, jak zwiać z Polski.

— Pod pokładem kontenerowca?

— Nie, wyjeżdżając na wycieczkę z Orbisem. Padło na Grecję, czysty przypadek, gdyby była wówczas jakaś wycieczka do Włoch, wyjechałabym do Włoch.

Patrzymy na siebie w milczeniu. Gorąca woda rozleniwia. Czuję, jak moje ciało zaczyna ożywać.

— I co o tym wszystkim myślisz? Udany dzień, co? Bo mnie się podobało. — Nalewam sobie drugą szklaneczkę. — Tylko ten nieustanny rechot Ursuli zaczyna mi działać na nerwy.

Kuba wybucha śmiechem, odbiera ode mnie butelkę i napełnia swoją szklankę.

— Musisz się przyzwyczajać, to będzie nasza codzienność. Włosi mają więcej luzu niż my. Mniej się stresują, a więcej całują. Zauważyłaś, że nawet faceci dają sobie buziaczki?

— Francuzi są tacy sami, tylko mocniej pachną. Przyznaj się, pozazdrościłeś?

— Jasne. I mówię teraz szczerze, to główny powód, by tu zamieszkać. Już nie mogę się doczekać codziennych całusków od kioskarza.

Śmiejemy się. Biorę z talerzyka kawałek sera i podaję Kubie. Próbujemy. Kurczę, dobre. Wytrawne, lekko ostre *pecorino*. Kuba gestem prosi o więcej i ciągnie dalej:

— A poważnie, to wiesz, Castiglion to mała mieścina, czas tu wolniej płynie. Mniej pośpiechu, mniej nerwów, więcej luzu. Dobry ten ser, daj jeszcze — wyciąga rękę i sięga do talerzyka — a jeśli chodzi o nasze plany, myślę, że musimy uzbroić się w cierpliwość i szukać. Mamy już coraz konkretniejszą wizję tego, co chcemy. A raczej, czego nie chcemy. — Kuba je ser i milczy chwilę. — Myślę, że będziemy chcieli kupić dom, i jeśli trafimy na odpowiednio duży i odpowiednio tani, mamy szansę, by otworzyć w nim B&B i zacząć zarabiać. Ceny nie różnią się bardzo od polskich. Pomijam oczywiście takie nieruchomości, jak Banti. To inna półka.

— B&B brzmi fajnie. Tylko pamiętaj, że ktoś wcześnie rano będzie musiał zwlekać się z łóżka, by piec rogaliki. I nie patrz tak na mnie, bo to nie będę ja. To ciebie babcia Marcia nauczyła robić drożdżówkę, więc bądź dzielny i nieś swój krzyż.

— Dobrze, ale ty bez szemrania będziesz sprzątać kible.

— Ani mi się śni. Ja będę krążyć po domu i ochrzaniać gości, że zużywają za dużo wody.

— I jedzą za dużo masła na śniadanie...

— Oczywiście, każdy według talentów...

Wypijam resztę wina i wyciągam się wygodnie. Kuba gładzi pod wodą moją stopę. Jest mi dobrze. Wino lekko zaczyna szumieć w głowie.

— Kocham twoje stopy.

— Lepiej by było, gdybyś kochał mnie.

Kuba całuje mnie w kostkę.

— Ale one nie są takie pyskate...

Śmiejemy się cicho. Zamykam oczy. Wracają obrazy z dzisiejszego dnia, kolor szaroniebieskiej ściany, widok na zalaną słońcem dolinę, złoty kurz, wirujący w wąskich promieniach światła.

— Potwornie zmarzłam w tej kamienicy. To takie smutne miejsce... Dobrze mi i nareszcie ciepło...

— Mnie też... Nalać ci jeszcze?

— Tak, nalej...

Pijemy wino, dotykając się leniwie pod wodą. Nasze dłonie przesuwają się bez oporu na śliskiej skórze. Ogarnia mnie miłe odprężenie, czuję się lekko ociężała i gotowa na miłość. Wycieramy się niedbale i wsuwamy rozgrzani do łóżka. Kontakt z zimną pościelą przyjemnie chłodzi nasze gorące ciała.

— Kochaj mnie mocno, kochany — szepczę, gdy Kuba czule wsuwa się we mnie, patrząc mi w oczy.

7.

Dwa mieszkania, które pokazuje nam Ursula następnego dnia, rozczarowują. A może to my, coraz bardziej pewni swoich potrzeb, nie jesteśmy już w stanie zachwycać się wszystkim, co widzimy. Jedno z nich, z małym ogródkiem, jest dziwacznym labiryntem. Korytarze, malutkie pokoiki w amfiladzie, znów korytarze, szafy w niespodziewanych miejscach i ogródek, otoczony ze wszystkich stron oknami sąsiadów. Zero intymności.

— Ursula, to mieszkanie jest klaustrofobiczne. I za małe. A ogródek, ponoć sam w sobie skarb w Castiglion, to nieporozumienie. Nie potrafię wyobrazić sobie, co miałabym tu robić, gdy reszta sąsiadów, wygodnie usadowiona w oknach, przyglądałaby mi się z góry. Nawet nie potrafiłabym podlać kwiatów, tak trzęsłyby mi się ręce. — Stoimy na mikroskopijnym skrawku zieleni i spoglądamy w górę, na pozamykane o tej porze okiennice.

— Ha, ha ha! — Ursuli nie opuszcza dobry humor. — Anka, to są Włochy, tutaj nie ma intymności. Popatrz na to inaczej. Co mają powiedzieć ci ludzie, gdy będziesz siedziała w ogrodzie i słuchała odgłosów ich, hm, życia? — Ursula klepie mnie po ramieniu i śmieje się głośno. — Daj spokój, w takich małych miastach wszyscy wszystko o sobie wiedzą. Latem, przy otwartych oknach, poznajesz wszystkie tajemnice sąsiadów.

— Kuba, słyszysz, co ona gada? To jakiś horror.

— Fajnie, mi się to nawet podoba.

— Świnia.

— Zaraz tam świnia. Jedyne zmartwienie będzie wtedy, gdy będą nas otaczać sami kaszlący i popierdujący osiemdziesięciolatkowie. To dopiero będzie horror.

Wybucham śmiechem.

Kolejne mieszkanie jest o niebo ciekawsze. W dużej, choć nowszej i nie tak okazałej jak Palazzo Banti kamienicy, na ostatnim piętrze, z balkonem i wielkim kamiennym kominkiem. Można byłoby zrobić z tego fajne, duże, wygodne mieszkanie… i to wszystko. Czyli dla nas za mało. Oglądamy wszystko z uwagą,

Kuba dopytuje Ursulę i towarzyszącego jej inżyniera o materiały budowlane, dom jest w trakcie remontu i w wielu miejscach widać rozpoczęte prace. Spryciarz, zbiera pierwsze informacje.

Potem schodzimy razem do piwnicy. Robotnicy usunęli kamienną posadzkę, odłożyli wielkie grube płyty pod ściany i kopią ziemię pod spodem, bo piwnica ma być również przygotowywana do zamieszkania, trzeba ją więc osuszyć. Okazuje się, że pod warstwą starego gruzu i ziemi, na głębokości prawie metra widać równo poukładane kamienie. Początkowo myślimy, że to druga, starsza posadzka, ale Pietro, prowadzący remont, wyprowadza nas z błędu.

— To prawdopodobnie stara rzymska ulica. — Według planów tędy przebiegał trakt, a kawałek dalej była dawna brama miejska — tłumaczy nam przez Ursulę — więc to bardzo możliwe, że to droga. Będziemy sprawdzać, dokąd prowadzi.

Przyglądamy się odkryciu z zainteresowaniem. Kamienie są równe, ciemne od wilgoci, inne niż podłoga piwnicy. Mają lekko zaokrąglone wierzchy, jak otoczaki, choć są dużo większe i mają prostokątne kształty. To niesamowite. Droga, po której wędrowali Rzymianie. Może tędy szli na północ, nad Bałtyk, w okolice Gniazdowa, gdzie wówczas było wiele warsztatów wyrabiających bursztyn, zwany złotem Północy? W rogu piwnicy, w starej, zakurzonej skrzyni, leży sterta równie zakurzonych, obłych butelek. Pytam Ursulę, czy mogę wziąć jedną na pamiątkę. Nie ma sprawy. To zielonkawa, stara butelka po chianti, jest już pozbawiona tradycyjnej plecionki, *fiaschi*, która miała za zadanie chronić butelkę przed uderzeniem, a zawartość przed upałami. Wypleciony uchwyt pozwalał wygodnie zawiesić ją, bez obawy, że wino się rozleje. Butelka jest ze starego, nierównego szkła, które wydaje się płynąć, z bąbelkami powietrza i drobinami piasku. Jej dno jest okrągłe, z małą kuleczką na wierzchu. Piękna, ale niemiłosiernie brudna. Wycieram ją dokładnie chusteczkami i chowam do torby. Poczeka na swoje miejsce w naszej toskańskiej kuchni.

Zbliża się pierwsza. Umawiamy się z Ursulą na czwartą, pod jej biurem. Mamy trzy godziny dla siebie, więc postanawiamy zjeść małe *panini*, napić się po kieliszku wina i położyć na godzinkę. Pogoda się zmieniła, zanosi się na deszcz lub śnieg, spadło ciśnienie i czujemy się obydwoje mocno przymuleni.

8.

Droga do Sansepolcro prowadzi przez zalesione, pozbawione liści, szarobrązowe lasy. Gdzieniegdzie widać równie szare, kamienne domy, stojące na wzgórzach, w otoczeniu cyprysów i drzew piniowych. Jest pochmurnie i smutno. Jedziemy szybko, Ursula nie zwalnia na zakrętach, ale prowadzi pewnie i nie szarżuje.

— Czy w tych domach mieszkają ludzie? Wydają się takie opuszczone.

— W niektórych tak. Inne są tak wysoko, bez możliwości dojazdu, że nie ma szans tam mieszkać. Nie ma też możliwości zrobić remontu, żaden sprzęt czy samochód z materiałami budowlanymi tam nie wjedzie.

— Czyli co, będą się rozpadać tak długo, aż znikną?

— Aż znajdą się jacyś wariaci, Anglicy czy Niemcy, którzy postanowią wydać majątek na zrobienie drogi i dociągnięcie prądu. — Ursula śmieje się rozbawiona. — Kilku takich już poznałam. Pokażę wam za chwilę dom na wzgórzu, kompletnie odizolowany, w głębokim lesie, który kupiła para angielskich emerytów. Postanowili spełnić swoje marzenia, wybrali ten dom, mimo że im to gorąco odradzałam. Tak, tak — Ursula ze śmiechem patrzy na mnie — jestem pośrednikiem o dobrym sercu. Pewnie dlatego cienko przędę, ha, ha, ha.

— Dlaczego odradzałaś?

— Bo to było kompletne szaleństwo. Dom był całkowicie zdewastowany, wielki, sześćset metrów kwadratowych, wyobraźcie sobie, dla dwójki staruszków, oddalony od słupa elektrycznego ponad dziesięć kilometrów. Bez drogi, po prostu koszmar.

— I co? Kupili, oczywiście.

— Oczywiście. Wydali na niego trzysta tysięcy euro. Drugie tyle pochłonęła droga i doprowadzenie prądu. Kolejne trzysta kosztował remont. W sumie wydali prawie milion. Na zrobienie wszystkich prac musieli czekać sześć lat. Za te pieniądze mieliby od razu wykończony, piękny toskański dom z basenem. Przez te sześć lat nie musieliby ani razu ruszyć palcem, tylko pić wino na tarasie i podziwiać widoki. A tak, ledwo skończyli remont, on zaczął chorować i więcej czasu spędza w Anglii niż tu. Ona, oczywiście, nie będzie tu sama siedzieć, w tej kompletnej głuszy, poza tym chce być z nim. I dom stoi pusty. Zobacz, to ten.

Ursula staje na poboczu, wychodzi z samochodu i pokazuje mi widoczny w oddali jasny punkt na przeciwległym, wielkim zboczu. Dom jest jedynym jaśniejszym znaczkiem na tle szarych lasów, zawieszony nad doliną. Poza tym całe wzgórze jest niezamieszkane. Kuba zostaje w samochodzie, widocznie nie jest zainteresowany.

— Muszą mieć niezły widok.

— Tak, tak — mówi Ursula, gdy wsiadamy i ruszamy dalej — ale co z tego, skoro ich tam nie ma? Słuchajcie się mnie, kochani, byście nie skończyli jak tamci nieszczęśnicy.

— Specjalnie to robi, cwaniara, chce, żebyśmy się na nią zdali. — Odwracam się do Kuby. — Słyszysz, to sprytna lisica. A swoją drogą, gówniana historia.

Kuba, niedobudzony do końca po popołudniowym śnie, drzemie na tylnym siedzeniu. Patrzy na mnie nieprzytomnie i wzrusza ramionami.

— Daj spokój, sami się prosili. Megalomania i brytyjska tęsknota za kolonialną potęgą, to wszystko.

9.

Zaczyna zmierzchać, gdy dojeżdżamy do Sansepolcro. Na przedmieściach witają nas nowe domy i salony samochodowe. W oddali widać wysoki, nowoczesny hotel. Miasto jest większe niż Castiglion Fiorentino. Wjeżdżamy na parking przed murami miejskimi; przed nami, na horyzoncie, rysują się wysokie, ciemne Apeniny. Ruszamy do centrum, na stare miasto. Sansepolcro leży w dolinie Tybru, który bierze tu swój początek. Wokół łagodne wzgórza i coraz wyższe wzniesienia górskie.

— Ursula, to duże miasto.

Wchodzimy do *centro storico* przez wielką, monumentalną bramę. Przed nami widać dużą, jasno oświetlone *piazza* i sporo przechodniów. Po cichym i pustym Castiglion Fiorentino Sansepolcro wydaje się pełne życia.

— Nie, nie jest duże, ale bardziej rozległe, bardziej bogate i z ciekawszą historią niż małe Castiglion. Jest tu chyba z piętnaście kościołów i nieczynnych już konwentów. Nazwa pochodzi od grobu świętego, pielgrzymi w tysięcznym chyba roku zostawili tu jego relikwie, wracając z Jerozolimy. — Ursula przystaje z nami na środku *piazza*. — Jak chcecie, przejdźcie się trochę po *corso*, ja podejdę po klucze od naszych domów. Spotkamy się w tym miejscu za dwadzieścia minut, okej?

Główna ulica, via XX Septembre, jest jasno oświetlona i prawie tłoczna. Duże wystawy z ciekawymi ubraniami, kawiarnie, gwar.

— Kuba, to miasteczko żyje. Castiglion to przy nim cichy trup. Zobacz, ile ludzi. To nie są turyści, tylko mieszkańcy.

— Hm, fakt. Tu jest zupełnie inaczej. Wieczorami w Castiglion jest dość... hm... przygnębiająco. Gdybym nie miał takiej pięknej żony, umarłbym z nudów.

— Chcesz powiedzieć, że zapewniam ci rozrywkę, tak?

— I to jaką. — Kuba uśmiecha się pod nosem i uchyla przed moją ręką. — Nie bij mnie publicznie. Wariatka.

— Zwariowany wariat. — Chwytam Kubę pod rękę i zaciągam pod wystawę z oprawkami okularów. — Chodź, pooglądam sobie, co mają ciekawego, i powiem ci, czy warto tu zamieszkać.

Okulary to moja słabość. Noszę je od pierwszych lat szkoły podstawowej i nigdy nie potrafię przejść obojętnie obok optyka. Szybko przebiegam wzrokiem po ekspozycji.

— Okej, mogę tu zamieszkać, są super.

— Wróżymy sobie z oprawek? À propos wróżenia i fusów, może napijemy się kawy, co? Cholernie zimno w tej Toskanii. Ludzie kłamią, mówiąc, że tu taki łagodny klimat.

— Wracamy. Najpierw obowiązek, potem przyjemność. Na kawę pójdziemy po oglądaniu naszych przyszłych domów, dobrze?

Ursula prowadzi nas ulicą, będącą przedłużeniem *corso* po drugiej stronie placu. Jest już prawie całkiem szaro. Wchodzimy w boczną, niepozorną, ciasną uliczkę i stajemy na wprost wąskiej, częściowo kamiennej, częściowo ceglanej kamieniczki. Dom jest bardzo wysoki, średniowieczny, z małymi okienkami. W fasadzie na wysokości pierwszego piętra wbudowana jest rzeźba, groźnie patrząca twarz mężczyzny. Przechodzimy z piętra na piętro, nie zatrzymując się na dłużej. Dom jest niezwykle prosty, wręcz prymitywny. Na każdym piętrze ma po dwa małe pokoiki, położone po dwóch stronach stromych kamiennych schodów. Nie ma w nim ani ładnej kamieniarki, ani starych podłóg, ani ciekawej stolarki. Pomieszczenia są ciemne, brudne, sąsiadujący dom całkowicie zabiera światło. Schody, podest, pokoiki, podest schody, pokoiki. I tak do samej góry.

— Ursula, nie podoba mi się ten dom, *sorry*. Jest po prostu nudny i prosty. I brzydki. Dajmy sobie z nim spokój. — Patrzę na Kubę, który potakuje. — Szkoda czasu.

— Jest tani. To okazja.

— Możliwe, ale nie.

Drugi dom jest bliżej centrum, niedaleko mijanej przez nas niedawno kawiarni. Mam wrażenie, że gubię się w plątaninie uliczek. Stajemy przed dużą, jasną fasadą i ładnym wejściem z drewnianymi, ozdobnymi, choć mocno zniszczonymi drzwiami. Wieloletnie działanie deszczu spowodowało, że drzwi wydają się szaroniebieskie. Okrągłe kołatki i wąski otwór na listy ma szarożółty kolor. Miły kontrast. A może to tylko kwestia zimnego światła, które pada z ulicznej latarni? Wchodzimy do środka, gdzie, jak się okazuje, nie ma prądu. Chcemy już się wycofywać, gdy Ursula triumfująco wyciąga ze swojej przepastnej torby potężną latarkę.

— Ha, ja zawsze jestem przygotowana do pracy, kochani. Ale uważajcie, tu jest gdzieś studnia, nie chcę, byście się pozabijali. — Zamyka z hałasem drzwi i oświetla wnętrze.

Jesteśmy w dużym holu, całkowicie zagraconym jakimiś urządzeniami, silnikami, starymi telewizorami. Na brudnych, zakurzonych regałach piętrzą się pudła, kartony, szpargały, części mechanizmów.

— Prawie jak w twoim pokoju — mówię do Kuby, ale nie reaguje, bo przygotowuje aparat fotograficzny.

— Będę robił zdjęcia, przy okazji oświetlę ciemne kąty. — Kuba rozgląda się za mną. — Anka, nie właź nigdzie, jeśli nie widzisz podłogi.

Wchodzimy do pokoju obok holu, Ursula przesuwa latarką po ścianach. To tu jest kominek, który widziałam w Internecie. Wielki, wysoki na ponad dwa metry, z kamiennymi podporami, piękny. W środku hałda gruzu, śmieci, na wierzchu leży zakurzona drewniana paleta. Całe pomieszczenie, duże i ciemne, podobnie jak sąsiadujący hol, jest pozastawiane starymi meblami i kartonami. Na tylnej ścianie widać dziurę, coś jak wyrąbany w murze otwór drzwiowy, na wykończenie którego nie starczyło komuś cierpliwości. Kuba podchodzi do niego i robi zdjęcie. W błysku flesza widać, że w środku jest małe, ciemne pomieszczenie, bez okna, z kolebkowym sklepieniem, zawalone materiałami budowlanymi. Na końcu jest przejście. Kuba znika tam i za chwilę słychać jego wołanie.

— Chodźcie, znalazłem studnię. Ostrożnie, ten stopień tu się mocno kiwa.

Przechodzimy powoli, trzymając się ścian, pod palcami czuję kurz. Boże, gdzie my jesteśmy, co to za piękna katastrofa? Stoimy razem przy studni, nie jest niebezpieczna, bo ma wysokie, sięgające ud obmurowanie. Ursula świeci w dół i zaskoczeni widzimy, że studnia w środku ma dużą średnicę, całą wymurowaną regularnie starymi kamieniami. Po naszej lewej stronie są chyba piwnice, bo stopnie prowadzą w dół. Na razie się tam nie zapuszczamy. Przed nami jakaś dziwna, zawilgocona przybudówka, z małym ukośnym daszkiem.

— To chyba jest takie malutkie podwórko, w zasadzie tak zwana studnia, prawdopodobnie wychodzą na nią okna z czterech stron. O! — Ursula kieruje światło na sufit. — Zobaczcie, tu jest przeszklony sufit.

— A raczej jakieś resztki. — Kuba robi zdjęcie. — Pogięte żelastwo i podziurawiona zbrojona szyba.

Jesteśmy teraz po drugiej stronie holu, drzwi wejściowe majaczą przed nami w mroku, przeszliśmy po prostu salę z kominkiem naokoło. Okazuje się, że obok nas są schody na piętro, a przy nich stoi szara, ładna kolumna.

— A to jest ładne. — Kuba znów fotografuje. — Wydaje się autentyczna. Ursula, co wiesz o tym domu?

— W zasadzie niewiele, nie byłam tu nigdy. — Ursula nakierowuje światło latarki na kolumnę. — Wiem tylko, że jest z piętnastego wieku, że jest tu studnia, są trzy piętra, wiele pokoi i że dach został naprawiony przez obecnego właściciela. To wszystko. Chodźmy na górę.

Wspinamy się po schodach, trzymając się ładnej, kutej poręczy. Wydaje się stara, brak jej ozdób, ma tylko małe zawijasy na początku i końcu. Pierwsze piętro to labirynt pokoi. Jeden, po drugiej stronie korytarza, jest bardzo wysoki, schodzi się do niego po kilku schodkach, ma sklepiony, biały sufit i dziwne, dzielące go ścianki. Na jednej ze ścian widzimy wyzierające spod białej farby okrągłe freski, zupełnie nieodczytywalne w tym świetle.

— A co to takiego? — Kuba jest wyraźnie zainteresowany. — Freski?

— Nie wiem, ale muszą być stare. Takie domy mają swoje tajemnice, wiecie, zamurowane przejścia, okna, dziwne znaki. To trzeba polubić. Sądzę, że kiedyś było to jedno pomieszczenie, ale zostało podzielone.

Drugie piętro wydaje się jeszcze bardziej skomplikowane, wystarczy zostać na chwilę z tyłu i już się tonie w ciemnościach.

Czuję lodowaty oddech na twarzy i choć wiem, że to podmuch z okna pozbawionego szyby, przechodzą mnie ciarki. Szybko dołączam do reszty, nieswojo być tu samemu, po ciemku. Zauważam kominek pomalowany olejną farbą i podłogi z cotto. Wydaje mi się, że naliczyłam pięć pokoi, ale być może w którymś byłam dwa razy. Na górze jest jeszcze taras, ale dajemy sobie z nim spokój. Prowadzą na niego strome, potwornie zakurzone, rozchybotane schody, nie będziemy ryzykować.

— Chodźmy na kawę, co? Latarka powoli gaśnie, musimy przedostać się przez hol na zewnątrz. — Ursula też najwyraźniej ma dosyć.

Schodzimy ostrożnie, bo schody są ciemne i przez to zupełnie niewidoczne. Przedzieramy się przez zagracony hol i po chwili stoimy na ulicy. W świetle latarni widać, jacy jesteśmy zakurzeni. Otrzepuję siebie i Kubę, Ursula ma jasne rzeczy, więc wydaje się czysta. Zdejmuję z jej włosów kłaczek pajęczyny.

Z przyjemnością grzeję ręce o gorącą filiżankę. Czuję, że mam zupełnie lodowate stopy. Jeszcze trochę, a zamarzłabym tam na kość. Siedzimy w Kappa Caffè na głównej ulicy. Jest około siódmej, w knajpach zaczyna się serwowanie aperitifów. Zamówiłam kawę i koniak, liczę, że dzięki temu odtaję.

— I co? — Ursula sączy ze smakiem jakiś dziwny, czerwony koktajl. — Co powiecie o Sansepolcro? Dużo sklepów z dobrymi ciuchami, co, Anka? Ja przyjeżdżam tu się ubierać.

— Jest zdecydowanie inaczej niż w Castiglion. Otwarcie mówiąc, więcej życia. Mnie się podoba, a tobie, Kuba?

— Mnie też.

— A domy?

— Wiesz, Ursula, Banti poza naszym zasięgiem, piekarnia i stolarnia, wiadomo, za małe. A tu? Pierwszy beznadziejny, a drugi, trudno powiedzieć, mało widziałem.

Ursula, jak można było się spodziewać, zaczyna się śmiać na całe gardło.

— Kuba, tym lepiej, mój drogi. Boję się, że w dzień byście stamtąd zmykali po obejrzeniu parteru.

Ona chyba faktycznie jest za szczera na tę robotę. Na czym ta kobieta zarabia? Bo na pewno nie na sprzedaży nieruchomości.

— Podoba mi się kominek, poręcz, freski, to, że jest studnia i prawdopodobnie jakiś tam taras. I to, że jest dużo pokoi. Poza tym syf i rozpacz. — Kuba nie zostawia jej złudzeń.

— Ten dom ma jeszcze coś. — Ursula wychyla powoli resztę z kieliszka. — On ma, kochani, tak zwany potencjał. I niską cenę — dodaje po chwili. — Okej, macie czas, pomyślcie o nim. Ja jestem tylko po to, by trzymać wam latarkę, ha, ha, ha.

III.

Amelia, czyli pierwsza nieszczęśliwa miłość

1.

— Kuba, dzwonię do powiatowego inspektora nadzoru budowlanego. Dla mnie ta sprawa śmierdzi. Na dachu fruwają jakieś podarte plandeki, wokół budynku niezabezpieczone rozkopy, bałagan i śmieci, a nam zaczyna przeciekać sufit. No i to pęknięcie, kurczę, wygląda nieciekawie. Jakby ściana nośna miała odkleić się od reszty. Inwestorka nie odbiera telefonów, nie ma kontaktu z jej inspektorem nadzoru, administracja ma sprawę gdzieś. Już po raz czwarty proszę ich o interwencję. Musimy działać, słyszysz?

Strych jest nad naszymi głowami. Najpierw pojawił się zaciek w sypialni. Niewielki, w samym narożniku. Potem, w listopadzie, nieznaczne pęknięcie w pokoju obok. To już wydało się nam groźne. W dodatku z dachu zostały zdjęte wszystkie dachówki i dom pozostał bez zabezpieczenia przed śniegiem i deszczem.

Kuba myje zęby. Stoimy w naszej łazience, naprzeciwko lustra, i gapimy się na swoje odbicia. Najlepsze miejsce na rozmowy. Małe, ciepłe i ciasne. Lubię nasze łazienkowe wieczorne pogawędki, które prowadzimy, stojąc obok siebie i patrząc się na siebie w lustrze. Czasem Kuba doprowadza mnie do łez, przemieniając się w swojego niemieckiego wujka Udo: starannie i z namaszczeniem zaczesuje włosy na bok, z równym przedziałkiem nad samym uchem, przygładza je mokrą ręką, by wydawały się tłuste i posklejane, robi zatroskano-obrażoną minę, oblizuje usta, wydyma je i mruczy coś niezrozumiale, cmokając przy tym lubieżnie. Nigdy nie poznałam wujka Udo, ale pokochałam go szczerze i bez pamięci. W wykonaniu Kuby jest cudownie zadufanym w sobie dupkiem, nieprzyzwoicie próżnym i obleśnym.

Dziś nie mam ochoty na żarty. Stoję przy drzwiach i tarasuję przejście. Postanawiam nie przesunąć się ani o milimetr, dopóki nie skończymy tematu. Ostatnio kilka razy próbowałam zaczynać dyskusję o dachu, ale Kuba na wszelkie sposoby unikał podjęcia tematu.

— Mówisz tak, jakbym był przeciwny. Po prostu nie chcę od razu strzelać z armaty, gdy wystarczy pukawka, rozumiesz? — Płucze szczoteczkę i chowa do szafki. — Ale fakt, masz rację, ta cała adaptacja to wielki burdel. Rozmawiałem z pracownikami na dachu. Górale z Nowego Sącza. Powiedzieli, że zejdą w tym tygodniu z budowy, bo kobieta im nie płaci.

— Czyli co, zanim wejdzie kolejna ekipa frajerów, zacznie się wiosna, tak? Nie chcę robić wielkiego rabanu, ale sam widzisz. Pani Ada na naszym piętrze ma zupełnie zalany duży pokój. Boruckim z drugiej klatki gnije ściana, bo brakuje rynien i woda spływa po tynku. Straszny smród. Pamiętasz takie młode małżeństwo z wózkiem, wynajmują mieszkanie obok pani Krystyny? Kobieta wpadła z dzieckiem do rowu, przewróciła się, ale wózek utrzymała...

— Kochanie — Kuba przerywa mi, odwieszając swój ręcznik — nie jesteś żadnym Wallenrodem, pamiętaj. Nie musisz martwić się za miliony.

— Nie denerwuj mnie. Ja tylko pokazuję ci skalę problemu.

Nie jesteśmy odosobnieni, ale każdy czeka, aż coś się zdarzy, jakiś cud albo nie wiem... — Próbuję od dłuższego czasu zakręcić nakrętkę na butelce z tonikiem i ciągle nie trafiam we właściwy rowek. — Dzwonię jutro. Nie będę się oglądać na resztę. Koniec. — Z impetem odstawiam otwarty tonik na półkę. — I do cholery, nie mów do mnie „kochanie".

Kuba stoi oparty o ścianę i przygląda się w milczeniu, jak zmywam wacikiem twarz. Obserwuję w lustrze, jak przesuwa dłonią po twarzy i przeciera oczy. Jest zmęczony i najchętniej czmychnąłby do sypialni. Ale stoję nieporuszona przy drzwiach i czekam na jego akceptację.

— A ta Olędzka, rozmawiałaś z nią? — odzywa się po chwili.

— Oczywiście, że nie. Jest nieuchwytna.

Milczymy dłuższą chwilę. Nie wytrzymuję.

— Kuba, ta sprawa wygląda źle. Tak jakby nikt nie kontrolował sytuacji. To stary, zabytkowy dom, piękna kamienica. Powinny być jakieś służby, które dbają o prawidłowy przebieg prac, zarząd, który dogląda remontu, wnosi zastrzeżenia, pilnuje inwestorki, a tu wszystko poszło na żywioł. Nasz szanowny zarząd jak zwykle nieobecny, jeden facet w Niemczech, drugi ponoć w Chinach, trzeci czasem się pokaże, ale nic nie kuma i tylko uśmiecha się głupkowato. A baba robi, co chce. — Kończę nakładać krem, zakręcając tym razem dokładnie słoiczek, i odwracam się do Kuby. — Słuchaj, mamy zamiar sprzedać nasze mieszkanie, ale nikt go nie kupi, bo ten budynek odstrasza i niszczeje. I zanosi się na to, że będzie jeszcze gorzej. I nie wyjedziemy do Toskanii, wiesz? W dodatku wszyscy wokół wieszczą jakiś niewyobrażalny kryzys, w Stanach ceny nieruchomości spadają na łeb, nie wiemy, co wydarzy się za chwilę tutaj. Boję się, że...

Kuba przyciąga mnie do siebie i mocno przytula.

— No, już dobrze, przymknij się w końcu — szepcze. — Masz rację, jest problem. Ale nie traktuj tego tak emocjonalnie, okej? Zadzwoń jutro do tej nieszczęsnej inspekcji budowlanej i powiedz im, jak to wygląda. Ale nie obiecuj sobie zbyt wiele. Urząd jest urząd, nierychliwy. I niesprawiedliwy — dodaje.

Obejmuję go i obserwuję w lustrze, jak gładzi moje włosy. Odsuwam się i całuję go delikatnie w nos.

— Obiecaj, że nie będziesz narzekał i ględził, że postanowiłam działać.

— Obiecuję. — Kuba mruczy, wtulając się w mój kark. — Tylko już zamilcz...

— I nie będziesz nazywał mnie pieniaczką.

— Daj żyć, kobieto... Tak pięknie pachniesz...

— Nie będziesz?

— Nie...

Obiema rękoma przesuwam po jego włosach, odchylam się do tyłu i uśmiechając się, patrzę mu w oczy.

— Okej, a teraz zrób dla mnie wujka Udo. Zasłużyłam.

2.

— Zwariowałaś? Jaki zarząd? To jest głupi, nieprzemyślany pomysł. Anka — Kuba odkłada widelec i patrzy na mnie z niezadowoleniem. — Nie mów mi, że się zgodziłaś. Nie pozwalam ci, słyszysz? Ta kamienica to dom wariatów.

Jemy kolację. Dziś odbyło się roczne spotkanie wspólnoty i dziś z panem Krzysztofem z drugiego piętra i panią Magdą zostałam wybrana do zarządu. Aby było kworum, prawie na siłę ściągnęliśmy na spotkanie przedstawiciela urzędu miasta. W końcu piętnaście procent udziałów piechotą nie chodzi. Poprzedni zarząd na znak protestu się nie pojawił. A i tak wywiązała się potworna awantura, dostało się administracji i frakcji zwolenników starej władzy.

— Kuba, sprawa zamknięta. Zgodziłam się. Inwestorka prowadziła prace bez zezwoleń, nie zatrudniła inspektora nadzoru, zdewastowała stuletnią kamienicę. Chcę mieć wpływ na to, co będzie się teraz działo. Nasze plany zależą od sprzedaży tego mieszkania.

— Anka, zajeżdżą cię. Tu każdy walczy z każdym. Tak, przyznaję, myliłem się co do faktów. Zadzwoniłaś po inspekcję budowlaną i okazało się, że słusznie, ale teraz odpuść.

— Nie.

— Proszę cię…

— Nie.

Jemy chwilę w milczeniu. Spoglądam na Kubę. Grzebie w jedzeniu bez entuzjazmu. Wkurzył mnie swoim gadaniem. W końcu nie robię tego dla przyjemności. Prawie jednocześnie odsuwamy od siebie talerze.

— Słuchaj…

— Słuchaj…

— Dobrze, ty mów. Ja się już dziś zdążyłam nagadać.

— Nie chcę, byś użerała się z lokatorami. Ania, nie jesteś omnibusem, co to wszystko zrobi i jeszcze uporządkuje bałagan po starym zarządzie. Mamy swoje sprawy, planujemy wyjechać, to nie jest ci potrzebne.

— Potrzebne? Kto mówi tu o moich ambicjach. A w ogóle byłam pewna, że będziesz mnie wspierał, do cholery. Masz rację, nie starczy mi siły, jeśli będę musiała dodatkowo wojować z tobą.

Wstaję i zgarniam do śmieci resztki z talerza. Otwieram z impetem zmywarkę i wstawiam głośno naczynia do środka. Jestem wściekła. Nie spodziewałam się takiej reakcji. Odwracam się do Kuby.

— A ty nie masz żadnych obaw co do tej budowy nad naszymi głowami? Podoba ci się ten stan?

— Nie, nie podoba. I też się tym martwię. Chodzi mi tylko o ciebie…

— Kuba, przestań gadać głupoty. Co ja jestem? Mimoza jakaś pieprzona? Nie znasz mnie? Mam zamiar przypilnować tej cwaniary i doprowadzić do tego, że nie będzie mogła robić, co sobie wymyśli. To wszystko. Boisz się, że się przy tym spocę i przeziębię? Twoje gadanie mnie wkurza. — Siadam ponownie przy stole i nalewam sobie kieliszek wina.

Czuję się zmęczona, dzisiejsze spotkanie i nasza dyskusja

sprawiły, że mam ochotę zakopać się pod kołdrę i zniknąć na jakiś bliżej nieokreślony czas. Najchętniej do kwietnia, bo wtedy znów jedziemy do Włoch. Kuba skubie bez entuzjazmu makaron z krewetkami i rukolą. Przyglądam się blatowi stołu. Zaczęłam go olejować i ma teraz głęboki, ciemnoszary kolor. Najchętniej wzięłabym szmatkę i znów bym to zrobiła. Takie prace mnie uspokajają, nie wymagają myślenia i dają natychmiastowe efekty — szybka nagroda za mały wysiłek. Zapalam papierosa i spoglądam ponownie na Kubę. Napotykam jego wzrok.

— Przepraszam, okej? — mówi i wyciera usta serwetką. — Działaj więc. Tylko pamiętaj, co ci mówiłem. Zadziobią cię. A w ogóle to pyszne jedzonko.

— Nie podlizuj się.

— Kiedy lubię.

— Widzę przecież, że ci nie smakowało.

— Smakowało, ale martwi mnie żona wariatka.

Zasłaniam uśmiech kieliszkiem i upijam łyk. Dobre, porządne chianti, z czarnym kogutkiem, jak Bóg przykazał. Kuba wstaje, bierze czajnik i napełnia go wodą.

— Chcesz herbatę czy kawę?

— Kawę. Z mlekiem.

Przyglądam się, jak przygotowuje filiżanki i sprząta ze stołu. Woda zaczyna szumieć. Włączam radio i siadam wygodnie. Czuję, jak emocje opadają i ogarnia mnie przyjemne rozleniwienie. Mój mąż nie lubi konfliktowych sytuacji, szybko szuka kompromisu. Czasem zastanawiam się, ile w tym świadomej decyzji, a ile instynktownej potrzeby równowagi. Kawa ładnie pachnie. Kuba stawia przede mną talerzyk ze słodyczami: moje ulubione malagi i tiki taki. I pastylki miętowe w czekoladzie, dla niego. Siada naprzeciwko i przez dłuższą chwilę patrzy na mnie bez słowa.

— Wariatka jesteś, wiesz?

— A ty nędzny konformista. Ale dziękuję za malagi.

— Lubisz decydować, co?

— Lubię mieć kontrolę.

Sięgam po cukierka. Mmm, pyszny malagowy środeczek, trochę czekoladowy, trochę rodzynkowy, a trochę szczypiący. Uwielbiam nagryźć czubek i końcem języka próbować wydostać słodko-owocową masę. Muszę się trochę pomęczyć, zanim w końcu zrezygnuję i odgryzę kruchy wierzch cukierka, by dobrać się do reszty nadzienia. Potem pozostaje tylko schrupać gruby, czekoladowy spód i koniec zabawy. Zwykłe zjedzenie czekoladki nie daje takiej radości, właściwie to nawet mnie rozczarowuje.

Kuba przygląda się mojej walce z uśmiechem i wkłada całego cukierka do ust.

— Nie możesz zrobić tego normalnie, jak zwykli ludzie, prawda? Musisz sobie trochę pokomplikować życie, nie?

— Hm, chyba tak. Znasz mnie... Pyszne.

— Cała się wysmarowałaś, wiesz? — Wyciąga z kieszeni chusteczkę, podaje mi ją nad stołem i patrzy, jak wycieram usta. — I jeszcze na nosie. Jakbyś miała siedem lat.

— Powiem ci, co planuję, chcesz? — Wypijam łyk kawy.

— W związku z czym?

— Z pracą nowego zarządu.

Kuba sięga po fajkę i patrzy wyczekująco. Wygląda na to, że chyba się pogodził z moim wyborem.

— Przeczytałam umowę, jaką poprzedni zarząd podpisał z Olędzką. Są w niej dwie ważne rzeczy: pierwsza, to kara za zwłokę, trzysta złotych dziennie, całkiem nieźle, jak na tych patałachów. Jestem zaskoczona na plus. Niestety, jest też poważny minus, brak możliwości wypowiedzenia umowy z powodu dewastacji budynku, rozumiesz to?

— Czyli co? Hulaj dusza, piekła nie ma?

— Gdybyśmy zostali przy starej umowie, to tak. Ale właśnie mebluję dla pani inwestor małe, szykowne piekiełko. Za chwilę będzie starała się o pozwolenie na budowę, a my, jako zarząd dostaniemy tę decyzję do akceptacji. Wtedy złożymy jej propozycję nie do odrzucenia. Albo robimy aneks do umowy z naszymi warunkami, albo lokatorzy składają zastrzeżenia do projektu i machina biurokratyczna idzie w ruch. Sąd administracyjny i tak dalej. Możemy bujać się kilka lat. Ponieważ Olędzkiej zależy na jak najszybszym rozpoczęciu prac, myślę, że zaakceptuje nowe wymagania.

— Jakie?

— Restrykcyjne. Skończyła się zabawa. Wiesz, że nie zapłaciła góralom? Dla mnie to obrzydliwe.

Siedzimy chwilę w smętnym milczeniu. Cieśle pojawili się w kamienicy we wrześniu. Zaparkowali swojego poobijanego transita przed budynkiem, wynajęli pokój u pana Honoriusza z drugiej klatki i wzięli się ostro do pracy. Wszędzie pachniało drewnem, bo wymieniali więźbę dachową. A w każdą niedzielę, wystrojeni w białe koszule, maszerowali do pobliskiego kościoła, by później iść na obowiązkowe piwo.

— Tacy pracownicy przydaliby się nam we Włoszech, gdybyśmy mieli remontować jakiś dom. Byli nieprzyzwoicie pracowici. — Kuba kończy kawę i wstaje. — Dlatego daj tej babie popalić, zasłużyła na ciebie.

— Obiecuję, że będę jej się śniła. Kocham cię.

— Tak mówisz, bo dostałaś cukierki.

— Mmm, to prawda.

— Zawsze podejrzewałem, że jesteś interesowna. Przyznaj się, wyszłaś za mnie dla pieniędzy.

— Mmm, bystry jesteś. Pocałuj mnie.

— Dobrze, ale ty chowasz garnki do zmywarki.

— Szybko się uczysz. Ale okej, zgadzam się.

Kuba pochyla się nade mną i szybko całuje w czoło.

— A co to było? — Patrzę na niego z dołu. — Buziaczek tatusia? Za to mogę schować tylko swoją łyżeczkę do kawy.

Wstaję i wtulam się w sweter Kuby. Cudownie pachnie. Obejmuję go mocno.

— Teraz możesz mnie pocałować. Długo i gorąco. W zamian za to pozwolę ci jutro zrobić dla mnie śniadanie. Grzanki z dżemem pomarańczowym — mruczę, przytulona do ciepłego rękawa. — Pamiętaj, dobrze wypieczone.

3.

— Pontremoli? A gdzie to jest? — Kuba wygrzebuje z torby mapę i zaczyna ją rozkładać przed sobą. Przyglądam się z boku, jak mocuje się z powiększającą się momentalnie papierową płachtą. Za chwilę zacznie przeklinać, bo mapa okaże się, jak zwykle, nieskładalna.

Jedziemy z Rzymu wynajętym samochodem, autostradą A1 w stronę Florencji. Jest początek marca. Udało się nam znaleźć trzy wolne dni, by wyskoczyć na mały rekonesans. Spędziliśmy spokojny dzień w Rzymie, na spacerach w coraz cieplejszym słońcu, a dziś mamy obejrzeć dom w północnej Toskanii. Kuba, zajęty wykładami, pisaniem recenzji i swojej książki, nie uczestniczył w przygotowaniach. Kilka dni temu położyłam przed nim wydrukowane bilety i popatrzyłam wymownie. Przyglądał się im przez chwilę, spojrzał na mnie i uśmiechnął się przepraszająco.

— Zapomniałem, wiesz?

Wiem. W końcu to ja umawiałam się z pośredniczką, zaplanowałam trasę i załatwiłam formalności. Uznałam jednak, że wybaczam. Przynajmniej miałam całkowicie wolną rękę.

— Więc nie wiesz, gdzie jest Pontremoli. A jeśli wiozę cię w Alpy, gdzie jedzą kiszoną kapustę i jodłują, to co mi zrobisz?

— Zabiję.

— Lepiej złóż tę mapę, zasłaniasz mi lusterka.

Kuba posłusznie składa mapę i zgodnie z moimi oczekiwaniami nie pozostawia mi żadnych złudzeń, co myśli o jej producentach.

— Powiedz, jaki kretyn wpadł na pomysł, by tak komplikować normalnym ludziom życie? Przecież tego nie da się złożyć. Zobacz — pokazuje mi naddarty fragment — jak tu składam, to z tej strony się naciąga i rwie.

— Bo źle to robisz. Okładka musi być na wierzchu, a nie w środku.

— Anka, przecież wiem o tym, do cholery. Zawsze tak robię. Ale tej pieprzonej okładki nie można prawidłowo wywalić na wierzch. Jak to mi się udaje, to mapa się otwiera, robi się jakaś taka buła i wszystko sterczy.

— Buła?

Kuba zaciska usta i ponownie próbuje złożyć mapę.

— Lusterka...

Mapa z głośnym szelestem ląduje na tylnym siedzeniu. Kuba siedzi odwrócony do mnie tyłem. Jedziemy w milczeniu. Jak zwykle, po przyjeździe na miejsce zabiorę mapę do hotelu i złożę ją, gdy mój mąż będzie w łazience. Cichutko, by nie ranić jego poszarpanego mapą serca.

— Posłuchamy czegoś — zagaduję po dłuższej chwili. — Włącz coś miłego i spokojnego. Żebym się nie rozbiła, okej? Przed nami ponad trzysta kilometrów.

— To gdzie to Pontremoli?

— Na północy. Z Florencji kierujemy się na Lukkę, mijamy Carrarę i już.

— Daleko. — Kuba wkłada płytę do odtwarzacza i podaje mi jabłko. — Chcesz?

— Daj. No, trochę daleko, ale piękne mieszkanie, widziałeś zdjęcia. I miejscowość urocza, pomiędzy dwiema rzekami, w górach. Nigdy tu nie byliśmy.

— A jutro?

— Dziś śpimy w Pontremoli, a wcześnie rano wracamy na Fiumicino i frrr.

— Palcem nie ruszyłem... Straszny ze mnie cieć.

— Owszem. Dlatego masz być miły, słuchać mnie we wszystkim i bawić rozmową. Żadnych fochów i kręcenia nosem. A jak powiem, że mi się podoba, to kupujesz i nie dyskutujesz, jasne?

— Ukartowałaś to wszystko, tak?

— Aha.

Jem jabłko i słucham muzyki. Pędzimy autostradą, mijając Orte, Orvieto, a potem piękne toskańskie wzgórza. Pogoda jest przyjemna, co prawda słońce znika co rusz za chmurami, ale jest ciepło i bezwietrznie. Zakładam, że w Pontremoli będziemy około czwartej. W każdym razie o tej godzinie mamy spotkanie z Marią, pośredniczką tamtejszej agencji nieruchomości. Rozglądam się wokół. Nigdy nie widziałam włoskiej wiosny. Na zboczach kwitną winorośle. Ich liście są jeszcze delikatne i małe, o żółtozielonej barwie. Krzewy obsypane są drobnymi, białymi kwiatami.

— Kuba, czy czerwone winorośle mają czerwone kwiaty?

— Nie wiem... Chyba białe. Zaskoczyłaś mnie.

— Mijamy tylko takie, które kwitną na biało, a przecież to rejon chianti. Czyli przede wszystkim czerwone wina.

— Sprawdzę, jak wrócimy. — Kuba podaje mi czekoladkę. — Jak będziesz chciała się zamienić miejscami, to mów, ja poprowadzę.

— Hmm, dziękuję, ale nie. Jak wiesz, kto ma kierownicę, ten ma władzę.

— Coś ci się pokręciło. Powinno być: kto ma pilota, ten ma władzę.

— U nas to nie działa. Nie oglądamy telewizji.

— Fakt.

4.

Mijając Lukkę i pobliski rejon Garfagniana, wjechaliśmy w wysokie, zarośnięte lasami góry. Przypominały te, które widzieliśmy kilka lat temu, podróżując wiosną po Grecji: soczysta zieleń, parująca od pierwszych upałów, jeszcze świeża i pełna wilgoci.

W okolicach Carrary krajobraz zmienił się radykalnie, zupełnie zniknęły łagodne wzgórza, cyprysy i drzewa piniowe, za to pojawiło się więcej sosen, a szczyty gór stały się nagie i groźne. Gdzieniegdzie, w najwyższych partiach, widoczne były śniegowe, połyskliwie plamy.

Kuba ocknął się z drzemki i teraz powoli wypija resztę wody z butelki. Sięga po nową, odkręca i podaje mi, przyglądając się krajobrazom.

— A gdzie my jesteśmy, w Kanadzie?

— Nie bądź złośliwy.

— Zawsze chciałem mieszkać w Kanadzie. Podoba mi się tutaj. Piękne góry.

— Chrapałeś.

— Niemożliwe. A jeśli już, to przez te cholerne górskie powietrze. Widocznie Kanada mi nie służy. — Kuba dotyka mojej twarzy. — Stań gdzieś, to się zmienimy. Odpoczniesz i znów będziesz dobrą żoną.

Zatrzymuję się na poboczu. Przejechałam ponad trzysta kilometrów, huczy mi w głowie i mam ścierpnięte łydki. Wypożyczona alfa ma dużo zalet i jedną zasadniczą wadę — jest niewygodna. Siadam na miejscu pasażera, wyciągam z ulgą nogi, opuszczam oparcie i zamykam oczy. Kuba dobrze prowadzi. Nie cierpię jeździć z ludźmi, którzy swoją jazdą powodują, że siedząc obok, wciskam co rusz nieistniejący pedał hamulca, a moje ręce mają ochotę zacisnąć się na kierownicy.

Gdy budzą mnie nierówności torów pod kołami, dojeżdżamy na miejsce. Kamienne koryta rzek szeroko wiją się wśród lasów. Jest zdecydowanie chłodniej, temperatura spadła o kilka stopni. Zatrzymujemy się na małą kawę na przydrożnej stacji i ruszamy przed siebie. W oddali widać wieże kościołów.

Wjazd do miasteczka nie budzi większych emocji. Nowe domy, zaniedbane centrum, zamknięte jeszcze sklepy w nowoczesnych pawilonach. Pusto. Kuba parkuje przy głównym placu i wyłącza silnik. Siedzimy w samochodzie w milczeniu. Nie ma sensu iść do hotelu, za chwilę mamy spotkanie, postanawiamy więc poczekać. Przy ławce na pobliskim skwerze stoją trzy osoby, głośno rozmawiając i spoglądając co chwilę na nasz samochód.

— Może to oni? — pytam Kubę, przyglądając się hałaśliwej grupce.

— Jak się z nią umówiłaś?

— Że spotkamy się przed parkiem na via Garibaldi. To tu.

— Czekamy na jakąś kobietę, a tamci mają po dwadzieścia kilka lat. Poza tym co? Przyprowadziła rodzinę?

— Jesteśmy we Włoszech. Rodzina ponad wszystko. Idę się spytać.

Miałam rację. Maria, jej chłopak Stefano i nieco starsza od nich dziewczyna, Bianca, siostra właściciela mieszkania, witają się ze mną krótko, kalecząc niemiłosiernie angielski. Kuba zamyka samochód i podchodzi, patrząc na mnie pytająco. Tak, tak, odpowiadam mu wzrokiem, miałam rację.

— Pewnie matka z ojcem i wujkami czeka w bramie. — Nie wytrzymuje, gdy wsiadamy z nimi do ich samochodu. Ja z Kubą i Stefanem z tyłu, dziewczyny z przodu.

— Kuba, proszę...

Przejeżdżamy przez most i jesteśmy w starym centrum. Nieremontowane, niskie kamienice, wąskie uliczki, bruk. Popołudniowe słońce oświetla pod ostrym kątem fasady domów, nadając im intensywny, ciemny kolor. W niektórych miejscach tynk lśni jak złoto. Kamienne obramowania okien i bogate portale bram wjazdowych rzucają ostre, długie cienie.

— Ładnie tu — zagaduję do Marii — podoba mi się.

— Tak — słyszę w odpowiedzi. I cisza. Czekam na dalszą część, ale Maria nie podtrzymuje rozmowy. Przyzwyczajeni do słowotoku Ursuli i jej wybuchów niepohamowanego śmiechu, czujemy się trochę speszeni.

Parkujemy na wąskiej uliczce. Okazałe drzwi z wielkim, kamiennym herbem wiszącym nad wejściem prowadzą do ciemnego wnętrza. Pod nogami mamy piękną, błyszczącą posadzkę z popękanych płyt z szarego kamienia. Potem kuta brama, zagradzająca wejście na duże podwórko z umieszczoną centralnie studnią. Zadzieramy głowy. W górze widać wychodzące na dziedziniec okna i portyk, podparty smukłymi kolumnami. Spoglądam na Kubę.

— Nieźle, co?

Maria otwiera drewniane, skrzypiące drzwi na wprost bramy i pokazuje nam dużą piwnicę.

— To należy do mieszkania — informuje krótko.

Sklepiony sufit oświetla okienko na przeciwległej ścianie.

W środku równie ładna kamienna posadzka, miejscami zapadnięta od wieloletniego używania. Idealne na jakąś pracownię. Ostatecznie można tu trzymać drewno do kominka, choć to byłby grzech. Zbyt tu ładnie, by zrobić z tego skład na opał.

Szerokimi, kamiennymi schodami wchodzimy na górę. Klatka schodowa jest otwarta na podwórze, na półpiętrach stoją ceramiczne donice z kwiatami. Do pierwszego piętra jest pięknie. Gdy wchodzimy na drugie, po otwarciu starych, renesansowych drzwi w niezwykłym szarozielonym kolorze, z odłażącą farbą, z małą kratą na wysokości twarzy, nasze pełne zachwytu uśmiechy zamierają. Zamiast nierównych, zmurszałych tynków wszędzie na ścianach ktoś próbował montować płyty kartonowo-gipsowe. Panuje bałagan, na półpiętrze stoi przerdzewiała, najwyraźniej zepsuta pralka, pranie suszy się na stojącej w kącie suszarce, okno zostało niedbale zasłonięte grubą, nieprzezroczystą folią.

— Maria, to tu? — pytam przerażona.

— Tak.

— Bałagan.

— Ale wszystko można posprzątać.

Czekam chwilę na jakiś komentarz, ale Maria milknie. Aha. Pogadałyśmy sobie. Czyli, jak rozumiem, teoretycznie to tutaj jest czysto. Prawie jak na dole.

Bianca wyciąga solidny klucz i otwiera ciężkie, pomalowane na brązowo drzwi. W tym momencie uchylają się drugie, po drugiej stronie korytarza, i w szparze pojawia się mała, czarna główka. Błyskają śnieżnobiałe ząbki. Duża, kolorowa kokardka na kręconych włosach podskakuje wraz z jej właścicielką, czyli małą, może trzyletnią czarnoskórą dziewczynką.

— *Ciao* — mówię.

— *Ciao* — uśmiecha się jeszcze szerzej panienka. Zza kokardki wygląda druga głowa, równie czarna i kędzierzawa. Chłopiec, na moje oko siedmioletni. Patrzy na nas bez słowa, z wyraźnym zainteresowaniem. Po chwili drzwi otwierają się szeroko i staje w nich duża, mocno zbudowana kobieta w jaskrawej, czerwonopomarańczowej sukni. Jej włosy podtrzymuje szeroka, wściekle zielona opaska, pyzaty bobas siedzi zadowolony na jej biodrze. Wszystko wskazuje, że to mama całej trójki.

— *Buonasera* — mówię.

— *Ciao*! — Kobieta poprawia sobie bobaska i uśmiecha się pogodnie. Zauważa Biancę i kiwa ręką, patrząc ponad moją głową, woła: — *Ciao, cara*!

Gdy wchodzimy do mieszkania, zatrzymuję się w progu. Wzrok chwilę przyzwyczaja się do mroku. Panujący w środku zapach to mieszanka ledwo wyczuwalnego zapachu lawendy, dymu drzewnego i kurzu. Rozglądam się zaskoczona. Mieszkanie wydaje się w pełni umeblowane, w dodatku starymi, wysmakowanymi meblami. Pokój jest duży, ciemny, cały pomalowany w piękne, szaro-bakłażanowe geometryczne wzory. Wygląda to jak misterna tapeta, z szerokimi pasami przy podłodze i suficie, tworzącymi obramowanie dla malowanego wnętrza. Sufit jest sklepiony, cały w kwiatowych motywach, z barwną rozetą w centralnej części. Jesteśmy w przedpokoju, na środku którego stoi samotny, okrągły stół z dużą wazą na kwiaty, teraz nienaturalnie pustą, gotową przyjąć wielkie naręcze tulipanów i bzów. Drzwi, umieszczone centralnie na każdej ze ścian, prowadzą do innych pokoi. Duży, stojący w kącie zegar zatrzymał się na dziesięć po szóstej. Obok niego stoi drewniana ława, na której Maria stawia torebkę i nie zwracając na nas uwagi, częstuje Biancę papierosem. Stoimy niezdecydowani.

— To co? — Patrzę na Kubę. — Mamy się chyba sami obsłużyć, tak?

— Na to wygląda. Panna pośredniczka chyba nie zrobi kariery w tym biznesie.

Kierujemy się do pokoju na wprost. To obszerny salon z marmurowym, białym kominkiem, opalizującym lekko w słabym świetle, sączącym się z brudnych okien. Czarny fortepian zajmuje dużą część jednej ze ścian, po przeciwległej stronie stoją fikuśne, delikatne krzesełka ze złotymi poręczami i małe, ozdobne stoliki. Przed nami wysokie, wąskie okna, mocno zakurzone, niektóre przesłonięte pomalowanymi na jasny kolor okiennicami. Z daleka widać oświetlone pomarańczowym słońcem góry. W pomieszczeniu jest dość ciemno, światło tłumią szare szyby i ciężkie, misternie upięte i zamotane ozdobnymi sznurkami zasłony. Rozpostarty na biało-czarnej podłodze wytarty, wełniany dywan tłumi nasze kroki. W salonie znajdują się dwoje drzwi w bocznych ścianach. Na lewo jest biblioteka, od góry do dołu zapełniona książkami, poupychanymi na solidnych półkach z ciemnego, szlachetnego drewna, które otaczają cały pokój. Książki leżą też na długim, ciężkim stole, na podłodze i na biurku. Biorę jedną do ręki. „Romeo i Julia" po włosku. Zawinięta, tak jak i pozostałe, w szorstki papier przypominający bibułę, z odręcznie napisanym na niej tytułem. Ozdobne, delikatne litery, z mocniejszymi liniami w miejscu, gdzie ręka zatrzymała się na dłużej. Czarny atrament wnikał w papier, zostawiając wokół liter delikatne pajączki. Kobiece pismo — myślę, przesuwając palcem po fantazyjnych zawijasach.

Spoglądam na Kubę, ciekawa jego opinii.

— I co ty na to?

— Dziwne miejsce. — Kuba odkłada jakąś książkę. — Wszystko pozostawione tak, jakby ktoś sto lat temu stąd nagle wyszedł i wszystko zostawił. Zobacz, zdjęcia, bibeloty, nuty. W kuchni znajdziemy zaschniętą zupę na talerzu.

— Brr…

— Ale wnętrze robi wrażenie — ciągnie dalej Kuba — ma klimat. I te książki. Chętnie bym tu sobie pogrzebał w ciszy i spokoju.

W milczeniu patrzymy na ściany. Podchodzę bliżej. Mała, zakurzona fotografia w złoto-czarnej ramce przedstawia młodą kobietę w białym kapeluszu, nienaturalnie zwróconą prawym profilem do fotografa. Ma łagodne, lekko zmrużone oczy i zmysłowe usta, z lekko uniesionymi kącikami w łagodnym uśmiechu. Chyba nie jest jej wygodnie. Włosy, wymykające się skręconymi kosmykami spod kapelusza, wydają się mieć złoty lub rudawy kolor. Ładna.

— Zobacz na te posadzki i portale — dodaje Kuba. — Dom musi być stary, pewnie szesnastowieczny, odnowiony pod koniec dziewiętnastego wieku.

Pokazuję Kubie sufit. Wisząca lampa ma jedwabne, malutkie abażury w kolorze wypłowiałego, prawie szarego różu.

— Czuję się tak, jakbym komuś zaglądała do szafy. Trochę za intymnie tutaj, nie sądzisz?

Przechodzimy do kolejnego pokoju. Jadalnia. Dwa ciemne, ciężkie kredensy stoją obok siebie, zamknięte na głucho. Stół na środku jest co najmniej na dwanaście osób. Ciemnoczerwone cotto, mimo kurzu, błyszczy warstwami wosku.

— Ale bym sobie cichutko zajrzała do tych szaf. Wyobraź sobie te platery i adamaszkowe, mocno wykrochmalone obrusy. Pewnie pomiędzy nimi leżą woreczki z lawendą. Potrzeba kilku osób, by taki obrus dobrze rozłożyć na blacie stołu.

— Dlatego to nie jest dom dla nas. We dwójkę nie dalibyśmy rady, rozumiesz? — Kuba otwiera kolejne drzwi. Przed nami cztery schodki w dół i jesteśmy w kuchni. Wielki, zajmujący prawie całą ścianę kominek jest okopcony, z resztkami wypalonych szczap, ma w środku dwie solidne, żelazne podpory do podtrzymywania kłód drewna.

— Po angielsku to *firedogs*, a jak to się nazywa po polsku? — pytam Kubę, zaglądającego do komina.

— Nie wiem. U nas się tego nie używa. Widziałaś kiedyś takie palenisko w Polsce?

— Nie.

Stojący obok mały żeliwny piecyk, na cztery fajerki, podłączony został rurą do okapu kominka. Stół o mocnej podstawie stoi na środku pomieszczenia, gotowy do przygotowywania potraw. Jego powierzchnia ma mnóstwo drobnych nacięć i uszkodzeń, prawdopodobnie od setek tysięcy siekań i uderzeń noża. Nad stołem na żelaznych hakach wiszą miedziane garnki i durszlaki, zaśniedziałe zielonkawo od wieloletniego nieużywania. Oplecione trawą butle na wino powieszono na haczykach na ścianie. Długa i szeroka półka zastawiona jest misami, patelniami i dziwnymi naczyniami, których przeznaczenia nie potrafię się domyślić. Pod nią wiszą zaschnięte, szare, zakurzone zioła, powiązane w wielkie pęczki. Odrywam kawałek zasuszonej gałązki i kruszę w dłoni. Podsuwam Kubie pod nos.

— Powąchaj. Estragon.

W powietrzu ciągle czuć delikatny zapach dymu drzewnego z komina. Drzwi z wielką zasuwą i skomplikowanym zamkiem prowadzą bezpośrednio na korytarz, najwyraźniej służba nie wchodziła głównym wejściem do mieszkania.

— Niesamowite, co? Ale zupy nie ma, pomyliłeś się.

— A co? Żałujesz?

— Trochę. Zgłodniałam.

Jestem pod dużym wrażeniem. Maria z Biancą i ukochanym zaszyła się w kącie, z daleka dobiegają do nas ich śmiechy. Wracamy z kuchni przez jadalnię i bibliotekę do salonu, by zobaczyć pozostałą część. Drzwi po prawej prowadzą do sypialni. W środku wielkie, małżeńskie łoże, pokryte koronkową kapą, kanapa z piękną, szaro-różową tapiserią w przekwitłe róże, kruche, malutkie stoliczki na małe lampki o tulipanowych klosikach i ciężkie pluszowe zasłony. Wszystko to sprawia, że w pokoju wydaje się ciszej niż w innych pomieszczeniach. W rogu stoi stojak z białą ceramiczną misą i dzbanem, a obok duże lustro w rzeźbionej, ruchomej ramie. Stajemy przez chwilę przed nim, patrząc na swoje odbicia na tle cichego, brudnoróżowego wnętrza. Kuba obejmuje mnie od tyłu i mocno przyciąga do siebie.

— Pięknie byś tu wyglądała, naga, w samych tylko białych, barchanowych majtkach i koronkowym czepku na głowie.

— A ty w długiej koszuli nocnej. Wystawałyby z niej tylko twoje chude nogi.

— Założę się, że pod łóżkiem jest nocnik — mówi Kuba.

Uwalniam się z uścisku i schylam nisko. Są dwa. Jeden w piękne malowane róże, drugi, większy, bez ozdób.

Wybucham śmiechem.

— Wyobrażasz to sobie? On ją pragnie, niecierpliwie czeka w łóżku, przyglądając się, jak jego piękna żona, stojąc przed lustrem, czesze srebrną szczotką swoje długie, rude włosy, a ona uśmiecha się do niego czarująco, a potem sięga po nocnik i załatwia większą potrzebę.

— Boże — Kuba śmieje się ze mną — koszmar dziewiętnastowiecznych sypialni.

— Prawdziwa tajemnica alkowy.

Kolejne drzwi prowadzą do pokoju z dwiema ogromnymi szafami. Drewno połyskuje bursztynowo w świetle popołudniowego słońca, które wpada do środka od strony wewnętrznego podwórza. Drobinki kurzu unoszą się w górę z każdym naszym krokiem. Pomieszczenie wydaje się garderobą, choć oprócz przepastnych szaf stoi tam niewielki stół, mała biblioteczka i wygodny fotel. Obok okna znajduje się jeszcze niewielka, pusta, na oko pięciometrowa kanciapa. Łazienka? Nie ma jednak kranu ani toalety.

Mieszkanie jest w amfiladzie, można obejść je dookoła. Wchodzimy do przedpokoju, gdzie siedząc na ławie gawędzą w najlepsze Bianca, Stefano i Maria.

— Maria, a gdzie łazienka? — pytam, przerywając pogaduchy.

— Nie ma, ale może być zrobiona — odpowiada nasza małomówna pośredniczka, jak zwykle optymistycznie oceniając rzeczywistość.

— A gdzie? — nie daję się zbyć.

— Tam. — Pokazuje pomieszczenie, które nam też wydawało się mieć cechy toalety.

— A woda i gaz?

— Woda jest w kuchni. I gaz też można.

— Widzisz, Kuba, wszystko można. Trzeba tylko chcieć.

— Czy wyposażenie mieszkania jest w cenie? — Kuba zwraca się do Bianki.

— Tak, za dopłatą — odpowiada Maria.

— Jaką?

— Mieszkanie kosztuje sto czterdzieści tysięcy euro, wyposażenie dodatkowe dziesięć tysięcy. Razem sto pięćdziesiąt tysięcy.

— I wtedy zostaje wszystko? — pytam.

— Tak.

Patrzę na Kubę.

— Tanio.

— Dziwnie tanio — odpowiada. — Może to przez sąsiadów z Afryki?

— I przez bałagan na klatce schodowej? Nie wierzę.

Postanawiamy raz jeszcze przejść naokoło całe mieszkanie. Meble są w bardzo dobrym stanie, ktoś musiał kiedyś o nie bardzo dbać. Wszystkie przedmioty świadczą o zamożności dawnych właścicieli. Nie ma żadnych nowych elementów, żadnej nowoczesności. W szafach na pewno wiszą pachnące wodą różaną suknie i futra, w kredensach leżą równo poukładane sztućce z monogramem. Oraz serwety przekazywane w rodzinie z pokolenia na pokolenie. Mieszczański dostatek i niezmienność.

— Kuba, gdybyśmy kupili to mieszkanie, z tym wszystkim, co tu jest, to byłoby tak, jakbyśmy założyli czyjeś ciepłe majtasy i weszli do czyjegoś nagrzanego łóżka. Nie widzę nas tu — mówię, podnosząc wieko fortepianu.

Naciskam przyżółcony klawisz. Rozlega się głęboki dźwięk, rozmowa za ścianą nagle milknie. Zamykam wieko i podchodzę do okna. Patrzę przez chwilę. Wyjmuję z torby chusteczkę i przecieram zakurzoną szybę, robiąc niewielkie kółko. Nie wierzę własnym oczom.

— Chodź tu. Tu jest stacja kolejowa, zobacz.

Kuba staje za mną. Pod domem, w odległości dziesięciu metrów od ścian budynku, ciągną się linie torów. Bardzo dużo linii.

— Pociągi o każdej porze dnia i nocy.

— Parę metrów od łóżka.

— To połączenie kolejowe z Parmą. Zastanawiałem się, dlaczego to mieszkanie jest takie tanie. I teraz już wiem. — Kuba otwiera okno i wychyla się na zewnątrz. — O cholera, zobacz.

Tuż przy kamienicy biegnie szeroka jezdnia, oddzielona od torów wąskim pasem zieleni. Dom od tej strony przylega więc i do ulicy, i do stacji. Więcej do szczęścia mi nie potrzeba. Zamykamy ostrożnie okno i patrzymy na siebie bez słowa. Znudzona Maria z Biancą stają w drzwiach.

— Maria, dziękujemy — mówię — nie jesteśmy zainteresowani.

Przekładam torebkę na drugie ramię i biorę Kubę za rękę.

— Spadamy stąd, najdroższy.

5.

Siedzimy w naszym salonie, za oknem chłodny koniec marca. Cały dzień świeciło słońce, ale wiatr niemiłosiernie szarpał gołymi jeszcze gałęziami kasztanów. Teraz się uspokoiło, czuje się wiosnę, przez uchylone okno wpada odgłos ptasich, nieśmiałych jeszcze ćwierków.

Marta patrzy na mnie w milczeniu, rozparta na fotelu, i głaszcze usadowione na chudych kolanach koty. Ma dwadzieścia dwa lata i studiuje geografię. Po poprzednim małżeństwie, burzliwym i krótkim, została mi płyta winylowa „The Doors" i prawie dorosła córka. Jest irytująco niezależna i samodzielna. Z radością wyfrunęła do Poznania, skąd przyjeżdża raz na miesiąc lub rzadziej, przede wszystkim, by spotkać znajomych z liceum, niż spędzić ze mną czas.

— I co, mamuś? Nie przeszło wam?

— Nie przeszło.

— I porzucicie ojczyznę? Tu jest tak ciekawie — śmieje się do mnie — żaden kraj nie da ci tylu rozrywek.

— Wiem — odpowiadam — ale porzucimy. I to na zawsze.

— Aha, akurat. W końcu dom na Żuławach też był na zawsze. Po kilku latach zaczniecie się nudzić, wiercić i rozglądać za czymś nowym.

— Marta, jak nam coś takiego przyjdzie do głowy, możesz nas wydziedziczyć. — Kuba stawia na stole tacę z ciastkami i kawę.

Upiekł drożdżówkę, jak zwykle doskonałą. Z jabłkami i mnóstwem maślanej kruszonki. Babcia Marcia nauczyła go tego, gdy zamieszkała z nami pod koniec swojego życia w Gniazdowie. Miała wówczas prawie dziewięćdziesiąt lat, ale do końca zachowała bystry i racjonalny umysł. Uznała, że po mnie nie można się spodziewać żadnych osiągnięć na polu wypieków, i całą wiedzę na ten temat przekazała Kubie. A Kuba, jak zwykle, podszedł do sprawy metodycznie, założył specjalny zeszyt z przepisami i raz na jakiś czas zaskakuje nas wyjątkowym plackiem, zwykle pieczonym „z okazji". Gdy poprosiłam go kiedyś o pokazanie zeszytu, skwitował to krótko: „Gdybym zdradził ci moje wszystkie tajemnice, przestałabyś mnie, moja droga, pożądać. Poza tym muszę być choć w jednym lepszy od ciebie".

Marta sięga po ciasto, wącha chwilę i przymyka oczy. Odgryza kawałek i patrzy na Kubę z uśmiechem.

— Jezu, jak zwykle pyszne. Czy kiedyś będę mogła liczyć na twój słynny kajecik w spadku?

— Jasne. Jak skończę osiemdziesiątkę, rozdam swój majątek i wyjadę do Indii. Wtedy kajecik będzie twój. Ale musisz mi obiecać, że do tego czasu będziesz zakręcać pastę do zębów.

Marta wybucha śmiechem.

— Zaporowe warunki.

— Wiem.

— Marta, daj spokój. Liczysz na cud. Nigdy się z nim nie rozstaje. Nawet w nocy kajecik leży pod poduszką. Słyszę, jak szeleści foliowa koszulka, w którą go zapakował.

— O, wypraszam sobie. — Kuba powoli nabija fajkę. — Szeleści nie kajecik, a moje oszczędności. Jak ci przeszkadza szelest, zawinę w szmatki. Gdyby nie moja zapobiegliwość, dziecko zamiast studiować, terminowałoby u gorseciarki.

— U gorseciarki? — Marta sięga po drugi kawałek. — A kto to jest? Brzmi nieźle. Może by mi się spodobało?

— To baba, która robi staniki. Nie spodobałoby ci się — odpowiadam i przenoszę wzrok na Kubę. — Zapobiegliwość? Ja bym powiedziała raczej, że jesteś starym kutwą.

— Hm, możliwe. — Kuba uśmiecha się do nas, paląc z wyraźną przyjemnością. — Ale za to jakim słodkim.

— À propos zawiniątek. Babcia twojego ojca — patrzę, jak Marta nakłada sobie kolejny kawałek drożdżówki — miała chusteczkę, w której trzymała pieniądze. Zwykła, biała chustka do nosa, schowana głęboko w szafie, zawiązana w węzełek. Na te pieniądze mówiła „trumienne", zostawione na wypadek śmierci, by rodzina sprawiła jej wymarzoną dębową trumnę i odpowiednio dowartościowała księdza. Nie wierzyła w żadne zasiłki czy pośmiertną wdzięczność dzieci. Sama postanowiła zadbać o godziwy pochówek. Najmłodszy syn babci, Zenek, jej pupilek i ukochane dziecko, a tak naprawdę straszny pijak, lewus i drań, co rusz wyciągał od matki ostatnie grosze, by z upodobaniem wydawać je na wódkę i dziwki. Trwało to latami i latami, babcia Jadwiga skarżyła się wszystkim, że nie może umrzeć, bo co udaje się jej odłożyć odpowiednią kwotę, to zjawia się Zenuś i tak długo prosi, że ona w końcu rozwiązuje supełek i wyciąga trumienne.

— W zasadzie to powinna być mu wdzięczna — śmieje się Marta.

— I była. Liczył się tylko Zenuś. W końcu dzięki niemu dożyła takiego wieku. O pozostałej siódemce swoich dzieci nie miała dobrego zdania.

Kończymy kawę. Marcowe, zimne słońce rzuca na ściany ostatnie cienie. Pomarańczowe światło wędruje po rzeźbieniach starej gdańskiej szafy, by na końcu musnąć wiszący obok portret holenderskiego mieszczanina, mój ulubiony obraz. Kupiliśmy go sobie z Kubą jako prezent z okazji naszego ubiegłorocznego ślubu. Poważny pan w delikatnie malowanej kryzie, wyłaniający się blaskiem twarzy z otaczającego go mroku. Tajemniczy, bezimienny, na zawsze uchwycony w zamarłym geście. Kiedy siadam na moim ulubionym miejscu, zawsze choć przez chwilę muszę zatrzymać wzrok na jego rozświetlonym obliczu.

— Mamo — Marta przywołuje mnie do rzeczywistości. — Może pojechałabym z wami na trochę, jak będziecie się wybierać następnym razem?

— Może ci się spodoba? I pokochasz być *bamboccione*?

— I mieszkać z tobą do czterdziestki? — Marta kręci głową. — Nie, nie, dziękuję. Nigdy w życiu. Wiesz, że dłużej niż kilka dni nie da się z tobą wytrzymać.

— Święte słowa — mruczy Kuba.

— Poza tym Gucior umarłby z tęsknoty — dodaje Marta.

Tego akurat jestem pewna. Gucior to chłopak Marty jeszcze z liceum, którego ksywka ginie w mrokach dzieciństwa. Jest niezdarnym, wiecznie zamyślonym i diabelnie utalentowanym muzycznie wielkoludem. Wpatrzonym w Martę jak w obraz, zresztą z wzajemnością. Od maturalnej klasy nierozłącznie razem. Licealna miłość kończy się prawie zawsze rozwodem — powiedziałam jej kiedyś — spójrz na mnie i twojego ojca. Roześmiała się wtedy i mrugnęła porozumiewawczo — okej, mamuś, ale przecież nie żałujesz, że się zdarzyła, co?

No nie, nie żałuję. Nawet jeśli zakończenie historii było nudne i banalnie gorzkie.

— Tam jest pięknie — nie rezygnuję.

— Domyślam się.

— Jedziemy za miesiąc. Kupić bilety dla ciebie i Guciora? — pyta Kuba.

— A dokładnie?

— Początek maja. Na pięć dni.

— Sprawdzę i dam ci znać w ciągu kilku dni. — Marta milknie i patrzy na nas przez chwilę wyraźnie rozbawiona. — Ale was wzięło, co?

— Hm, chyba tak — odpowiadam — o niczym innym nie potrafię myśleć. Całe dnie spędzam w Internecie, przeglądając oferty.

— I co znalazłaś?

— Znalazła wszystkie domy, jakie są w Toskanii na sprzedaż — wtrąca się Kuba.

— Kuba, sam też wywalasz gały, gdy wysyłam ci linki.

— Wywalam, ale z umiarem. Normalnie wywalam. A ty oszałałaś. Wiesz, Marta, że twoja matka zapomniała o naszej pierwszej rocznicy ślubu? Jak kupiłem jej kwiaty, to spojrzała nieprzytomnie, wzięła je i odłożyła na parapet. Uschły na wiór.

— Teraz mamy suszki, okej? Czepiasz się.

— Tak czy inaczej, przyznaj, że straciłaś głowę. — Kuba dolewa mi kawy i przesyła całusa.

— Cóż — Marta uśmiecha się znad kubka. — To jej się czasem zdarza. Dla ciebie też straciła, pamiętasz?

6.

Amelia. Małe miasteczko na wzgórzu, jedno z najstarszych w Umbrii. Przyciągnęła mnie do niego wdzięczna nazwa i położenie. W samym środku umbryjskich wzgórz, lasów i wodospadów. Marta w końcu nie wybrała się z nami, co zresztą przewidywałam. Pojechała z Guciorem i znajomymi do Komańczy. Zapowiada się ciekawy wyjazd. Słodka Amelia, wystawne Todi i malutkie, intrygujące Costacciaro.

Mamy jeszcze prawie godzinę do spotkania z pośrednikami, postanawiamy więc zwiedzić miasto. Mijamy zabudowane nowymi domami przedmieście i podjeżdżamy pod bramę. Jest wąska, ale możemy wjechać do środka. Co chwilę mijają się w niej samochody. Wjeżdżam i natychmiast zaczynam żałować tej decyzji. Ulica jest jednokierunkowa, wąska i bardzo stroma. Ostro i nieprzerwanie pnie się pod górę. Kurczę, trzeba było zaparkować pod murami. Jadę przed siebie, ocierając się prawie o elewacje. Zastanawiam się, ile zapłacimy za wynajem samochodu, jeśli zahaczę o któryś z domów. Nie ma gdzie się zatrzymać ani zawrócić, droga sama mnie prowadzi, co rusz zakręcając pod kątem 45 lub 90 stopni. Po chwili czuję, że jestem mokra ze zdenerwowania.

— Kuba, błagam, zrób coś!

— Jedź do przodu, nie stawaj, bo nie ruszysz na tej stromiźnie i zaczniesz się zsuwać! Jedź!

Wspinam się dalej na jedynce, starając się nie wytracać prędkości. Koncentruję się na trzymaniu się środka ulicy, by zachować bezpieczną odległość od budynków i zaparkowanych gdzieniegdzie samochodów. Jednak przy zakrętach muszę maksymalnie zjeżdżać na stronę przeciwległą do skrętu, bo jest tak wąsko, że mogę zaryć bokiem samochodu w narożnik domu. Mam wrażenie, że podjeżdżam pod bardzo wysoką górę, a przecież z dołu Amelia wyglądała zupełnie niewinnie.

— Cholera jasna, znajdź jakieś miejsce, bo umrę na zawał!

Jesteśmy już naprawdę wysoko, zza kamiennego ogrodzenia po prawej rozciąga się widok na okoliczne wzgórza. Po lewej stoją zaparkowane samochody, po drugiej stronie ławki, kosze na śmieci i donice z drzewami. Każde, najmniejsze miejsce, gdzie mogłabym stanąć, jest zajęte. Podjeżdżam jeszcze kawałek. Mam dość.

— Stój!

Staję gwałtownie i zaciągam hamulec. Kuba pokazuje palcem na czerwonego scenica. Renault powoli wyjeżdża, zwalniając fragment ulicy. Ostrożnie, na zaciągniętym ręcznym ruszam, podjeżdżam kilkanaście metrów i zatrzymuję się na jego miejscu. Oddycham z ulgą.

— O w mordę. — Siedzę bez ruchu, czując spływające po plecach strużki potu. — *Hardcore*.

Biorę głęboki oddech i wysiadam z samochodu. Zapalam papierosa i zaczynam oglądać samochód. Nie ma zadrapań i otarć. A to znaczy, że jestem wielka. Tuż za barierką roztacza się widok zielonych wzgórz Umbrii i porozrzucanych na nich wiejskich posiadłości. Nad naszymi głowami góruje katedra. Jesteśmy na szczycie miasteczka.

— Wyżej już się nie dało, co? — pyta Kuba, podając mi wodę. — Jesteś dzielna, wiesz?

— Wiem. Ale to ty powinieneś być za kierownicą.

— Tak, ale to ty uparłaś się, aby zamienić się na miejsca przed Terni. — Kuba siada koło mnie na ławce i wyciąga przed siebie nogi. Przysiadam się obok i z przyjemnością pozwalam, by wiatr mnie osuszył. Krajobraz przed nami wycisza, a perspektywa odległych wzgórz każe głęboko oddychać. Wypijam wodę i siedzę w milczeniu.

— Coś ci opowiem, co poprawi ci humor — mówi Kuba, odbierając ode mnie pustą butelkę i wrzucając ją do pobliskiego kosza. Senna pszczoła podrywa się ze środka z głośnym bzykiem. Chyba dostała w głowę podczas wyjadania resztek loda ze śmietnika.

— Pan Rysiu, nasz szanowany specjalista od języków słowiańskich — ciągnie dalej Kuba — zaczepił mnie na schodach, by pochwalić się, że kupił z żoną mieszkanie na nowym osiedlu we Wrzeszczu. Całkiem poważnie mówi: panie Kubo, wszystko ładnie, pięknie, ogrodzenie, portier, marmur i lustra na klatce, ale jest jeden problem. Jaki? — pytam. Ano taki, że mamy miejsce parkingowe pod domem, w podziemnej hali garażowej, ogrzewane, suche. To chyba dobrze — mówię. A Rysio macha ręką i mówi dalej: cieszyłem się, że nareszcie zimą auto będzie w pomieszczeniu, bo jak wiadomo, na zewnątrz samochód szybciej się niszczy. Cieszyłem się do pierwszego parkowania. Bo powiem panu, wjechać wjechałem jakoś, ale gdy wyjeżdżałem, to otarłem się o śmierć.

Kuba przerywa na chwilę, by zapalić fajkę.

— Wiesz, Anka, słucham zainteresowany, bo facet poważny, po pięćdziesiątce, niedawno zrobił profesurę, zastanawiam się, jaka trauma go spotkała w tym garażu, a on kontynuuje: panie Kubo, samochód podjeżdżał pod tak stromy podjazd, że czułem, jak prawie wywraca się na plecy, do góry kołami. Rozumie pan? Staje dęba! Jeszcze dosłownie chwila, a poleciałbym z autem do tyłu. Nawet teraz, jak o tym mówię, trzęsą mi się ręce. Nawet jakby mieli mi płacić, nie wjadę już więcej do środka. Zresztą po tym zdarzeniu sprzedałem swoje miejsce.

— Fajne. Ale ten twój pan Rysio to idiota, wiesz o tym.

— Teraz wiem. Wcześniej się nie zdradzał.

Schnę w cichym, ciepłym powietrzu, w cieniu akacji i patrzę

w rozsłonecznioną przestrzeń przede mną. Dzisiejszy wjazd do Amelii to kolejna nauczka na resztę życia: nie pakuj się autem do małych, uroczych miasteczek na wzgórzach, chyba że kierujesz starym, mikroskopijnym fiatem 500. Ma wymiary większego krzesła i zaparkuje nawet na schodach.

Jestem umówiona z panami Lucą i Markiem Cortoni. Schodzimy stromymi uliczkami w dół, w stronę bramy miasta. Przyglądam się kamieniczkom. Są niewysokie, małe i dość zaniedbane. Ale to zaniedbanie ma w sobie typowo włoski urok. Odłażące tynki, zniszczone od starości drzwi czy pnąca się po fasadach, jakby od niechcenia, zieleń, wszystko tak piękne, że ocierające się prawie o kicz. Gdy docieramy na miejsce, jest prawie jedenasta. W biurze, mieszczącym się w nowym budynku na wprost murów miejskich, jest ciasno i gorąco. Stare, masywne biurka zajmują prawie całą przestrzeń. Ściany zakryte są obrazami i starymi zdjęciami przedstawiającymi miasteczko. Na centralnym miejscu, na wprost drzwi wisi duża, pięknie oprawiona i żółta ze starości grafika. Widok katedry z umieszczonymi wokół niej herbami najważniejszych rodów miasta. Jeden z nich to godło Cortonich.

— To twoja rodzina? — zagaduję Lucę, starszego, spokojnego pana w idealnie wyprasowanej, białej koszuli.

— *Si* — odpowiada po włosku. I tak będzie przez całe nasze spotkanie; ja do niego po angielsku, oni uparcie po włosku. Czasem nawet na temat.

Młodszy Cortoni, Marco, ma na oko około trzydziestu lat i jest synem Luki. Wygląda identycznie, nie ma tylko zmarszczek i siwizny. Gdy pytam go, czy mówi po angielsku, potwierdza ochoczo. Ale żadnego słowa oprócz „okej" nie da się z niego wycisnąć.

Kuba z zainteresowaniem przygląda się grafice. Luca, stojąc obok, cicho wymienia nazwiska rodzin zamieszkujących przez wieki Amelię.

Słońce wpada przez dużą witrynę do środka i w dusznym

biurze jest nieznośnie gorąco. Dotykam ręką blatu biurka Luki. Jest piękny, drewno ma mocny, intensywny wzór i ciepłobrązowy, miejscami prawie czarny kolor. Jest nagrzane od słońca i przyjemne w dotyku.

— Kasztan — odzywa się stojący za mną Marco i głaszcze blat — bardzo stary mebel. Siedemnasty wiek. Rodzinny.

W Amelii mamy obejrzeć dwie nieruchomości: czteropokojowe mieszkanie i niewielki, odremontowany dom tuż obok katedry. Co prawda ustalaliśmy wcześniej z Kubą, że optymalnym rozwiązaniem byłby dla nas zakup dużego domu z możliwością wynajmu pokoi, a tym samym stworzenie sobie możliwości zarobkowania, ale postanowiliśmy nie zamykać się na inne oferty. Duży dom dużo kosztuje. Kryzys zaczął na dobre się rozkręcać, wieści z rynków finansowych budziły grozę, na świecie zaczęły upadać znane banki, a nasze sopockie mieszkanie nie znalazło do tej pory nabywcy i wszystko wskazywało, że z jego sprzedażą może być problem. Z tego powodu postanowiliśmy oglądać także mieszkania, których koszt nie przekraczał stu dwudziestu tysięcy euro. To był nasz plan B: mniej wydajemy na zakup i remont i żyjąc z oszczędności i pracy naukowej Kuby, przeczekujemy najgorszy czas. Potem sprzedamy nasze mieszkanie w Sopocie, które na ten trudny okres wynajmiemy, sprzedamy też mieszkanie we Włoszech i kupimy coś docelowego, co spełni nasze oczekiwania. Pod warunkiem oczywiście, że kryzys minie szybko. W przeciwnym razie będzie ciężko.

Pierwsze mieszkanie, do którego wchodzimy zasapani, po mozolnej wędrówce pod górę ciasnymi uliczkami miasteczka, ma jeden istotny atut. Niezależne wejście wprost z ulicy, z wysokimi, kamiennymi schodami. Natychmiast wyobrażam sobie, jak pięknie mogłyby wyglądać stojące na stopniach i podeście terakotowe donice z roślinami. Niebieskie albo białe hortensje lub kwitnące na żółto róże. Wchodzimy do małego przedpokoju, a dalej do wąskiego korytarzyka z brzydką, nowoczesną posadzką w kolorze brudnobrązowym. Po lewej stronie jest wejście do dużej kuchni, z oknem wychodzącym na mały, oświetlony słońcem placyk i wejściowe schody. Kamienny kominek został kiedyś mocno przebudowany, ale ciągle dałoby się go przywrócić do poprzedniej świetności. Stojące pod ścianami meble kuchenne z powodzeniem mogłyby konkurować z tymi, które można było kupić w Polsce w latach siedemdziesiątych. Jasna, drewnopodobna odłażąca okleina, krzywe zawiasy i szyby w drzwiczkach, jak odciśnięte w szkle dna butelek po piwie.

Wracamy na korytarz. Nieco dalej, także po lewej stronie, znajduje się długie, wąskie pomieszczenie bez okna, służące jako skład rzeczy niepotrzebnych. Na końcu, na wprost wejścia majaczą odrapane drzwi. Luca podchodzi do nich, przywołuje nas gestem i otwiera powoli. Patrzymy zaskoczeni. Za drzwiami nie ma przejścia. Ścianę, którą zasłaniają drzwi pokrywa przepiękny, sakralny fresk, w mocnych kolorach czerwieni, brązu, ultramaryny i delikatnej bieli, przedstawiający Matkę Boską z dzieciątkiem.

— Piękne — szepczę.

— Czternasty wiek — informuje Luca, wyraźnie zadowolony z naszej reakcji — bardzo stare. Trzeba zrobić restaurację.

Kuba uważnie przygląda się obrazowi.

— Niesamowite — odwraca się do mnie — zobacz, jak doskonale zachowane kolory i rysunek.

Rozglądam się po pomieszczeniu. Jest bardzo wysokie, ma ponad trzy metry. Na podłodze zostawiono ładne, kwadratowe cotto w różnych odcieniach ciemnego pomarańczu i żółci.

— Co właściwie można byłoby tu zrobić? Pokój jest bez okna. Na sypialnię się nie nadaje, na łazienkę, ze względu na fresk, też nie. Jak myślisz? — Patrzę na Kubę.

— Idealne na kaplicę. Dla grzesznicy takiej jak ty. Pod tą ścianą może stać wiadro popiołu do posypywania głowy, a na tej może wisieć mały biczyk do samobiczowania. Hm, chodź dalej, bo się rozmarzyłem.

Na wprost drzwi do składziku, po drugiej stronie korytarza

są drugie, dwudzielne drzwi z pięknymi okrągłymi uchwytami, połyskującymi w mroku. Marco je otwiera i znów kolejna niespodzianka. Duży pokój z dwoma wysokimi oknami jest zalany światłem. Za oknem zachwycający widok na położoną niżej część miasta, z czerwono-żółtymi dachówkami i, co najważniejsze, na dalekie, oświetlone słońcem, tonące w delikatnej mgiełce umbryjskie wzgórza.

— Jezu, Kuba, chcę mieć ten widok. — Ściskam mocno rękę Kuby. — Zobacz, jaka perspektywa.

Stoimy w otwartym oknie, chłonąc krajobraz. Odległa dolina, zielona i soczysta, opiera się o łagodne, spowite szarością, łagodne wzniesienia. Gdzieniegdzie widać samotne kamienne domy, podkreślone wykrzyknikiem stojących nieopodal ciemnych, wąskich cyprysów.

Rozglądam się po pokoju. Na podłodze leży moje ulubione, wychodzone i niedoskonałe cotto, ciemnoczerwone, momentami prawie czarne.

— Zobacz — pociągam Kubę za rękę — sufit.

Zadzieramy głowy. Wysoko sklepiony, kopulasty sufit cały został pomalowany w finezyjne, filigranowe, roślinne ornamenty. Unoszące się wśród zieleni i słabych błękitów pokraczne fauny mają szare brody i zawadiacko podkręcone ogony. Czerwień delikatnych kwiatów kontrastuje z pastelową tonacją całości. Trudno mi oderwać wzrok od obrazu, niezliczona ilość detali i szczegółów przyprawia o zawrót głowy.

— Osiemnasty wiek — informuje nas Luca.

— Typowe malarstwo dla tego okresu — tłumaczy Kuba i patrzy na mnie z uśmiechem. — Anka, nie zachwycaj się tak ekspresyjnie, bo za chwilę podniosą cenę.

— Kiedy nie mogę przestać. Ten pokój jest jak włoski sen. Podłoga, sufit, widok za oknem. Nawet drzwi robią wrażenie. Ciebie to nie rusza?

— Rusza. Ale wystarczy, że ty machasz ochoczo ogonkiem.

— Ogonkiem?

— I strzyżesz uszkami.

— Bo jestem zachwycona. A ty chodzisz z ponurą miną i wydajesz się znudzony.

— To gra. Jak dojdzie do rozmowy o pieniądzach i negocjacji, będę bardziej wiarygodny.

Wybucham śmiechem.

— Niestety, kochanie, tu się nie siada i nie negocjuje. Składasz swoją ofertę. Albo ją przyjmą, albo odrzucą. Zero-jedynkowy test. Chodź — chwytam Kubę za rękę — zobaczymy, jakie jeszcze niespodzianki tu dla nas przygotowali. I postaram się trzymać ogonek na wodzy.

Następny pokój ma okna wychodzące na ten sam niezwykły widok, równie ładną podłogę i belkowany, biały sufit. Znajdujące się za nim następne pomieszczenie, wąskie na półtora metra, z małym oknem, służyło za łazienkę. Fajnie byłoby brać prysznic, mając przed sobą widok na połowę Umbrii. Stary, ceramiczny zlew z dużymi pokrętłami dla zimnej i ciepłej wody mógłby zostać, bo dodaje pokojowi patyny.

Wracamy na korytarz, rzucając ostatnie spojrzenie przez okno. Słońce stoi wysoko, niebo jest prawie czyste, ale mgiełki ciągle spowijają wzgórza. Naprzeciwko kuchni jest wejście do kolejnych pomieszczeń. Przechodni pokój, dość ciemny, bo tylko z jednym oknem, jest pospolity i nieciekawy. Lastryko na podłodze, w brudnym, ciemnoszarym kolorze nie dodaje mu uroku. Po lekkim i jasnym pokoju z pomalowanym sufitem ten wydaje się ponury i niski. Z niego prowadzi mały korytarz, przy którym jest brzydka łazienka, a dalej ostatnie pomieszczenie, duża sypialnia, z oknami na dwóch ścianach i ładną podłogą.

— To wszystko — mówi Marco, otwierając okna w narożniku pokoju.

Okazuje się, że wychodzą na słoneczny placyk, pokryty kamiennym brukiem, i dużą kamienicę z pięknym herbem nad bramą wjazdową.

— Podoba się wam?

— Trochę skomplikowane — odpowiadam ostrożnie, mając w pamięci merdający ogonek.

— Hm, mieszkanie do kompletnego remontu — Kuba dzielnie trzyma się roli — ma parę atutów, ale jest mocno zdewastowane.

— Tak — potwierdza Marco i uśmiecha się szeroko, odsłaniając równe zęby. — Jednak za fresk i widok trzeba płacić.

Milczymy chwilę, rozglądając się po ostatnim pokoju.

— Przejdziemy wszystko jeszcze raz, okej? Ale sami. Będzie nam łatwiej pomyśleć — mówię do Kuby.

Zaczynamy tym samym szlakiem, od kuchni.

— Ten kominek w kuchni nie za bardzo mi się podoba. Będzie bezużyteczny. Powinien być w salonie. — Rozglądam się po pomieszczeniu. — Co powiedziałbyś na to, by zrobić tu salonik? Byłoby miło, szczególnie zimą.

— A gdzie kuchnia? — pyta Kuba, przyglądając się uważnie biegnącej pod sufitem rurze gazowej.

— Na przykład obok.

— Tam gdzie fresk? Bredzisz, prawda?

— Nie. Woda i gaz są za ścianą, więc można byłoby je bez trudu przeprowadzić. Wyobraź sobie, że odkrywamy cały fresk i zasłaniamy go wielką szybą, zamocowaną na dystans, na przykład pięciocentymetrowy od ściany. Jak olbrzymi obraz na wprost wejścia. A na bocznych ścianach neutralne blaty kuchenne. Gdyby całość była czarna, ściany, meble, obraz by świecił. Jeszcze tylko dobre, punktowe oświetlenie, porządna wentylacja i gotowe. Chodź.

Przechodzimy do pokoju z freskiem. Miejsca jest dość. Możliwe byłoby ustawienie pod ścianami mebli kuchennych i wyeksponowanie całego fresku.

— A malowidło zabezpieczymy, by nie stała mu się krzywda. Będzie pięknie.

— Kuchnia bez okna? — Kuba nie jest przekonany. Otwiera drzwi i patrzy w milczeniu na fresk.

— No to co? Zaraz obok masz pokój z widokiem. I tam mógłby być jadalnia. Wielki stół na środku, przy którym siedzisz i patrzysz w przestrzeń.

— A obok biblioteka i moja pracownia. To już mi się podoba. Na końcu miałbym własną łazienkę…

— Nie, wtedy w ogóle bym cię nie widywała. Na końcu mogłaby być garderoba dla sypialni z trzema oknami. Albo nasza łazienka. Zobacz — pociągam Kubę za sobą — tu jest zamurowane przejście. Łączy to wąskie pomieszczenie z sypialnią po drugiej stronie mieszkania. Zrobiłabym tu łazienkę, tak, ale naszą wspólną — patrzę wymownie na Kubę — a w tej okropnej obecnej zrobiłabym wielką szafę na ciuchy.

— A co w pokoju przechodnim, z lastryko?

— Nie wiem. Mógłby być gościnnym, ale przez niego byśmy szli do naszej sypialni, więc nie bardzo. Nie mam pomysłu, a ty?

Rozglądamy się raz jeszcze po mieszkaniu, myśląc o naszych pomysłach.

— Duży remont, Anka — Kuba pierwszy przerywa milczenie. — Przeniesienie kuchni, łazienki, nowa ściana, zlikwidowanie albo ukrycie wszystkich rur…

— Nie przesadzaj. Przypomnij sobie Żuławy. Albo Sopot.

— Nie ma schowka na drewno do kominka.

— Fakt.

— Teraz to zostawmy. Zobaczymy, co Cortoni mają jeszcze ciekawego, i wtedy pomyślimy.

7.

Dom koło katedry, narożny, zabytkowy budynek na najwyżej położonej ulicy Amelii rozczarował nas całkowicie. W środku został gruntownie przebudowany i wyremontowany. Na parterze, w zamierzeniu mającym pełnić funkcję salonu i kuchni, jest prawie zupełnie ciemno. Dwa duże balkonowe okna wychodzą co prawda na ulicę, ale przeciwległy budynek zupełnie zasłania dostęp do światła. Dodatkową atrakcją jest przejeżdżający z częstotliwością piętnastu minut autobusik miejski, który prawie ociera się o szyby. Nowoczesne schody prowadzą na górę, gdzie mieści się łazienka i dwie niezbyt duże sypialnie.

— Nędza — mówię, wyglądając przez okna jednej z nich. — Nie podoba mi się tu. Co z tego, że zaraz obok jest Duomo, skoro zasłania widok na okolicę.

— A ja jakoś nie potrafię zaakceptować autobusu w mieszkaniu. I chyba mi to z czasem nie przejdzie. Dajemy sobie z tym spokój. — Kuba zbiera się do wyjścia. — To dom dla miłośników komunikacji miejskiej.

Umawiamy się panami Cortoni na popołudnie. Mają o piętnastej przyprowadzić jakiegoś speca od remontów, który powie, co można, a czego nie można zmienić w mieszkaniu z freskiem. Jest prawie pierwsza, zaczyna kropić, a my jesteśmy wściekle głodni. Żegnamy się z nimi i wracamy do samochodu.

— Zjeżdżamy na dół czy zostawiamy go tutaj, a bierzemy parasol? — Kuba otwiera bagażnik i zaczyna w nim grzebać.

— Zjeżdżamy.

— Kto za kierownicą? — pyta niewinnie.

Jak to kto? Oczywiście, że ja. Jak powiedziałam A, muszę powiedzieć B. Poza tym będę miała z górki. Wsiadam i zapalam silnik. Mijamy dom narożny, który nam się nie spodobał, objeżdżamy mały placyk i wąską ulicą kierujemy się w dół. Czuję się pewniej niż rano, może dlatego, że widziałam, jak dość duże samochody, łącznie z busem, całkiem nieźle dawały tu sobie radę. Gdy dojeżdżam do bramy miasteczka, dostrzegam, że ulica jest położona do niej równolegle, a to znaczy, że trzeba będzie skręcić ostro w prawo, uważając jednocześnie, by nie zaczepić o samochody wjeżdżające do środka, bo brama jest naprawdę wąska, akurat na dwa auta. Jadę wolno, trzymając się lewej strony, co sprawia, że mam obawę, czy przy skręcie tyłem nie przejadę po murze. Wstrzymuję oddech i wyjeżdżam z miasteczka, obserwując w bocznym lusterku, jak odległość karoserii od wystających kamieni wynosi mniej niż centymetr. Parkujemy przed barem naprzeciwko i mimo deszczu siadamy pod parasolem na zewnątrz, by poobserwować spieszących się na sjestę Włochów.

Pierwszemu łykowi wody towarzyszy głośny, niespodziewany zgrzyt metalu. Rozglądamy się zaskoczeni.

— Patrz na bramę — Kuba wskazuje wjazd — ona miała mniej szczęścia.

Szary mercedes z ładną blondynką za kierownicą zarył prawym bokiem w kamienie bramy i stanął. Kobieta zarysowała dramatycznie bok samochodu i uszkodziła tylne drzwi, które od nacisku wgięły się na całej długości.

— Aha. Wzięła za mały rozmach. Tu potrzeba techniki — mądrzę się — poza tym popatrz na te kamienie, to nie pierwsza ofiara słodkiej Amelii. Zeszlifowały je setki takich nieszczęśników.

— Czy ja słyszę triumf w twoim głosie?

— Malutki.

Jemy ciepłe *panini z prosciutto cotto* i obserwujemy, jak paru panów, pomimo deszczu, pomaga blondynce wycofać wóz i odkleszczyć go, bo tarasuje całkowicie wyjazd z miasta. Silny, ciepły deszcz się uspokaja i gdy kończymy pić kawę, znów robi się słonecznie.

— I co? Kupujemy mieszkanie w Amelii? — patrzę na Kubę, jak wypija ostatni łyk kawy i zaczyna szukać po kieszeni zapalniczki. — Bo mi się podoba.

— Mnie też. Miasteczko trochę zaniedbane, świetność ma już za sobą. Tak jakby mieszkańcom nie zależało. Ale generalnie fajna ta dekadencja.

— A mieszkanie? Bo ja uważam, że jest interesujące. Ma potencjał. I ten widok…

— Zobaczymy, co nam powie ten budowlaniec. Jeśli nie da się zrobić przeróbek, o których myślimy, to wtedy dajemy sobie spokój. — Kuba wypuszcza w powietrze aromatyczny dym i milknie na chwilę. — Choć byłoby trochę szkoda.

— Chcą za nie sto dwadzieścia pięć tysięcy. Pewnie trochę zejdą z ceną. Ile może nas kosztować remont, jak myślisz? Dwadzieścia, pięćdziesiąt tysięcy. Chyba nie?

— Nie wiem. Musielibyśmy to przeanalizować. Ale sądzę, że

jakieś dwadzieścia tysięcy. Ogrzewanie, usunięcie lastryko i tych ohydnych płytek w korytarzu, widziałaś je. Do tego wybudowanie ściany, przełożenie kanalizacji i wody, zrobienie od zera dwóch łazienek, wyposażenie kuchni, malowanie całości. Nie pamiętam, w jakim stanie są okna, ale wydaje mi się, że w niezłym?

— W niezłym.

— Nawet jeśli przywieźlibyśmy część materiałów budowlanych z Polski i pracowalibyśmy razem, to i tak te koszty mogą być duże. No i zapomniałbym o instalacji elektrycznej. Prawdopodobnie cała jest do wymiany.

— Myślisz, że dalibyśmy radę? — pytam, trochę zaskoczona tą wyliczanką.

Siedzimy w milczeniu, każde rozważa swoje wątpliwości. Widok z okien kusi. I ładny kominek. I fresk. Nie boję się pracy i wysiłku. W końcu parę rzeczy wspólnie zrobiliśmy. Mogę malować, skrobać ściany, pilnować prac czy sprzątać po remoncie. Ale męczy mnie obawa o organizację tego przedsięwzięcia.

— Na czas prac trzeba by było wynająć jakieś lokum. — Kuba przerywa ciszę.

— To nie będziemy codziennie dojeżdżać? — uśmiecham się.

— W sumie nie zajęłoby to więcej czasu niż dojazd z Gdańska do Warszawy.

— A pamiętasz gulasz węgierski pod Olsztynkiem?

— Już nie ma tej knajpy. Zrobili drugą, większą, ale to już nie to samo.

— To co, kupujemy mieszkanie w Amelii? — pytam ponownie.

— A widzisz tu nas?

— Nie. Ale jesteśmy tu dopiero parę godzin, więc o czym tu mówić. Poza tym tutaj stare miasta to twierdze. A domy? Ciężkie bramy, małe okna, okiennice w środku, okiennice na zewnątrz, kraty. To trochę mnie deprymuje. Idziesz ulicą i mijasz same warowne zamki. Zatrzaśnięte na głucho i niedostępne.

— Taki mały tutejszy paradoksik, te zamki i powszechny lans na ulicy. — Kuba zerka na zegarek. — Niedługo będziemy się zbierać.

Znów popadamy w milczenie. Patrzę na wysokie, potężne mury miasta z wyraźnym podziałem na te etruskie i późniejsze. To miejsce ma swoją historię, której nie znamy, ludzi, których rodziny żyją tu od setek lat, tajemnice, przeszłe sprawy, znaki, których nie rozumiemy. Nic naszego.

— Kuba…

— Tak?

— Oni tu żyją jak w rodzinie. A my, jak ufoludki, lądujemy na obcej planecie.

Kuba unosi brwi i patrzy bez słowa.

Jezu, chyba gadam głupoty, przecież nie jesteśmy żadnymi kosmitami, do diabła. Szybko byśmy się zaaklimatyzowali, jestem tego pewna. Spoglądam na górujące nad miastem Duomo i przenoszę wzrok na Kubę. Wyciąga do mnie rękę i mocno ściska moją dłoń.

— Ufoludku ty mój, idziemy.

8.

Jesteśmy punktualnie. Naszych pośredników jeszcze nie ma. Spokojnie oglądamy raz jeszcze całą kamienicę od zewnątrz. Ponieważ ulica jest bardzo stroma, okno kuchenne jest dwa metry nad ziemią, ale już okna z sypialni znajdują się na wysokości drugiego piętra. Dom jest narożny, a mieszkanie z dwóch stron wychodzi na uroczy placyk, a z jednej na poruszającą panoramę Umbrii. Nad mieszkaniem widać duży taras, z suszącym się na słońcu praniem, zarośnięty zielenią, z pięknymi kolumnami przy barierce.

— Szkoda, że nie należy do mieszkania — patrzę z zazdrością — wtedy nie miałabym żadnych wątpliwości.

Siadamy na małym stopniu naprzeciw schodów do mieszkania. Kończy się pora sjesty, pierwsze samochody ruszają spod domów. Bruk pod naszymi stopami jest bardzo stary i pofałdowany. Pomiędzy kamieniami wyrasta całkiem spora trawa. Widać, że nikt tu nie wjeżdża. Budynek za naszymi plecami, potężny i całkowicie opuszczony, ma wielką bramę wjazdową zupełnie sczerniałą od deszczu. Przez wiele lat deszcz rzeźbił w niej rowki i wypłukiwał farbę. Teraz wygląda jak olbrzymi, szaro-zielono-czarny abstrakcyjny obraz w kamiennej ramie. Wiszący nad nią herb też zatracił swój rysunek, stał się owalną formą z prawie niewidocznymi znakami.

— Kuba, piękna jest ta kamienica i cały ten zakątek. Bardzo włoski.

— A jaki miałby być? Eskimoski?

— Jesteś prostakiem — śmieję się — brak ci wrażliwości.

— Troszeczkę brak.

Słońce nas rozleniwia. Opieramy się o siebie, wystawiając twarze do słońca. Pachnie zmoczona deszczem zieleń. Bruk pod naszymi nogami wysycha szybko na słońcu. Jest cicho, słychać tylko dochodzący z jednego z okien dźwięk mycia naczyń i odległe rozmowy dzieci. Kuba siedzi bez ruchu z zamkniętymi oczami. Wygrzewa się jak kot. Sięgam do torby po wodę i patrzę na zegarek.

— Spóźniają się.

— Hm... Włochy...

— Powinniśmy się przyzwyczaić?

— Hm, pokochać...

— A nasza niemiecka akuratność?

— Musi umrzeć...

— Ale to nasza natura.

— Do diabła z nią...

W końcu, po półgodzinnym spóźnieniu, pojawiają się panowie Cortoni, właściciel mieszkania i Sergio Tassini, jak mówi nam jego wizytówka, geometra. Potem się dowiedziałam, że to ktoś pomiędzy naszym kierownikiem budowy, architektem i inspektorem nadzoru. Ważna postać na każdej włoskiej budowie.

Właściciel, nieduży, krągły pan w przybrudzonych dżinsach i trochę za krótkim T-shircie, spod którego wystaje czasem okrągły, pękaty brzuch, jest wyraźnie przejęty naszą wizytą. Chodzi wokół, drepcząc małymi stopami, zagaduje, wkłada tłuste rączki do kieszeni, wyjmuje, wchodzi na schody, schodzi.

— Pan Kuleczka — mówię cicho do Kuby. — Jest bardzo ruchliwy.

— Hm, to z radości. Nareszcie pojawił się klient — odpowiada szeptem Kuba.

— Albo ma ADHD.

— Nie bądź wredna. Facet się cieszy jak dziecko.

— To miło, że ktoś się tak cieszy na nasz widok.

— Na widok naszych pieniędzy.

Wchodzimy do środka. Sergio Tassini mówi po angielsku. Kuba oprowadza go po poszczególnych pomieszczeniach, tłumacząc szczegółowo nasze budowlane plany. Ja wędruję wolno po pokojach, by raz jeszcze pomyśleć o tym, jak mogłabym urządzić tu nasz dom. Pan Kuleczka stara się być miły i towarzyszy mi na każdym kroku, nie przestając gadać. Zupełnie nie przeszkadza mu, że niewiele rozumiem z jego słowotoku. Oddycham z ulgą, gdy przychodzi Marco i prosi go do kuchni. Domyślam się, pozostali mają do Pana Kuleczki pytania.

Wchodzę do pokoju z widokiem. Obraz za oknem zmienił się, jest prawie czwarta, słońce nabrało pomarańczowej barwy, a mgiełki zniknęły. Wzgórza nie wydają się już tak odległe, teraz zachwycają spokojem i łagodnością. Widoczne gdzieniegdzie cyprysy, wytyczające zwykle drogi do wiejskich domów, teraz pociemniały i przecinają krajobraz cienkimi, dalekimi, pionowymi kreseczkami. Rosnące przy domach drzewa piniowe, dające potrzebny cień, mają o tej porze prawie czerwone pnie i szaroniebieskie korony. Są delikatne, jak ledwo dotknięte farbą parasole.

Jeśli powiem tak, będę mogła mieć ten widok na zawsze. Będę siedziała przy własnym stole, jadła śniadanie i patrzyła w dal, jak na tło obrazów najlepszych toskańskich malarzy. A wieczorami, jeśli tylko zechcę, przy zgaszonym świetle będę obserwować, jak wszystko ginie w białych, podnoszących się w dolinach mgłach. Czuję nagłą potrzebę powiedzenia tego na głos.

— Kuba! — wołam.

— Tak? — Kuba wychyla się z pokoju z freskiem.

— I co powiedział pan od budowy?

— Chyba się uda.

— Bo ja chcę ten dom.

Kuba zatrzymuje się chwilę, patrzy na mnie, przymyka oczy twierdząco i znika.

— Kuba!

Kuba ponownie pojawia się w drzwiach i unosi brwi.

— Mówię poważnie.

Patrzymy chwilę na siebie bez słowa. Uśmiecham się do Kuby. Odpowiada tym samym i znów znika. Oglądam sufit nad sobą. Nie przeszkadza mi, że jest taki strojny. Ma urok czarodziejskiego ogrodu. Można patrzeć na niego godzinami, znajdując wciąż nowe szczegóły. Taki sufit byłby ciekawym tłem dla prostych mebli i szarych, lnianych zasłon na wysokich oknach. Posadzka z ciemnoczerwonego cotto, nierówna, schodzona, z poprzecieranymi szlakami poprzednich mieszkańców migotliwie lśni w świetle dnia.

Przyłączam się do reszty.

— *Tutto bene.* — Kuba przyciąga mnie do siebie. — Sprawdziliśmy chyba wszystko. Kuchnia może być tutaj, ściana nie jest problemem, łazienki też. Niestety, wszystkie instalacje muszą być nowe, stare mają pewnie z siedemdziesiąt lat i nie można ich używać.

— A schowek na drewno? — Wychodzimy z pokoju z freskami i raz jeszcze oglądamy korytarz.

— Nie ma. Można byłoby postawić jakąś skrzynię w przedpokoju, oni mówią, że od jesieni firmy sprzedające drewno rozwożą je małymi samochodami, nawet co tydzień może być nowa dostawa, więc nie trzeba magazynować całości na zimę.

— Hm, to co?

— Pytałem o szacunkowe koszty remontu. Dużo się nie pomyliliśmy. Powinny zmieścić się w granicach dwudziestu pięciu tysięcy. Geometra weźmie sześć, siedem procent od tej kwoty, za projekty, plany, zgody i zamknięcie prac. Wystawi też dokument, który uprawnia do zamieszkania, to się nazywa... *abilibita*.

— Rozmawiałeś o cenie?

— Wspomniałem, że chcemy porozmawiać na ten temat. Kuleczka zaczął prawie podskakiwać z podniecenia.

— To co robimy? Składamy ofertę?

Kuba milczy, wpatrując się w sufit. Pociągam go za rękę.

— Hej, słyszysz? I blisko do Rzymu...

Podążam za jego wzrokiem. Sufit jest belkowany, z tynkiem pomiędzy drewnianymi, brązowymi poprzeczkami. Lampy nie powiesiłabym nawet w piwnicy, jakiś metaloplastyczny, ciężki dziwoląg.

— Anka, jest problem.

Spoglądam zdziwiona na Kubę. Chyba nie chodzi mu o to pokraczne oświetlenie?

Kuba przechodzi szybko do małego przedpokoju i zadziera głowę.

— Chodź tu. Na suficie są zalania. Zobacz. Rano tego nie było, nie zauważyłem. To pojawiło się po dzisiejszym deszczu. — Kuba pokazuje mi narożnik, wyraźnie ciemniejszy od reszty. — Widzisz, tu cieknie.

Wychodzimy po schodach na zewnątrz. Wszystko wskazuje, że to upragniony, stylowy taras jest sprawcą niespodzianki.

— Dobrze, że padało, nie bylibyśmy świadomi — mówię, zapalając papierosa. Cholera jasna, wydawało się, że wszystko jest bez zarzutu. Jeśli to faktycznie woda, to nie jest to dobra wiadomość. Mam nadzieję, że to zupełnie błaha sprawa. Spodobało mi się tu i zaczynałam powoli oswajać to miejsce.

Kuba poszedł po geometrę, widzę w otwartym oknie, jak oglądają zaciek. Kuleczka wybiega na zewnątrz, toczy się w moją stronę i coś próbuje mi powiedzieć. Wzruszam ramionami, uśmiechając się przepraszająco. Całe towarzystwo staje na ulicy i głośno debatując, patrzy w górę. W oknie obok pojawia się ubrana w różowy szlafrok młoda kobieta, zapala papierosa i przygląda się z ciekawością zbiegowisku. Kuleczka podbiega pod jej okno i zapalczywie coś tłumaczy. Kobieta leniwie poprawia szlafrok, znika, by po chwili stanąć w drzwiach, zaraz obok naszych schodów. Jest wysoka, proporcjonalnie zbudowana, z burzą ciemnych włosów. Pełne, wilgotne usta i duże oczy z nieprawdopodobnie gęstymi rzęsami nadają jej trochę dziecinny, zdziwiony wygląd. Szlafrok z bliska nosi ślady wieloletniego używania, ma pozaciągane nitki i plamy, co nie przeszkadza jego właścicielce zalotnie przechylać głowę i poprawiać co chwilę wijące się wokół twarzy kręcone kosmyki. Gigantyczne, różowe paputki, z bladoliliowymi pomponami, poruszają się z każdym najmniejszym ruchem ślicznotki.

— Wygląda jak gwiazda włoskich filmów — szepczę.

— Aha. I dobrze o tym wie.

— Troszkę zaniedbana. Ale śliczna.

— Jak Amelia. — Kuba lekko popycha mnie do środka. — Idziemy na taras. Ślicznotka zaprasza.

Najpierw idziemy małym, zastawionym szafkami i roślinami w doniczkach korytarzykiem, potem wyłożonymi chodnikami schodami wspinamy się gęsiego na górę. Prowadzi kokietka w różowej kreacji, śmiejąc się dźwięcznie z jakiegoś żartu geometry. Potem Kuleczka, my i na końcu Cortoni. Na ścianach zauważam mnóstwo bibelotów i obrazków z kwiatami, walczących o palmę pierwszeństwa w konkursie na najpiękniejsze bezguście. Mijamy półotwarte drzwi pokoi, telewizor w jednym z nich huczy oklaskami z taśmy. Kątem oka zauważam, jak chmara dzieciaków, leżąc lub siedząc na kanapie, ogląda program, błyskając gołymi piętami. Przed nimi stoją miseczki z jakimś przysmakiem. Lody? Schody zakręcają raz w prawo, raz w lewo, na półpiętrach piętrzą się stosy ubrań, przygotowanych prawdopodobnie do prasowania, w mroku potykamy się o odkurzacz i porozrzucane wszędzie zabawki.

— Fajne, co? Włoski dom od środka. Nikt nie traci czasu na drobiazgi. I ta różowa, apetyczna *mamma*. — Oglądam się na Kubę. — Słyszysz jej śmiech?

— Hm, zobacz, jak geometra pożera ją wzrokiem. Panowie C. też potykają się o własne nogi, by dojrzeć fragment gołej łydki.

— Ty tylko o jednym.

— Czasem też o drugim. Jesteś niesprawiedliwa.

Otwarcie drzwi na taras wpuszcza do środka światło dzienne. Wychodzimy na zewnątrz. Zagadka gór ciuchów rozwiązana: na tarasie stoją cztery suszarki, gotowe na przyjęcie następnej dostawy. Taras jest duży, ponadczterdziestometrowy, oprócz doniczek z roślinami i suszarek stoi tu tylko drewniana, czarna ze starości, nieużywana ławka. Posadzka jest pokryta popękanymi, zieleniejącymi płytkami, spomiędzy których wyrastają kępki trawy. Sprawa jest jasna. I beznadziejna.

— Cała posadzka do naprawy — mówi Kuba — bez tego zawsze będzie ciekło w mieszkaniu poniżej.

Klękamy i z bliska oglądamy spustoszenia. Pan Kuleczka wydaje się niepocieszony. Przemierza taras wzdłuż i wszerz, jakby chciał zaczarować stópkami skrzeczącą rzeczywistość. Sofia Loren nie jest specjalnie przejęta problemem. Przygląda się Cortonim i geometrze, trzepocze rzęsami i lekko mruży oczy. Słodka kusicielka. Co jakiś czas odpowiada na ich pytania, poprawiając niesforne loczki. Staję przy barierce i przyglądam się opuszczonej kamienicy naprzeciwko. Z tej perspektywy wydaje się jeszcze większa i jeszcze bardziej zniszczona.

— Oni nie naprawią tego tarasu. — Kuba podchodzi i staje za mną. — Nie mają pieniędzy. A my nie będziemy remontować cudzej nieruchomości. Tym bardziej że to miałoby kosztować nawet dziesięć tysięcy. Euro, oczywiście.

— Czyli nic z tego.

— No, raczej nic.

— Zobacz, jak tu ładnie. Niech to szlag trafi.

Kuba obejmuje mnie mocno i całuje we włosy. Trochę szkoda mieszkania w Amelii. Już byłam gotowa meblować je w myślach. No i ten krajobraz za oknem. Czy będzie jeszcze taki drugi? Jest przed piątą. Zaraz wyruszamy do Todi, na następne spotkanie, i pewnie zapomnimy o Amelii, gdy tylko przekroczymy próg kolejnego domu.

Patrzymy razem na pustą kamienicę i kamienny podjazd pokryty brukiem. Słońce jest jeszcze wysoko i prześwituje złociście przez zarastające ściany rośliny. Prawie czuję ciepło bijące od nagrzanego tynku i odsłoniętych gdzieniegdzie cegieł. Odwracam się do Kuby.

— Przeżyjemy. Czuję, że zaraz pojawi się jakiś dom, który pokocham od pierwszego wejrzenia.

— Gorzej z Kuleczką.

— Żal mi go, ciężko będzie to sprzedać. — Spoglądam na szczerze zawiedzionego właściciela. — No chyba że będzie suche lato…

— Już witał się z gąską…

— My też…

— Ciesz się, że padało. Dzięki temu udało nam się nie wdepnąć w duży kłopot.

— Czyli co? *Ciao*, Amelia?

— *Si, amore*. — Kuba, nie zważając na resztę towarzystwa, całuje mnie i mocno przyciska do siebie.

Amelia, moja miłość — myślę, czując na policzku ciepły ślad popołudniowego słońca i miłe łaskotanie w brzuchu.

IV.

Carla, czyli *be beautiful*

1.

W Todi pojawiliśmy się pod wieczór. Słońce właśnie zachodziło i idealnie czyste niebo zaczęło zmieniać swój kolor z żółtozielonego na pomarańczowy. Z naszym kolejnym pośrednikiem, Claudiem, spotykamy się pod dużym, nowoczesnym hotelem Park, tuż przy trasie na Cesenę. Jesteśmy spóźnieni. Gdy przyjeżdżamy, jego biały jeep już czeka. Ruszamy szybko w stronę ciemnych murów miasteczka. Ostry wjazd pod górę po wstrząsającym doświadczeniu Amelii nie robi już na mnie żadnego wrażenia. Po kilku minutach parkujemy pod niezwykłym, wysokim na kilkanaście metrów murem, z imponującymi niszami na wysokości pierwszego piętra. Nisze wyglądają, jakby stworzono je po to, by stanęły w nich jakieś wielkie posągi rzymskich namiestników, ale dziś są puste i opuszczone, pozbawione splendoru i chwały. Chcę zapytać pośrednika o tę dziwną budowlę, ale Claudio, siwy pan po pięćdziesiątce, z rysującą się pod różowym podkoszulkiem lekką nadwagą, prowadzi nas pospiesznie

do kamienicy w samym centrum, gdzie na ostatnim piętrze znajduje się interesujące nas mieszkanie.

— Dom jest z piętnastego wieku, od początku jest w rękach jednej rodziny, bardzo szanowanej w Todi, Villianich, choć poszczególne mieszkania zostały dawno sprzedane. — Claudio pędzi po schodach, a my staramy się za nim nadążyć. — W tej chwili zostały te dwa, na trzecim piętrze. To niedobrze, że jesteśmy spóźnieni — dodaje.

— Przykro mi... — zaczynam, ale Claudio nie słucha.

— Tak. Trudno. Może siostry też przyszły później — mówi i przeskakuje po dwa stopnie, co nie jest łatwe, bo stopnie są wysokie i zniszczone, kamień starł się od setek lat używania. — Dziś pokażę wam jedno mieszkanie, to większe, drugie odradzam. Zresztą i tak to duże jest ciekawsze.

Wdrapujemy się na górę i zasapani przyglądamy się, jak Claudio wyciąga z kieszeni białą chustkę i ściera dokładnie pot z czoła. Jego różowe polo ciemnieje na plecach i pod pachami.

— *Signora* Villiani, *buonasera*! O, *signora* Maria! *Buonasera*!

Claudio rzuca sie na wyłaniającą się z otwartych drzwi mieszkania starszą kobietę i gorąco ściska jej ręce. *Signora* stoi wyniośle, sztywna i ponura, cała w czerni, z zaciśniętymi ustami i milczy. Jej ciemne, nieruchome oczy wpatrują się w nas z wyrzutem. Najwyraźniej nasze spóźnienie zostało zauważone, ocenione i potępione. Zza jej pleców wychyla się równie chuda, na oko ciut młodsza siostra i wita nas chłodno lekkim skinieniem głowy. Claudio wije się w ukłonach, a ja zastanawiam się, czy panie jednak zechcą nas wpuścić, bo na razie nic na to nie wskazuje. Zasłaniają sobą wejście, jak dwie czarne, wąskie kolumny, obojętne i nieczułe na rzeczywistość. Przyglądam się ich dłoniom, podtrzymującym pod szyją w podobnym geście jednakowe, czarne sweterki. Ręce są chude, z widocznymi niebieskimi żyłkami, o długich, bardzo cienkich palcach. Każda ma na serdecznym palcu lewej ręki ciężki, jakby za duży pierścień, połyskujący w mroku korytarza. Ptasie szpony — myślę, widząc ostro zakończone, matowe paznokcie. Stoimy chwilę niezdecydowani. Claudio znów wyciąga chustkę. W końcu obydwie staruszki bez słowa zachęty odsuwają się od drzwi, robiąc nam przejście.

Mieszkanie jest kompletnie wypatroszone. Nie ma tynków, wewnętrznych drzwi i kominka, po którym pozostała tylko wielka, czarna od sadzy dziura. Na ścianach, pod różnymi kątami, jakiś szalony elektryk próbował położyć instalację, ale najwyraźniej poległ i zostawił wszędzie wiszące, czarne kikuty rurek. Oglądamy dokładnie, przemierzając powoli całe mieszkanie, czyli trzy bardzo duże pokoje i obszerną kuchnię z malutkim balkonem, wszystko z widokiem na otaczające miasto wzgórza.

— Ładne widoki — stwierdzam, bo nic lepszego nie przychodzi mi do głowy.

— Aha.

Kuba nie wydaje się zachwycony nieruchomością. Mimo że dom jest piękny i zadbany, mieszkanie, po niedawnej demolce, sprawia wrażenie nowoczesnego i brzydkiego. No i jeszcze te dwie czarne, milczące damy, podążające za nami krok w krok, świdrujące nas swoimi nieżyczliwymi oczami.

Z jednego z pokoi wchodzi się do małego, łukowato sklepionego pomieszczenia, skąd schodami można wejść na strych. Dwa większe pokoje i dwa małe pozwalałyby zrobić tam samodzielne mieszkanie.

— Można byłoby to wynajmować — mówię bez przekonania. — Co ty na to?

— Ale nie ma oddzielnego wejścia.

— No tak. Ale może można byłoby zrobić, co?

Schodzimy na dół. Claudio z przesadną grzecznością przekazuje nasze pytania milczącym wiedźmom.

— *Signora* Villiani mówi, że nie ma problemu ze zrobieniem drzwi na korytarzu.

— A architekt miejski pozwoli? — dopytuję.

— *Signora* Villiani mówi, że architekt też nie jest problemem, to jej kuzyn.

Patrzymy na siebie bez słowa. Ponownie obchodzimy każde

pomieszczenie i pomni ostatnich niespodzianek, zadzieramy głowy i wypatrujemy zacieków. Są.

— Dach przecieka. — Pokazuję Claudiowi plamę.

Claudio, rozpływając się w uśmiechach, debatuje chwilę z niewzruszonymi kobietami, kiwa ze zrozumieniem głową i wraca do nas.

— Dach troszkę przecieka, ale *signora* Villiani uważa, że to sprawa kupującego.

— Aha. A czy w związku z tym *signora* Villiani obniży cenę? — pytam.

— Niestety, nie ma takiej możliwości. Nawet nie będę pytał, bo znam odpowiedź. Brat *signory*, pan Alberto Villiani, który ma poniżej swoją kancelarię prawną, nigdy by się na to nie zgodził.

Na dźwięk imienia swojego brata starsza *signora* zerka ostro na Claudia i wydaje z siebie krótki syk. Podczas gdy cała trójka szepcze coś między sobą, patrzę na Kubę, jak zagląda do środka kuchennego, skromnego kominka.

— I co ty na to?

— Niezły folklor. Taki... hm... sycylijski, nie sądzisz? Wygląda na to, że nasz pan pośrednik boi się odezwać, bo te przemiłe damy w czerni mogą go zadziobać i zjeść na surowo.

Claudio pojawia się przy nas i uśmiecha się szeroko, pokazując swoje nieskazitelne i równiutkie zęby.

— *Signor* Villiani jest w swojej kancelarii. Możemy z nim porozmawiać.

Patrzę pytająco na Kubę. Zastanawiam się, o czym mielibyśmy debatować. Ani nam się to mieszkanie nie podoba, ani nie mamy zamiaru się targować. Chyba tylko po to, by poznać tego wszechwładnego potomka zacnego rodu. To też może być ciekawe.

— To co, idziemy? Zobacz, jak nasz pośrednik ładnie prosi... — uśmiecham się do Claudia i naszych towarzyszek. W odpowiedzi obydwie ciaśniej zaciskają usta i twardo patrzą mi w oczy. Chryste, co za baby. Bałabym się zostać z nimi sama w jednym pokoju. Czarne sukienki szeleszczą, gdy obydwie, jakby na jakiś niewidoczny znak, odwracają się jednocześnie i ruszają do drzwi. Mimo upałów włożyły na szczupłe nogi czarne, cieniutkie pończochy i wyczyszczone do połysku, wiązane półbuciki.

— Chodźmy. — Claudio popycha mnie lekko do wyjścia. — Już późno.

Za oknami zapada zmierzch, ale wciąż jest jasno. Buty sióstr stukają na kamiennych stopniach klatki schodowej, szybkie, równe dźwięki brzmią jak wystrzały z karabinu. Piętro niżej czeka na nas niski, wysuszony staruszek, wyprostowany sztywno, w czarnym garniturze, z wysoko zapiętym kołnierzykiem białej koszuli. Jego cienka, wiotka szyja wydaje się z trudem utrzymywać dużą głowę. To musi być braciszek. Identyczny zimny wzrok, wąskie usta nieprzyzwyczajone do uśmiechu i ptasi, długi nos.

Przygląda się nam bez słowa, pomijając milczeniem radosne okrzyki powitania, jakie wydaje z siebie Claudio. Siostry zniknęły na parterze, nie oglądając się i nie żegnając z nami. Widać uznały, że ich rola się skończyła. Przekazały nas wyższej instancji. Staruszek niedbałym gestem zaprasza nas do środka. Zastawiony regałami hol ledwo mieści tysiące oprawionych w płótno teczek i akt. Na każdej teczce przyklejono małą, owalną naklejkę z pięknie wykaligrafowanym numerem. Gabinet jest niewielki, zdominowany przez potężne biurko i stojący naprzeciwko kamienny, bardzo ozdobny kominek. Siadamy przed biurkiem, na niskich krzesłach, nasze nosy sięgają blatu. Pan Alberto sadowi się wygodnie na wysokim fotelu i patrząc na nas z góry, zapala cygaro. Claudio wierci się na swoim miejscu, trzymając siedzenie niemalże w powietrzu. Wygląda na to, że lada moment oprze się kolanami na podłodze i w końcu zastygnie we właściwej dla siebie, proszalnej pozycji.

— Nasza rodzina mieszka tu od tysiąc czterysta sześćdziesiątego siódmego roku — zagaja niespodziewanie Villiani i wydmuchuje dym w górę, nie spuszczając nas z oka. — Przyjechaliśmy z Neapolu, gdzie straciliśmy nasze majątki, i tu odbudowaliśmy nasz ród.

Zapada milczenie. Claudio tłumaczy i uśmiecha się krzywo. Spoglądam na Kubę. Pytająco podnoszę brwi. I co dalej?

— Ten dom zawsze był siedzibą rodu — ciągnie dalej starszy pan — ale teraz ja i moje siostry nie możemy dłużej tu mieszkać.

Kiwamy głowami ze zrozumieniem. Czekamy na ciąg dalszy.

Cisza.

— Dwieście tysięcy i ani grosza mniej — mówi niespodziewanie Villiani, świdrując nas swoimi ciemnymi oczami — rozumiecie?

Patrzę zaskoczona na Kubę, który niewzruszony rozgląda się po gabinecie. Czy mój mąż nie widzi, że dzieje się tu coś dziwnego? Ogarnia mnie niepokój. Do cholery, nie chcę tego mieszkania, nie chcę negocjować z tym dziwnym staruchem i jego mrocznymi siostrami. Nie chcę tu być.

Kuba spogląda w końcu na właściciela, chwilę mierzą się wzrokiem.

— Zastanowimy się i jutro damy odpowiedź — Kuba pierwszy przerywa ciszę. — Dziś nie możemy podjąć decyzji.

Potakuję pośpiesznie i szukam torebki, by czym prędzej czmychnąć. To miejsce to nie jest moja bajka.

Villiani badawczo patrzy na Kubę i milczy. Szary dym wznosi się nad jego głową i znika w ciemności. Lampa na biurku oświetla blat i żylaste dłonie z wielkim sygnetem na chudym palcu. Herb rodziny Villianich, dwa smoki zwarte w dzikiej walce. Gdzie myśmy trafili?

Siedzimy chwilę w ciszy. Słychać tykanie zegara gdzieś z głębi biura.

— Dobrze więc. Jutro o dziesiątej — staruszek przerywa milczenie, wstaje i kieruje się do drzwi. Wygląda na to, że audiencja skończona. Wstaję z ulgą. Na schodach podajemy sobie ręce na pożegnanie, Claudio co rusz błyska zębami. Żadnego spotkania nie będzie — myślę, rozglądając się po wysokiej, monumentalnej klatce schodowej. Wielki kamienny portal nad wejściem do biura zwieńcza ten sam motyw co na sygnecie. Tylko smoki są większe i bardziej zajadłe. Dokładnie nad swoją głową dostrzegam niewielką dziurkę, wielkości pudełka zapałek, znajdującą się w suficie nad schodami, przy wejściu do kancelarii. Przyglądam się jej z ciekawością, bo jest zbyt regularna, by mogła być przypadkowa. Tym bardziej że dom jest zadbany, schody lśnią czystością, a ściany niedawno odmalowano na biało. Gdyby była to dziura po tynku, już dawno zostałaby zaklejona gipsem.

Kuba podąża za moim wzrokiem. Claudio z niegasnącym uśmiechem zerka w górę.

— Co to? — pytam.

— Co?

— No ta dziurka.

Staruszek patrzy na nasze zadarte głowy i także spogląda na sufit.

— To jakaś dziura, daj spokój — włącza się Kuba. — Chodźmy już.

— To? To dziura na muszkiet — mówi Villiani, wzruszając ramionami. — Tam w środku jest małe pomieszczenie, akurat dla jednej osoby. Tak, tak, nasza rodzina była czujna. Gdy wchodzili tu niepożądani goście, musieli liczyć się z naszym oporem. Umiemy bronić naszego domu i honoru.

Zapada cisza, a ja czuję na karku zimny dreszcz. Szukam po omacku ręki Kuby i mocno zaciskam palce na jego dłoni. Musimy stąd zwiewać. Raz jeszcze zadzieram głowę. Mała, niewinna dziurka, zupełnie niewidoczna, jeślibym się nie rozglądała, zamiast patrzeć pod nogi, nie miałabym szans jej dostrzec. Ile jeszcze niespodzianek kryje ta przepastna kamienica? Co było w jej piwnicach? Więzienie? Sala tortur? Patrzę na wytarte, kamienne schody pod swoimi stopami. Czy mi się wydaje, czy są ciemniejsze w miejscu, gdzie stoimy?

— Kuba — szepczę — ta rodzina to mordercy. Strzelali prosto w plecy, słyszałeś?

Kuba milczy, z zainteresowaniem przyglądając się otworowi.

— Czy ty słyszałeś, co on powiedział?

— Daj spokój. To ciekawe. Zobacz, wchodząc, nie było szans, by zauważyć muszkiecik. Sprytne.

— To okropne. Zabijali ludzi.

— Nie przesadzaj. To było dawno temu.

— Widziałeś te dwie baby? Starszy pan też nie jest dobrodusznym staruszkiem. Jakby co, z przyjemnością wejdzie do skrytki i wstawi lufę w otwór. Na pewno jest przygotowany. Wróg nie śpi nigdy.

Villiani, najwyraźniej zirytowany tym, że nie rozumie, o czym rozmawiamy, przerywa nam w pół słowa.

— Jutro o dziesiątej. Czekam. Tylko bądźcie punktualnie. Nie akceptuję spóźnienia.

Potem raz jeszcze spogląda na sufit, na nas, w końcu zawiesza ciężki wzrok na Claudiu. Patrzy na niego przez chwilę bez słowa, w końcu mówi krótko „dobranoc" i z rozmachem zatrzaskuje drzwi. Zostajemy sami.

Wypuszczam powietrze i zerkam na pośrednika. Jakby się postarzał, albo blade światło zawieszonej na półpiętrze latarni jest dla niego niekorzystne. Obserwuję, jak po jego czole spływa ciężka kropla potu i ginie na kołnierzyku polo. Claudio znów wyciąga z kieszeni swoją bielutką chustkę i wyciera starannie twarz.

— Chodźmy — mówi, uśmiechając się z wysiłkiem.

Na ulicy jest już ciemno. Naprzeciwko, przy małym placyku widać jasno oświetlony bar. Czuję, że musimy się napić.

Kuba idzie zamówić zimne campari i piwo, a ja z Claudiem zajmuję miejsce na zewnątrz. Jest chłodno, wieje lekki wiatr. Otulam się swetrem i zapalam papierosa.

— To ważna rodzina w Todi? — pytam.

— Tak. Wpływowa. Mają wiele nieruchomości, które teraz chcą sprzedawać. Pomagam im — Claudio wzdycha ciężko i milknie.

Wygląda na to, że ta współpraca to nie jest łatwy chleb. Patrząc na niego, zastanawiam się, na ile chce, a na ile musi pomagać piekielnym Villianim.

— Są trochę ekscentryczni — ciągnę dalej, robiąc na stoliku miejsce dla naszych szklaneczek, które wnosi Kuba — wydaje się, że nie zależy im na tej sprzedaży.

Claudio przecząco kręci głową i bierze duży łyk aperitifu. Przełyka z wyraźną przyjemnością i ostrożnie odstawia kieliszek.

— Nie, to nie tak. Zależy im, ale to dumni ludzie, więc nie pokażą tego po sobie. Są bardzo wymagający i niecierpliwi. Hm, nie chciałbym ich zawieść... — mówi, wyjmując z torby zieloną teczkę. Kładzie ją na stoliku i przesuwa wolno w naszą stronę.

— Proszę, to oferta. W środku są plany. I dokładny opis. Przygotowałem dla was, byście na spokojnie obejrzeli i pomyśleli.

— To mieszkanie... Nie podoba nam się — mówię, patrząc na Kubę. — Jest za małe i za drogie.

— Och, tak? Byłem pewny, że ci się podoba. To... dobre miejsce.

Claudio nie kryje rozczarowania. Przygryza wargę i milczy, sięgając po swojego drinka. Opróżnia go prawie do końca. Patrzy przez dłuższy czas na puste naczynie, w końcu podnosi wzrok.

— Myślałem, że jesteście bardzo zainteresowani. Pytaliście o różne rzeczy, o dodatkowe drzwi... Obejrzyjcie ofertę. Jest naprawdę ciekawa. Todi cieszy się dużym zainteresowaniem, ludzie chcą tu mieszkać.

— Tak, wierzę. Ale ta nieruchomość jest w złym stanie i jest za droga. Przykro mi.

Naprawdę mi przykro. Kuba bez słowa pije piwo i wydaje się niezainteresowany rozmową. Mógłby coś powiedzieć, byłoby mi łatwiej. Cholera, właściwie dlaczego mam wyrzuty sumienia wobec tego Włocha? W końcu to normalna sprawa: oglądamy coś, mówimy „tak" albo „nie". Jutro wyjeżdżamy i pewnie więcej się nie spotkamy. Będą następni chętni. Ktoś się w końcu skusi i kupi to mieszkanie z morderczym staruszkiem piętro niżej. Więc dlaczego żal mi Claudia?

— Jutro umawialiśmy się na spotkanie — Claudio nie rezygnuje — pan Alberto będzie czekał. Na pewno można byłoby porozmawiać o cenie. Spróbuję, będzie świetna okazja. Poza tym przypadliście mu do gustu, widziałem to. Trzeba wykorzystać tę sytuację, bo nie jest łatwo o sympatię pana Villianiego — uśmiecha się szeroko, błyskając bielą zębów. — Czuję, że dacie się namówić.

Patrzymy na Claudia bez słowa. Nie. Nie damy.

— Claudio — Kuba odstawia pustą szklankę i sięga po orzeszki — nie kupimy tego mieszkania. Jutro jesteśmy umówieni w innym miejscu, mamy inne plany. Przeproś ich w naszym imieniu, podziękuj za poświęcony czas, ale nie oczekuj, że zmienimy zdanie. Szukamy czegoś większego. To wszystko. Było nam miło cię poznać i zaprosić na coś mocniejszego. Teraz musimy już iść do hotelu.

Kuba wstaje i idzie płacić. Zostaję sama z Claudiem. Podaję mu teczkę. Ociąga się z jej zabraniem. Potrząsam nią lekko i przysuwam bliżej. W końcu z rezygnacją odbiera dokumenty i chowa do torby. Przez chwilę patrzymy na siebie w milczeniu. Jego wzrok mówi mi, że jutro rodzina Villiani zadziobie go na śniadanie.

— Jeśli zmienilibyście zdanie, to jest moja wizytówka. Gdzie się zatrzymaliście?

— W Cavour.

— Dobry wybór. Mój kuzyn tam pracuje. Jeśli chcecie, mogę was zaprowadzić.

— Nie, damy sobie radę — mówię, chowając wizytówkę do torby. Wyciągam rękę i ściskam mocno dłoń Claudia.

— Przemyśl to sobie jeszcze dzisiaj. Proszę — przytrzymuje moją dłoń i patrzy mi w oczy — przecież tak do końca nie jesteś pewna, czy warto rezygnować, prawda? Porozmawiaj o tym z Kubą, dobrze? Zadzwonię do kuzyna i poproszę go o jakiś romantyczny pokój dla was.

Przestraszona i zaszokowana wyrywam swoją dłoń i kręcę przecząco głową. Co on sobie, do cholery, wyobraża! Że w łóżku z baldachimem będę namawiać męża na zakup tego przeklętego mieszkania? Albo facet zwariował, albo jest kompletnym dupkiem. Przecież to regularna, seksistowska łapówka! Z oburzenia mnie zatyka. Kuba wychodzi z baru i patrzy zdziwiony na moją minę.

— Dobranoc — mówię do Claudia, odwracam się i idę w stronę parkingu. Kuba pospiesznie żegna pośrednika i próbuje mnie dogonić.

— Co się dzieje? Dokąd tak pędzisz?

— To idiota albo desperat. Zaproponował, że dostaniemy w hotelu jakiś superpokój, bylebym z tobą porozmawiała o tym domu. Rozumiesz to? Mam się z tobą przespać i przekonać do zakupu.

— No i...?

— Co?

— No i zgodziłaś się?

— Zwariowałeś? Co ty wygadujesz?!

— Nie prześpisz się ze mną?

— No, nie! Przecież ta różowa szmata chciała mnie użyć do swoich zaplutych celów! To obrzydliwe.

— Żartowałem.

— Głupi żart. Idź z nim obgadać szczegóły, jeśli jesteś zainteresowany.

— Anka — Kuba chwyta mnie za rękę i zatrzymuje na ulicy — daj spokój. Facet myśli prosto. Uznał, że jeśli kobieta pokręci tyłkiem i powie „chcę", to facet się godzi. Taka kultura.

— Kultura? Ciekawe, co byś powiedział, gdybyś był na moim miejscu?

— W drugą stronę, niestety, to nie działa. Dlatego mi tego nie zaproponował. Poza tym nie umiem kręcić tyłkiem.

— Jesteś stuknięty.

— Pomyśl raczej, skąd u niego taka desperacja. Płaszczył się przed tą dziwną rodzinką, zauważyłaś? Boi się ich.

— To go nie usprawiedliwia...

— Mam wrócić i dać mu w ryj?

— Oczywiście.

— Ale przecież było ci go żal. Wyczuł to.

— Ale już mi przeszło. Powinieneś skopać mu ten jego duży tyłek.

— Jutro po śniadaniu.

— Przecież powiedzieliśmy, że nie jesteśmy zainteresowani. Wyjeżdżamy.

— Ale on wróci, zobaczysz.

2.

Hotel nas nie rozczarował. Mały, zaciszny, urządzony ze smakiem, bez nachalnej dbałości o detale. Zostawiliśmy torby w recepcji i poszliśmy coś zjeść. Od czasu małej przekąski w Amelii nie mieliśmy nic w ustach. Na *piazza* ukryta pomiędzy dwoma budynkami knajpka oferowała cudowną polentę i sałatkę z orzechami i melonem. Była jedenasta, gdy wróciliśmy do Cavour. Recepcjonista dał nam klucz do pokoju i powrócił do oglądania telewizji.

— Mam dość dzisiejszego dnia. Marzę o prysznicu i wygodnym łóżku — mruczę, wchodząc po wyłożonych grubym chodnikiem schodach.

— A ja marzę o tobie.

— Musisz mieć mocne argumenty. Nie myślę dziś o seksie.

— Ale myślałaś, przyznaj się. — Kuba przesuwa rękę po moich pośladkach. Uchylam się ze śmiechem. Wino do kolacji okazało się na tyle dobre, że wypiliśmy butelkę. Czuję sie lekko wstawiona, może bardziej zmęczeniem niż alkoholem.

Otwieramy drzwi i stajemy zaskoczeni. Pokój jest oświetlony małą lampą, w jej stłumionym świetle drogie zasłony, zawiązane grubymi, ozdobnymi sznurami i narzuta na łóżku połyskują na złoto i purpurowo. Na stoliku obok stoi taca z małymi tartinkami i szampan w złotym wiaderku.

— A to szuja! — Staję w otwartych drzwiach, zaskoczona przepychem. — Zamawiałam normalny pokój, a nie apartament.

— Podoba mi się — mówi Kuba i stawia torbę na podłodze. — Luksus mi służy. Wygładzają mi się zmarszczki.

— Kuba, oddajemy ten pokój i bierzemy zwykły. Nie będę tu spała. Załatw to, proszę.

Grube wykładziny tłumią nasze słowa, pokój jest zaciszny i przytulny. Kuba zamyka drzwi i siada na łóżku. Podskakuje dwa razy i klepie miejsce obok siebie.

Kręcę przecząco głową. Jestem zła, denerwuje mnie czasem jego beztroska.

— Kuba, nie. Mam wrażenie, że z każdego kąta patrzy na mnie ten różowy buc.

— Chodź tu. Spodoba ci się. A Claudia tu nie ma. Sprawdziłem.

— Kuba, nie igraj. Nie będę tu spała.

Staję w wejściu, z torbą przewieszoną przez ramię. Mam ochotę natychmiast położyć się i zasnąć, ale wciąż czuję na palcach wilgotny uścisk dłoni Claudia. Patrzę, jak Kuba sięga po szampana.

— Kuba, nie rób tego. Wściekne się zaraz, wiesz o tym... — zaczynam, ale sztywna metalizowana owijka spada już bezgłośnie na podłogę i z lekkim puknięciem butelka zostaje otwarta.

Rzucam torbę i wychodzę na korytarz. Zbiegam po schodach i wpadam do holu. Recepcjonista patrzy na mnie nieprzytomnie, zrywając się z miejsca. Staję przy ladzie i kładę klucz.

— Zamawiałam zwykły pokój, a nie apartament — cedzę cicho, patrząc mu w oczy. Głos mi drży ze złości. — Pomyliłeś się.

Speszony mężczyzna zaczyna poprawiać sobie fryzurę, przeczesując palcami włosy, i rozgląda się, jakby szukał pomocy.

— Chcę zwykły pokój, rozumiesz? Zwykły. Bez szampana i przekąsek. Ten mi się nie podoba.

— Ach tak?

— Tak.

Recepcjonista znów przegarnia włosy i pochylony zaczyna grzebać w papierach. Spogląda na mnie, wyprostowuje się i uśmiecha przepraszająco.

— Jest pewien problem... Nie mamy... zwykłego. Kolega się pomylił i... i pani rezerwację anulował. Więc został tylko ten, ale proszę się nie denerwować, zapłaci pani jak za zwykły. — Chłopak patrzy na mnie przestraszony, oczekując mojej reakcji. — Myślałem, że państwo się ucieszą, bo to najlepszy nasz pokój. I dużo wygodniejszy.

Milczę. Nie wiem, co powiedzieć. Facet wydaje się nie kłamać. Ale nie wierzę w takie zbiegi okoliczności.

— Powiedz mi szczerze, czy ktoś zarezerwował dla nas ten pokój? Dzisiaj?

— Nie, pani robiła rezerwację, na booking.com. Ale przyjechali muzycy na koncert skrzypcowy i kolega...

— Wiem — przerywam mu i uważnie patrzę w oczy. — Czyli nie ma innego pokoju?

— Nie.

Stoję jeszcze chwilę, pukając palcem w blat. W końcu zabieram klucz, odwracam się i idę na górę. Cholera.

Kuba leży oparty na łóżku i popija szampana. Mam ochotę go udusić. Bez słowa sięgam po porzuconą torbę i stawiam ją na stojaku. Staję przy stoliku i nalewam sobie kieliszek.

— Jeśli powiesz choć słowo, zabiję. Rozumiesz?

Kuba uśmiecha się, zaciska usta i przesuwa po nich dwoma palcami. Wzdycham i wypijam duszkiem zimny napój.

— Nie ma innego pokoju. Facet na dole twierdzi, że to przez pomyłkę kolegi. Nasz pokój zajęli jacyś muzycy — mówię, nalewając sobie drugi kieliszek. — Wyobrażasz to sobie?

Kuba przecząco kręci głową i opróżnia swój kieliszek jednym haustem.

— I co ty na to?

Wzrusza ramionami i robi zdziwioną minę. Siadam ciężko na łóżku. Odwracam się do Kuby i patrzę na niego przez chwilę.

— Powiedz coś. Już mi przeszło.

— A nie zabijesz?

— Nie.

— Kocham cię. I mam na ciebie ochotę. Wielką.

Nabieram powietrza i wypuszczam powoli. Czuję, jak schodzi ze mnie napięcie. Uśmiecham się, odstawiam kieliszek i przeciągam się aż do bólu w mięśniach. Kuba odwzajemnia uśmiech i wstaje. Nalewa nam szampana i całuje mnie w usta. Jego wargi są chłodne i pachną trochę owocowo.

— Upijemy się — mówię i biorę łyk zimnego alkoholu. Zrzucam buty i kładę stopy na fotelu.

— Wiem. Czasem lubię, jak jesteśmy trochę wstawieni.

— Ja też.

— Jesteś wtedy taka…

— Jaka?

— Taka… powolna.

— Lubisz to?

— Hm. Pewnie. Od czego dziś zaczniemy? — Kuba staje za mną, odgarnia mi włosy i rozpina naszyjnik, pochylając się nisko nad moją szyją, tak że czuję ciepło jego oddechu. — Jakieś życzenia?

Wyciągam wolną rękę do góry i przyciskam do jego twarzy. Czuję jego język na palcach.

— Najpierw wspólny prysznic… potem… ty decydujesz… ja słucham… — mówię cicho.

Szampan zaczyna działać, mam wrażenie, że moje ciało robi się cięższe. Ogarnia mnie lekkie znużenie. Leniwie wstaję i zaczynam zdejmować ubranie. Podnieca mnie, że rozbieram się powoli, odkładając starannie każdą rzecz na fotel. Kuba odkręca wodę pod prysznicem, łagodny szum przyjemnie brzmi w cichym pokoju. Mam ochotę natychmiast znaleźć się z Kubą w pościeli i pozwolić mu na wszystko. Uwielbiam tę jego pewność siebie, która w łóżku ma zupełnie inny smak. Naga wchodzę do łazienki i obserwuję, jak duże, oprawione w złotą ramę lustro zaczyna pokrywać się parą. Kuba stoi oparty o ścianę i patrzy na mnie, pijąc szampana. Otwieram drzwi kabiny i staję pod szerokim talerzem prysznica. Ciepła woda spływa mi po włosach i twarzy, przyjemnie rozbijając się na ciele. Zamykam oczy, rozprostowuję ramiona, opieram je o boczne ścianki prysznica i czekam niecierpliwie na pierwszy dotyk. Po chwili czuję, jak dłonie Kuby, śliskie od mydła, przesuwają się wolno po moich biodrach.

— Nic nie rób, ja wszystkim się zajmę — słyszę jego szept przy swojej twarzy, ledwo rozpoznawalny przez szum wody, i przyspieszone bicie swojego serca.

3.

— Jest Claudio — mówi Kuba, gdy kończymy śniadanie w ogródku hotelowym. Jest ósma, dzień jest bezchmurny i ciepły. Odwracam głowę i widzę naszego pośrednika, w białej koszuli i obcisłych dżinsach, stojącego na trawniku, przy drzwiach jadalni.

— Nie chcę go oglądać. — Nachylam się do Kuby i mówię dobitnie: — Rozumiesz? Ten facet to wredny gnojek.

— *Ciao*! — Claudio cały w uśmiechach staje przy naszym stoliku i macha do mnie ręką. — Jak noc? Odpoczęliście?

Milczę, udając, że piję kawę. Kuba wskazuje Claudiowi krzesło, na które ten ochoczo siada. Gromię Kubę wzrokiem.

— Napijemy się razem kawy, jeśli pozwolicie.

Nie odzywam się, starając nie patrzeć na siedzącego obok Włocha. Claudio niespeszony zamawia *caffè* i spogląda na nas wyczekująco.

— To co? Pójdziemy na spotkanie? Mam nadzieję, że zmieniliście zdanie. Mam dla was wiadomość. Rozmawiałem jeszcze wczoraj z panem Villianim, jest skłonny obniżyć cenę.

Milczymy. Co za idiotyczne kłamstwo. Kuba wyciąga fajkę i niespiesznie przygotowuje ją do palenia. Jego szczupłe palce sprawnie wkładają pachnący wanilią tytoń do niedużego cybucha. Patrząc na nie, czuję, jak przebiega przeze mnie nagła, gwałtowna fala podniecenia i znika, pozostawiając lekkie wewnętrzne drżenie.

— Claudio, muszę ci coś powiedzieć. — Kuba zapala fajkę,

wypuszcza dym i patrzy na pośrednika, który z uśmiechem wsypuje sobie do kawy saszetkę cukru. — Otóż uważam, że jesteś natrętny i niegrzeczny. Natrętny, bo wczoraj wyraźnie powiedziałem ci, że nie kupimy tego mieszkania, a mimo to przyszedłeś. A niegrzeczny, bo na pożegnanie obraziłeś moją żonę.

Zapada cisza, którą przerywa tylko stukanie łyżeczki o filiżankę. Claudio miesza cukier, nie przestając się uśmiechać. W końcu zatrzymuje rękę i opiera łyżeczkę o spodek. Uśmiech znika z jego twarzy.

— Przepraszam, jeśli cię uraziłem — mówi po chwili, poprawiając się na krześle — to nie było zamierzone. Chcę dobrze wykonywać swoją pracę. Czasem nie wychodzi. Rozumiecie?

Zapada milczenie. Claudio z ociąganiem bierze filiżankę, wypija kawę jednym haustem i wstaje. Patrzymy na jego przygarbioną postać. Jego ręce na oparciu krzesła wydają mi się nienaturalnie małe i delikatne.

— To ja już pójdę — mówi, zawieszając głos. Nasze milczenie nie powinno pozostawiać mu złudzeń, choć widzę, że ma problem, by oderwać dłonie od oparcia. Wzdycha ciężko i podaje mi rękę.

— Jeszcze raz przepraszam. Nie chciałem cię obrazić.

— Okej, Claudio, wszystko dobrze. — Podaję mu dłoń i ściskam energicznie. Jego ręka jest wilgotna i zimna.

— Przepraszam.

— W porządku. Jestem pewna, że wkrótce sprzedasz to mieszkanie.

— Mam problemy… a pan Villiani mi pomógł… Teraz muszę zrobić wszystko, by w terminie tę sprawę załatwić… To ważne — przesuwa dłonią po twarzy i milknie.

Kuba wstaje i klepie Włocha po ramieniu. Claudio wychodzi, a my patrzymy na siebie bez słowa.

— To jakaś gówniana sprawa — mówi Kuba, siadając na swoje miejsce i wychylając resztę kawy. — Wiesz, wczoraj, w gabinecie tego starca poczułem się dziwnie.

— Ja też. Ale trzymałeś fason.

Milczymy chwilę, myśląc o Claudiu i jego dziwnych zobowiązaniach.

— Nie jesteśmy w stanie mu pomóc. — Kuba mówi bardziej do siebie niż do mnie.

— Wiem. Ale jest w tym coś... złego. — Zapalam papierosa i sięgam po filiżankę. W miejscu, gdzie mur okalający hotel jest niski, widzę przez żywopłot, jak biały jeep powoli odjeżdża w stronę starego centrum.

4.

— Jeszcze pięć minut i koniec. Jedziemy — mówię do Kuby, zerkając na zegar kościelny.

Stoimy na głównej ulicy San Gemini. Gloria, pośredniczka, już dwa razy informowała mnie telefonicznie, że właśnie podjeżdża. Minęło pół godziny, a my ciągle czekamy. Na *corso* jest duży ruch, sobotni poranek to dzień handlowy. Sklepy są pełne ludzi, zapewne z okolic miasta, bo samo centrum jest zadziwiająco malutkie. Przyjechaliśmy trochę za wcześnie i mieliśmy czas, by obejść uliczki otaczające *piazza*. Przed kościołem kłębi się tłum gości weselnych, ubranych odświętnie na tę okazję. Stara, kremowa lancia z początku lat 50., udekorowana kwiatami, zaparkowana w cieniu kasztanów, czeka na młodą parę.

— Gloria, gloria alleluja — nuci Kuba, czym doprowadza mnie do furii. Jest gorąco, mimo wczesnej pory czuję zmęczenie po wczorajszym dniu, zasnęłam po drugiej i najchętniej poszłabym teraz do łóżka. Cisza, ciemny pokój, chłodne prześcieradło, oto, o czym marzę.

— To chyba ona — Kuba wyrywa mnie z zamyślenia, wskazując na idącą w naszą stronę kobietę — tam.

Gloria ma jasne, przycięte krótko włosy, piegi i duże okulary w czarnej, grubej oprawie. Przypomina mi przyjaciółkę z Gdańska, Olę, która jest najbardziej niesłowną osobą, jaką poznałam w życiu. Gloria miała właśnie szansę zająć jej podium.

— Anka? — Podbiega do nas i wyciąga rękę. — *Ciao*, jestem Gloria. Przepraszam, naprawdę, bardzo przepraszam — mówi zasapana — stałam na przejeździe, a potem parking był zajęty, dziś jest tu dużo ludzi.

Olka, jak żywa. Zaraz powie, że jej się to z reguły nie zdarza — myślę, patrząc na jej okulary. Fajne.

— Staram się być punktualna, a dziś nie wyszło — mówi, przekładając torbę na drugie ramię. — Tak mi przykro.

Uśmiecham się do siebie.

Dom, w którym znajduje się wybrane przeze mnie mieszkanie, jest tuż obok. Wchodzimy do przepastnej bramy, czuję, jak moja skóra z ulgą przyjmuje przyjemny chłód. Ilość dzwonków na ścianie uświadamia mi, że mieszka tu z dwadzieścia rodzin. W obszernym holu na dole dzieci grają w piłkę, drąc się niemiłosiernie. Na podłodze, wyłożonej czerwonym cotto, leżą rozrzucone zabawki i paletki do ping-ponga. Czarny, kudłaty pies rozłożył się w niszy przy schodach i ciężko dyszy, odpoczywając od upału. Nie zwraca na nas uwagi, gdy przechodzimy obok. W głębi, oparte o zamurowany portal, stoją cztery holenderskie rowery. Świetlik w dachu oświetla jasnym kręgiem przestrzeń klatki schodowej, którą wspinamy się na ostatnie piętro. W każdym miejscu oświetlonym słońcem mieszkańcy starają się postawić donice z kwiatami, dzięki czemu schody toną w zieleni. Niektóre rośliny zwisają z trzeciego piętra aż do parteru, tworząc zieloną, liściastą ścianę. Wszystko to razem — dzieci, rowery, złote światło z dachu, kamienne schody, drewniane, wypielęgnowane drzwi do mieszkań, chłód grubych ścian, odgłosy kuchenne i wszechobecna roślinność — tworzy klimat prawdziwej włoskiej kamienicy. W takim domu zawsze jest głośno, gwarno i tłoczno. Albo się to pokocha, albo trzeba się liczyć z nieuchronnym szaleństwem.

Natychmiast przychodzi mi na myśl dom, w którym zatrzymałam się kilka lat temu w Hamburgu. Stara secesyjna kamienica, zamożna i dostojna, z widokiem na pobliski park i port. Szarobiała klatka schodowa, idealnie błyszczące poręcze, stopnie wyłożone szarym chodnikiem, jednakowe tabliczki na drzwiach. Cisza i nieskazitelna czystość. Z pewną zazdrością patrzyłam na ten wypracowany porządek, przyjemnie dotykało się lśniącego drewna, zapach pasty do podłogi przywodził na myśl domowy, niedzielny obiad, a odgłos kroków tłumiła gruba wykładzina. Jednocześnie myślałam o tym, że za tymi jednakowymi drzwiami mieszkają przecież różni ludzie. Lubią kwiaty, psy, mają wrzeszczące dzieci, grają na instrumentach. I czy ustawiony na półpiętrze rosochaty kwiat lub porzucony niedbale żółty dziecięcy rowerek zniszczyłby harmonię idealnej klatki schodowej i dobrosąsiedzkiego współistnienia? I co wtedy? Sąd sąsiedzki? Mycie schodów za karę?

Docieramy do drzwi mieszkania: aluminiowe, złotawe, z matowymi szybkami. Dawno już nie widziałam takiego brzydactwa.

— O, bardzo oryginalne — stwierdzam, podczas gdy Gloria wyjmuje z torebki klucze.

— No tak, nie są najpiękniejsze, ale bez problemu można je wymienić. W latach osiemdziesiątych zapanowało u nas szaleństwo na punkcie aluminiowych drzwi i okien. To są pozostałości po tamtej fascynacji — mówi i wpuszcza nas do środka.

Mieszkanie zostało zaadaptowane ze strychu. Jest ciemne, rozległe, niezbyt wysokie i natychmiast się w nim gubimy. Dominują korytarze i korytarzyki, dzielące przestrzeń w zupełnie nieprawdopodobny sposób. Mam wrażenie, że ten labirynt jest nie do pokonania. Mylą mi się kierunki, zaskakują mnie nagle okna w miejscach, gdzie wedle wszelkich prawideł powinna być ściana, a identyczne podłogi z brzydkich, brązowo-łaciatych płytek i zielone, wzorzyste tapety we wszystkich pomieszczeniach powodują, że mamy wrażenie kręcenia się w kółko. Gloria podaje nam w końcu szczegółowy plan. Dzięki niemu zaczynamy odnajdywać jakiś porządek w tym chaosie. Wewnątrz mieszkania odkrywam malutkie podwórko, na które wychodzą okna czterech pokoi. Dziwny patent, bo aby na nie wejść, trzeba przełazić przez okno. Gdyby zamiast okien były drzwi, powstałoby mikroskopijne patio. Jedyny balkon, przy głównej sypialni, jest zabudowany do wysokości dwóch metrów. Nici z podziwiania okolicznych wzgórz. Mały prześwit w zabudowie zrobiono na wysokości kolan.

— To chyba dla krasnali? — Kuba klęka i zagląda przez otwór. — Zobacz, jakie piękne widoki.

— Na kolanach?

— A jak? Takie krajobrazy podziwiać należy na klęczkach.

— I co o tym myślisz? — pytam Kubę, bo jestem ciekawa jego opinii.

— Duże, tanie, z potencjałem, ale do kompletnego remontu. No i z idiotycznymi pomysłami. — Wstaje z czworaków i otrzepuje spodnie. — Wszystkie ściany, które tworzą te dziuple, korytarze i norki należałoby usunąć. Wtedy miałabyś dużą przestrzeń, z której dałoby się wydzielić dwie sypialnie, gabinet i naprawdę wielki salon. Widziałaś loggię?

— Nie.

— To chodź. — Kuba łapie mnie za rękę i prowadzi na klatkę schodową. Na podeście, powyżej mieszkania jest duża, bardzo włoska loggia, o sklepionym suficie i kamiennych parapetach, obstawionych donicami.

— Widok na całą klatkę schodową — mówię — strategiczne miejsce.

— Tak, wiedzielibyśmy wszystko o wszystkich. Od razu zdobylibyśmy szacunek sąsiadów. Oczywiście pod warunkiem, że trzymałabyś język za zębami.

— Ładnie tu. Ale byłoby jeszcze ładniej, jeśli wejście do loggii byłoby z mieszkania, a nie z klatki.

— Myślę, że kiedyś było — Kuba pokazuje mi ścianę sąsiadującą z jednym z pokoi — zobacz, nawet tynk tu jest inny, bardziej chropowaty.

— Wyobrażasz sobie remont w tym domu? Wnoszenie materiałów budowlanych, znoszenie gruzu, skuwanie tych okropnych posadzek i rozbijanie ścian? Natychmiast mielibyśmy przeciwko sobie dwadzieścia wrogich, temperamentnych, włoskich rodzin.

— No, ale inaczej się nie da. — Kuba wychyla się przez barierkę i ogląda pustą przestrzeń pomiędzy schodami. — Chyba żeby zrobić tu małą windę. Bo z tego domu trzeba usunąć kilkadziesiąt ton gruzu.

— Ale tak ogólnie, myślisz, że to ciekawa oferta?

— Akurat na przeczekanie złych czasów. Mieszkanie kosztuje sto dwadzieścia tysięcy, a ma sto siedemdziesiąt metrów. Jest fajne, tylko trzeba nad nim popracować. Miejscowość jest przyjemna, blisko Rzymu. Moglibyśmy tu mieszkać do czasu sprzedania naszego sopockiego domu i wtedy pomyśleć o czymś większym.

— Nie jest za duże? Po co nam taki metraż? Mniejsze będzie łatwiej i taniej wyremontować.

Kuba patrzy chwilę na plan i zamyśla się przez chwilę.

— Słyszysz? Czy nie jest za…

— Mam kolejną minę — mówi do siebie i wchodzi do środka. Idę za nim. Kierujemy się do kuchni.

Kuba chwilę przygląda się wykresowi i podsuwa mi go pod nos.

— Spójrz. W tym miejscu, gdzie jest kuchnia, mieszkanie się kończy. Widzisz? A my mamy tutaj, obok kuchni, jeszcze dodatkowe dwa pokoje. Nie zgadza się. Na planie mieszkanie jest mniejsze, a w rzeczywistości jest większe. I co ty na to?

— To chyba dobrze, co?

— Niekoniecznie. Pamiętasz, co nam zawsze mówił nasz drogi mecenas Maciej? Im rzeczy są bardziej skomplikowane, tym drożej będę je rozplątywał.

Pamiętam. Mecenas był zawsze skory do żartów. I trudnych spraw. Dlatego jeździ najnowszym volvo, a nie skodą. Przyglądam się rysunkowi. Kuba ma rację. Przez chwilę patrzymy na siebie bez słowa.

— Pogadaj z Glorią. Bo ja nie mam siły — mówię i zrezygnowana oddaję mu plan. — Chyba mamy jakiegoś cholernego pecha.

Gloria marszczy piegowaty nosek i kręci głową. Najwyraźniej nie jest to drobna pomyłka.

— Nie zwróciłam na to uwagi. Zadzwonię do biura, by się

upewnić. Jeśli jest tak, jak myślicie, to pojawia się poważny problem.

Patrzymy na nią wyczekująco. To już kolejny poważny problem w naszej wędrówce po włoskich nieruchomościach. Czy ta seria niespodzianek wreszcie się skończy?

— Bo to oznacza, że wykonano tu samowolę i dopóki właściciel nie wprowadzi zmian w katastrze, mieszkanie ma błąd prawny i nie można go kupić. To znaczy można, ale wszystkie zobowiązania z tym związane przechodzą na nowego nabywcę. A to może być bardzo kosztowne. Gdybyście kupili to mieszkanie, tak jak ono teraz wygląda, nie moglibyście go sprzedać, bo z kolei wasi kupcy nie chcieliby wziąć na siebie odpowiedzialności. Tak, jak wy nie chcecie, prawda?

Zgodnie kiwamy głowami. Prawda, najprawdziwsza. Jak mawiała babcia Marcia: koniec pieśni. Gloria, gloria, alleluja.

5.

Południowy odpoczynek w San Gemini, w cieniu kościoła, zaczęliśmy od lampki białego wina. Pergola obrośnięta wisterią pachnie nieprzytomnie. Mam ochotę porzucić włoskie marzenia i wrócić do najpiękniejszego grajdołka w Polsce, do Sopotu.

— Po dzisiejszym dniu nie mam już ochoty na dalsze przygody. To jakiś chory film. Czy w tym kraju nie ma normalnych nieruchomości, z normalną księgą wieczystą, bez dziur w dachu i szalonych pośredników: Kuba, oni wszyscy są zupełnie pokręceni. Najpierw rżąca jak koń Ursula, potem Maria abnegatka i jej tabuny znajomych, Claudio z traumą po współpracy z neapolitańską rodziną, teraz to trefne mieszkanie.

— Zapomniałaś o Amelii i Panu Kuleczce. — Kuba, rozparty na krześle, popija wino i zajada oliwki. — A przecież to dopiero początek. Popatrz na to inaczej. Gdyby nie te cudowne historie, zobacz, o ile bylibyśmy ubożsi. Potraktuj to jak film z niezłymi aktorami. Poza tym, mamy farta. Nikt nas nie okradł, wokół sami ciekawi ludzie, fajne miejsca, samochód działa, pogoda piękna. I kwitną kasztany.

— Prowokujesz, prawda?

Kuba uśmiecha się do mnie i przesyła mi buziaka. Piję wino i obserwuję *piazza*. Goście weselni odjechali, ostatni mieszkańcy kończą zakupy, by za chwilę zniknąć w domach i zasiąść do *pranzo*, tradycyjnego, codziennego lunchu. W naszej restauracji powoli zapełniają się stoliki. Za moment na ulicach zrobi się pusto i tak będzie prawie do czwartej. Do czwartej ulice włoskich miast pozostaną wyludnione, sklepy będą zamknięte na głucho, a jedynym dźwiękiem, świadczącym o tym, że mieszkają tu jacyś ludzie, będzie dochodzący z okien odgłos pobrzękujących naczyń.

— Kuba, powiedz mi, jak to jest. Dzień w dzień ten kraj zamiera na kilka godzin, a mimo to ciągle pozostaje jedną z najbardziej rozwiniętych gospodarek Europy. Jak oni to robią? — pytam, nakładając sobie sałatkę *caprese*. — To nielogiczne.

— Hm. Może znaleźli złoty środek? Może tak należy żyć, by równoważyć przyjemności z obowiązkami? Nie mam pojęcia, na czym to polega, ale się sprawdza.

— W Polsce to byłoby niemożliwe. Gonimy jak wściekli. Jeśli spróbowałabym się zatrzymać, peleton pobiegnie dalej. Tu wszyscy drepczą równym tempem. Jak ktoś gna bez tchu do przodu, reszta patrzy z politowaniem.

— Ale co, wybieramy włoskie czy polskie wyścigi? — Kuba patrzy na mnie znad talerza z pachnącym ravioli. — Bo zdaje się, że masz wątpliwości.

— Mam.

— A jak ty byś chciała? Wchodzisz, oglądasz, kupujesz? Jak do sklepu z butami? — Kuba wyciąga w moją stronę widelec z pierożkiem. — Spróbuj, pyszne.

— Dziękuję, nie mam apetytu. Za gorąco. Nalej mi raczej wina.

Milczę, patrząc, jak Kuba napełnia nasze kieliszki. Wypijam łyk i sięgam po kawałek chleba.

— Denerwuję się, bo w każdym domu znajdujemy nowe problemy.

— Anka, to nie są żadne problemy. To się nazywa doświadczenie. Poza tym jesteśmy dociekliwi. Gdyby nie to, nie zauważylibyśmy zacieków na suficie w Amelii i różnicy na planach ostatniego mieszkania. I co, byłabyś szczęśliwsza? Nie. Byłabyś wściekła. Bo dopiero wtedy władowalibyśmy się w niezłe tarapaty. A tak, cóż, po prostu wykreślamy te nieruchomości z naszej listy i szukamy dalej. Tak ja to widzę — kończy Kuba i nabija kolejne ravioli na widelec.

Wiem, ma rację. Cholerna, pragmatyczna logika. Ale to nie zmienia faktu, że nie chcę już takich niespodzianek.

— Dziś jedziemy do Costacciaro obejrzeć stare *palazzo* i wracamy. I nawet nie będzie się nad czym zastanawiać w domu, bo nasza lista została pokreślona od góry do dołu. A ja byłam pewna, że w Polsce będziemy się zawzięcie sprzeczać, którą nieruchomość wybieramy. I że w końcu wrócimy tu niebawem, by podpisać umowę. I to mnie wkurza — mówię, wychylając resztę wina.

— No już. Przestań narzekać, dobrze? Mam pomysł.

— Jaki?

— Pojedziemy dziś do Sansepolcro.

Patrzę na Kubę zdziwiona. Sansepolcro. Natychmiast wraca do mnie wspomnienie zimowej wyprawy. Czarna czeluść domu ze studnią, oświetlone jasno wystawy na *corso*, gorąca kawa w zmarzniętych dłoniach.

— Co ty na to?

— Nie było tego w planach. Po co mielibyśmy tam jechać? Przecież nawet nie jesteśmy umówieni z Ursulą.

— Nie było w planach! No, nie było. Ale to nie obóz treningowy sztangistów. Robimy czasem, co chcemy. Sama kiedyś powiedziałaś, że chętnie zobaczyłabyś jeszcze raz dom z kominkiem. Jest okazja, bo będziemy niedaleko.

— Musiałabym zadzwonić do twojej ulubionej kobiety konia...

— A co to za problem?

— Żaden.

— No to dzwoń. — Kuba z uśmiechem kończy jedzenie i wyciera usta serwetką. — Masz numer.

— Poczekaj, muszę pomyśleć — mówię, starając się poukładać wszystko w głowie — teraz jest pierwsza. O trzeciej mamy spotkanie z Dorrie w Costacciaro. Zajmie nam to z godzinę. O czwartej wyjedziemy. W Sansepolcro bylibyśmy około piątej. Umawiam się na piątą. A potem co? Wracamy do Rzymu i tam śpimy czy zostajemy i rano wyjeżdżamy bezpośrednio na lotnisko?

— Zostajemy. Będziemy zmęczeni. Wyjedziemy sobie po śniadaniu i o dwunastej będziemy w Rzymie. A samolot jest o szesnastej. Akurat będzie tyle czasu, by oddać samochód i się odprawić. Widzę, że humor ci wrócił. Czyli co?

— Kocham cię.

— No widzisz? Zupełnie inaczej gadasz. Ja ciebie też.

— I ci nie przejdzie? — Uśmiecham się do Kuby. — Możesz obiecać?

— Mogę. No, chyba że znów zaczniesz zrzędzić i kwękać. Wtedy cię rzucę dla młodszej.

— A ja ciebie dla bogatszego.

— Może będzie bogaty, ale nie taki fajny.

— Ale będzie obsypywał mnie prezentami i kupował codziennie kwiaty.

— To będzie załatwiać jego sekretarka.

— No dobra, przekonałeś mnie.

6.

Przemknęliśmy do Costacciaro szybciej, niż planowałam. Mieliśmy czas, by spokojnie pochodzić po miasteczku. I po dziesięciu minutach w zasadzie moglibyśmy wracać, bez oglądania mieszkania. Bo Costacciaro okazało się maleńką jak wioska mieściną, z bramą, wieżą z zegarem i jedną główną uliczką, na której znajdował się jeden bar i jeden kościółek. Z każdej strony otaczały nas łyse, pozbawione drzew i domów góry. Nieprzyjemnie puste uliczki, ostro oświetlone popołudniowym słońcem potęgowały uczucie osamotnienia. Mimo że obydwoje mieliśmy ochotę, by natychmiast zrobić w tył zwrot i wyjechać, uznaliśmy, że wypadałoby poczekać na Dorrie, pośredniczkę, skoro specjalnie dla nas jedzie tutaj na spotkanie.

Mój telefon do Ursuli skończył się małą porażką i zarazem niedużym sukcesem. Ursula była w Alpach i nie mogła nam towarzyszyć, co zakomunikowała mi swoim rechotliwym głosem. Ale szybko wpadła na pomysł, by dać nam kontakt do biura nieruchomości w Sansepolcro, które interesujący nas dom miało w swojej ofercie. A Carla, która odebrała, nie widziała żadnego problemu, by o piątej na *piazza* czekać na nas z kluczami.

— Anka, nie chcę być złośliwy, ale te wyszukane przez ciebie nieruchomości... jak by to powiedzieć...

— No, ulżyj sobie!

— Są... hm... będę dyplomatyczny... nie dla nas. A już Costacciaro to jakieś kompletne nieporozumienie. Rok życia tutaj, a nasz związek kończy się rozwodem. Ludzie z nudów zaczynają szukać problemów. I zwykle je znajdują.

— Trzeba było ruszyć tyłek i szukać ze mną.

— Wiem, dlatego mówię ci to najdelikatniej, jak potrafię. Normalnie to nazwałbym to beznadziejnie głupim wyborem.

— Nie krępuj się.

— Ale doceniam wysiłek.

Siedzimy na murze okalającym miasteczko, tuż pod bramą z zegarem, skryci w cieniu akacji i wypatrujemy Dorrie. Jest pusto. Czuję, jak momentalnie się nagrzewa mój wysunięty z cienia but. Cofam nogę. Gdyby nie fakt, że sama mam takie refleksje, Kuba oberwałby już po głowie. Mój błąd polegał na tym, że gdy znalazłam ciekawy dom, tak byłam przejęta odkryciem, że nie zwracałam uwagi, w jakiej miejscowości się znajduje. A takie sprawy są równie ważne, tym bardziej że Castiglion Fiorentino pokazało już zeszłej zimy, jakie to istotne. Cóż, kolejna lekcja w toskańskiej szkole życia.

— Masz rację, ale oczekuję wyrozumiałości.

— Wybaczam. Przynajmniej popatrzymy sobie na Monte Cuccio.

— Nie jestem odpowiedzialna za wszystkie kiksy, które znaleźliśmy.

— Jasne, że nie. Chodzi mi o tę wiochę. Nie wyobrażam sobie nas tutaj. Co mielibyśmy robić, gdy już obeszlibyśmy te trzy ulice na krzyż?

— Moglibyśmy leżeć w łóżku, czytać książki, jeść *pecorino* i pić chianti. I kochać się nieprzytomnie.

— To samo możemy robić w każdym innym miejscu, byle nie tu. Błagam.

— Och, już przestań się pastwić. Posypałam głowę popiołem, więcej nie będę się kajać — mówię, obserwując wysiadającą z terenowego suzuki szczupłą kobietę i towarzyszącego jej mężczyznę w luźnej, lnianej marynarce. — Kuba, chyba jest nasza Dorrie.

Dorrie Hartmussen i Ion Water są Holendrami. Ona ma agencję nieruchomości, on mieszkanie na sprzedaż w Costacciaro. Bez zbędnych ceregieli przyprowadzają nas pod kamienicę, zaraz obok wjazdu do miasteczka, i poprzez zniszczoną, bardzo ciężką i wysłużoną bramę wprowadzają na dziedziniec. Stajemy zachwyceni. W środku panuje mrok i cisza. Słońce, świecące z góry na wewnętrzne podwórko, oświetla jaskrawo tylko fragment kamiennej posadzki. Zieleń w ogromnych donicach, ustawionych symetrycznie w kwadracie wolnej przestrzeni, tłumi światło, nadając mu cieplejszy, łagodny odcień. Wokół dziedzińca ciągną się szerokie arkady, chłodne, pachnące wilgocią i mokrym tynkiem. Sklepione, renesansowe sufity tworzą szare baldachimy, każdy w brudnoniebieskim kolorze. Ceglane ściany budynku, miejscami ciemnoczerwone, miejscami czarne, dotknięte promieniami słońca mocno kontrastują z zimnym kolorem znajdujących się niżej podcieni.

— Wow! — Nie ukrywam swojego zaskoczenia. — Niesamowite!

— No, no, nieźle. Tylko błagam, nie bądź taka ekspresyjna, bo jeśli strzeli nam do głowy, by jednak kupić to mieszkanie, nic nie utargujemy — Kuba łapie mnie w pasie, przyciąga do siebie i przysuwa usta do mojego ucha — złotko.

Kamiennymi, startymi od tysięcy kroków schodami wchodzimy na pierwsze piętro. Na klatce schodowej już nie jest tak pięknie. Pomalowano ją niedawno na biało, dość niedbale i niestarannie, zapewne zamalowując resztki starych farb i spatynowanych tynków, czyli to, co ujęło nas na dole.

Na półpiętrze oglądamy zniszczone drzwi, półotwarte, zapraszające do wejścia, prowadzące w głąb ciemnego mieszkania.

— To jeszcze nie tu — mówi Dorrie — trochę wyżej.

— A tu co jest? — pytam, zaglądając do środka.

— Sąsiedzi — odpowiada Ion — ale teraz ich nie ma, wyjechali.

— Ale ich mieszkanie jest otwarte — zauważam mało odkrywczo, bo przecież wszyscy to widzą.

— No tak. Widocznie zapomnieli zamknąć. Tu nikt inny nie mieszka, jest bezpiecznie.

Spoglądamy z Kubą na siebie.

— Myślisz, że to możliwe? — zastanawiam się głośno. — Chyba że to inscenizacja na naszą cześć.

— Myślę, że w takich małych miejscowościach takie rzeczy się zdarzają, każdy obcy jest widoczny jak plama na obrusie. Dlatego mniej się tutaj ludzie boją. Widziałem na ulicy samochód z otwartymi oknami i kluczem w stacyjce.

— W każdym razie mam mieszane uczucia, wolałabym więcej prywatności.

— Hm, to musimy wybrać Skandynawię. Tam nikt nie będzie ci się narzucał.

— Pamiętasz Danię? Była na wyciągnięcie ręki.

— No, była. Ale się zmyła.

— Jesteś mistrzem ciętej riposty, wiesz? — mówię, gdy Ion otwiera nam drzwi do mieszkania.

Wchodzimy do dużego pokoju, pomalowanego, podobnie jak klatka schodowa, na biało. Wydaję z siebie jęk rozpaczy. Dorrie i Ion zerkają zdziwieni. Trudno, mogą sobie myśleć, co chcą, ale mam powód do jęczenia. W samym wejściu wybudowano coś w rodzaju otwartej kuchni, mały aneks, z nowoczesnych, podłużnych kamieni, a w zasadzie z kamieniopodobnej okładziny, takiej, jaką można kupić w każdej Castoramie. Ścianka ma nierówne poziomy, skacze w górę i w dół, jakby budowniczy chciał koniecznie nawiązać do średniowiecznych zamkowych blanków, jak z bajek Disneya. Wygląda to idiotycznie i smutno, tym bardziej że budynek jest bardzo stary, jeśli nie najstarszy z tych, które żeśmy do tej pory widzieli, a został potraktowany po prostu barbarzyńsko.

— Ion, co to jest? — pytam, wskazując na stojącą przy drzwiach ściankę. — I dlaczego jest takie brzydkie?

— To kuchnia, nie podoba ci się?

— To straszne. Myślałam, że to jakaś fortyfikacja.

Ion mruga oczami i spogląda speszony na Dorrie, a potem na Kubę. Aha, musiał maczać palce w pomyśle z przybudówką. Kuba gromi mnie wzrokiem. Chyba przesadziłam. Ale co ja na to poradzę, że już dawno nie miałam okazji oglądać takiego obrzydlistwa.

— To znaczy, źle się wyraziłam — próbuję poprawić gafę, bo Holender wydaje się mocno wstrząśnięty. — Jest strasznie... dziwne.

Kuba podnosi oczy do nieba i patrzy na mnie z rezygnacją.

— Sam malowałeś? — pyta Iona i zaciąga go do drugiego pokoju. Słyszę, jak zaczynają rozmawiać o farbach i tynkach. Dorrie cofa się parę kroków i przygląda się bez słowa kamiennej ściance. Po jej twarzy widzę, że chyba zaczyna dostrzegać pewien dysonans pomiędzy nią a resztą pokoju.

Rozglądam się po pomieszczeniu. Na ścianach biała farba, prawdopodobnie najtańsza, wygląda brzydko, jak niechlujne wapno. Na podłogach położono nowe cotto, także kierując się wyłącznie ceną. Jest równie wstrętne jak sztuczne kamienie.

Szare, szorstkie i bez jakiegokolwiek połysku. Tandetna masówka. Jedyna prawdziwa ozdoba to ocalały kamienny portal. No i te wysoko umieszczone okna, każde ze schodkiem, na który można się wspiąć i sięgnąć do klamki. Wąskie, zniszczone, ale piękne. W niektórych zachowały się jeszcze falujące, nierówne, jakby płynące szyby. Podchodzę do jednego z nich, wspinam się na stopień i otwieram na oścież. Za oknem rozciąga się widok na Monte Cuccio. Wokół przestrzeń, choć nie można porównywać tego z widokami w Amelii. Tamte wciąż mam pod powiekami, tkwią jak mała drzazga, dokuczliwa i kłująca. Tu jest za mało punktów zaczepienia, różnorodności. Goła, jakby zarośnięta trawą góra robi raczej przykre wrażenie. Brak na niej cyprysów, drzew piniowych, kamiennych domów, porozrzucanych wśród oliwnych drzew i winorośli, brak żółtych plam pól. Nuda.

Zamykam okno i postanawiam szybko obejrzeć resztę mieszkania. Nie ma co tracić czasu. Wolę jechać jak najszybciej na spotkanie z Carlą.

Następne, położone w amfiladzie pokoje wyglądają podobnie. Biała, zwyczajna farba, zwyczajne, nowe cotto, co najwyżej pomalowane w XIX wieku belki na suficie mogą robić jakieś wrażenie, choć na mnie nie robią. Wracamy na korytarz i idziemy na strych. Tam znajduje się druga część mieszkania, czyli dwa duże pokoje i znajdująca się pomiędzy nimi kuchnia. Nigdzie śladu kominka, kamiennego zlewu, starych drzwi. A przecież to wszystko musiało tu być. I pewnie byłoby nadal, gdyby ktoś nie wpadł na pomysł, by wszystko odświeżyć. Te domy są jak skała, trochę się kruszą, sypią, ale nie dają się czasowi. No chyba że ktoś im w tym pomoże. Tak jak tutaj.

Ion zachwala widoki i przekonuje, że jest możliwość zrobienia tarasu. Słucham go z niechęcią. Nie podoba mi się to, co zrobił z tym niezwykłym domem. Właściwie to mnie irytuje. Postanawiam skończyć tę bajkę. Nic tu po nas.

— Ion, wszystko widzieliśmy. Zastanowimy się — mówię, patrząc mu w oczy. — Teraz już musimy jechać.

— Jeszcze na samej górze jest pokoik…

— Dorrie wspominała. Domyślam się, że bardzo ładny. Ale nie mamy czasu. Przepraszam.

— To chociaż zobaczcie piwnice — Ion nie traci nadziei.

— Okej, schodząc, możemy je obejrzeć, jestem ich ciekawa.

W milczeniu schodzimy w dół. Co za dziwaczne rozwiązanie, mieszkanie na dwóch poziomach, bez możliwości połączenia. No, chyba że jedno byłoby na wynajem. Co nie zmienia faktu, że pokoje w amfiladzie mocno komplikują podział.

Kuba schodzi pierwszy i gdy jestem już na dole, zastaję go przy wystającej ze ściany płaskorzeźbie, przypominającej gdańskie rzygacze.

— Zobacz, tędy leciała woda — mówi, wkładając palec do otworu w paszczy. — Musieli mieć tu jakiś system kanalizacji, bo przecież nie mogła wypływać bez przerwy.

— Może był jakiś kran?

Kuba patrzy na mnie z uśmiechem i z politowaniem kręci głową.

— Anka, jaki kran? W średniowieczu?

Ion z Dorrie otwierają wrota piwnicy. W zasadzie jest to poziom parteru, pod arkadami, na każdej ścianie znajdują się zniszczone drzwi. Wieje z nich przyjemnym chłodem.

Cantina, czyli miejsce, gdzie przechowywano wino, jest ogromna. W całości zajmują ją wielkie beczki, poustawiane w dwóch rzędach, zakurzone i puste, w których corocznie składowano nowe zapasy trunku. Są tak wysokie, że sięgają do łukowatego sklepienia. Gdy staję przy jednej z nich, nie jestem w stanie dosięgnąć rozłożonymi rękoma jej końców. Posadzka, z popękanego, czerwonego kamienia, wydaje się mokra. W mroku, który rozświetla tylko małe, zakratowane okienko wychodzące na patio, unosi się złoty kurz, poruszony naszym wejściem. W przeciwieństwie do klatki schodowej i mieszkania, piwnica wydaje się pozostawiona w zupełnie nienaruszonym stanie. Ściany są prawie czarne od starości i dającej się wyczuć wilgoci. Tu widać setki lat przeszłości domu. Piętrzące się w kącie butelki po chianti pokryła gruba, kilkucentymetrowa warstwa kurzu. Tylko wystające gdzieniegdzie fragmenty zielonego szkła i strzępy plecionek pozwalają rozpoznać, co to jest. Przykładam oko do otworu w stojącej najbliżej beczce. Ciemność. I wyraźny zapach wina.

— Ile taka beczka mogła pomieścić litrów? Chyba dobrych kilka wanien. — Spoglądam na Kubę. — Jak myślisz?

— Może z tysiąc?

— I oni to wypijali? Przecież tutaj stoi z czternaście kadzi.

— No, chyba tak. Poza tym przechowywali niektóre wina dłużej, by dojrzewały. Zobacz, jaki ten dom jest ogromny. My oglądaliśmy jego część, zdaje się, że jedną czwartą. Wiesz, ile osób musiało tu mieszkać? Pewnie mieli też służbę, jakichś gości... To było małe przedsiębiorstwo.

Rozglądam się w milczeniu po piwnicy. Ciepło dzisiejszego dnia tu nie dociera. Posadzki i ściany skutecznie chłodzą najmniejszy promyk słońca. Kiedyś ktoś postanowił, że ma tu być zimno, i do dzisiaj natura i dom spełniają jego wolę. Czuję ukłucie smutku. Zaraz mnie tu nie będzie i nigdy już tutaj nie powrócę. Chcę zostawić w pamięci jak najwięcej detali. Na do widzenia dotykam stojącą obok beczkę, mimo warstwy kurzu i brudu. Moja dłoń z przyjemnością odbiera nierówną fakturę struganego ręcznie drewna. Beczka jest chłodna i twarda, czas jej nie szkodzi. Odwracam się do Kuby.

— Jedziemy już, dobrze? — mówię cicho, spoglądając na zajętych rozmową Dorrie i Iona. — A nasi Holendrzy muszą szukać dalej.

— My też.

— No tak.

— Ale piwnica zjawiskowa.

— Może w naszym domu też będzie taka? — dodaję, kierując się do wyjścia. Rzucam jeszcze okiem na wzmocnioną żelaznymi ćwiekami bramę, na umieszczony na wysokości oczu wizjer, małe okienko z grubą kratą i małymi drzwiczkami, spoglądam na zacienione, kamienne posadzki pod arkadami i wychodzę na zalaną słońcem, wyasfaltowaną ulicę. Znów jestem w rzeczywistym świecie.

7.

W Sansepolcro jesteśmy punktualnie. Miasteczko wita nas popołudniowym, ciągle gorącym słońcem. Mijamy powoli przedmieścia, na ulicy jest spory ruch. Przy niewielkim rondzie stoi nowy kościół, wybudowany prawdopodobnie w latach osiemdziesiątych, tak brzydki, że wzdycham z rezygnacją. Ceglane ściany, wzmocnione betonowymi przyporami, i wielkie nowoczesne okna wyklejone czymś, co ma przypominać witraże.

— Kuba, czy to jakaś kara boża, że nawet tutaj musimy oglądać takie potworki? Halo, halo, czy Bóg tam jest?

— A myślałem, że już się przyzwyczaiłaś do skoczni narciarskich z krzyżem na dachu. Pamiętasz ten kościół na Kaszubach? Malutka, piękna wioska, wokół lasy i wzgórza, i nagle wielki, szary potwór z betonu, ze schodami jak z rewii i rozpaczliwym napisem „Boże, przybywaj!".

— A Bóg nic.

— Zawsze zastanawiałem się, jak te biedne staruszki wdrapują się na górę, po tych gigantycznych schodach, by wejść do środka. Prawdziwa droga przez mękę, nie sądzisz?

— Albo droga do zbawienia. W każdym razie ja nigdy się nie przyzwyczaję. We mnie te budowle budzą grozę.

— Może o to chodzi? — Kuba uśmiecha się i na światłach skręca w prawo.

— Ale przecież oni mają tutaj takie wzorce, wystarczy sięgnąć i czerpać garściami.

— Czytałem gdzieś, że robiono badania i okazało się, że katolicy mają większą potrzebę uzewnętrzniania swoich indywidualnych pragnień. W przeciwieństwie do protestantów, którzy są bardziej kolektywistyczni i nastawieni na współdziałanie w społeczności. No i masz. Polak, Włoch, dwa bratanki. Będziemy się tu dobrze czuć.

Z trudem znajdujemy miejsce na parkingu przy murach miejskich. Rozglądam się z ciekawością. Nasza ostatnia wizyta, zimą, nie zostawiła w mojej pamięci zbyt wielu śladów. Pamiętam plac, rozświetlone wystawami ulice, sklep z okularami i przyjemne ciepło kawiarni. Opadającą w dół ulicą idziemy w stronę bramy miejskiej, całej z kamienia, monumentalnej, wewnątrz której widać główne *piazza*. Kamienne płyty, którymi wyłożony jest wjazd, wyżłobione przez wodę i czas, pełne są dziur i zagłębień. Po drodze mijamy dwa kościoły i katedrę. Wysokie podcienie Palazzo Vescovado, zaraz obok Duomo, oświetlone popołudniowym słońcem, wydają się pochylać nad ulicą. Miasto jest bardziej wyniosłe, zadbane, dostojne. To nie skromna Amelia, małe Pontremoli czy nawet imponujące Todi. Bogate, potężne kamienice świadczą o dawnej świetności.

— Fajnie tu — mówię, zakładając okulary słoneczne. — Inaczej.

— Hm, większy rozmach — odpowiada Kuba — i płasko.

Sansepolcro położone jest w dolinie Tybru. Z jednej strony opiera się o Apeniny, które górują nad miastem. Z drugiej strony rozległej doliny majaczą kolejne góry. Pewnie dlatego dawni budowniczowie mogli sobie tutaj pozwolić na szersze ulice i wyższe domy. Przyroda im w tym nie przeszkadzała.

Na głównym placu stajemy, zgodnie z umową przy sklepie z książkami, i przyglądamy się widokówkom. Na zdjęciach z lotu ptaka widać, że mury miejskie otaczają stare centrum z każdej strony, tworząc po czterech stronach forteczne umocnienia. Biorę do ręki pocztówkę przedstawiającą mężczyznę w kolorowym, stylizowanym stroju, opartego o wysoką kuszę. Ma skupiony wyraz twarzy, patrzy w napięciu gdzieś w dal. Inna przedstawia rudowłosą kobietę w długiej sukni z granatowego aksamitu z ozdobnymi kremowymi wstawkami w bufiastych rękawach. Spod dużego dekoltu wystaje biała, delikatna koronka. W upięte misternie włosy wplotła sznur pereł, który nachodzi na czoło. Wygląda jak piękność ze średniowiecznych obrazów Piera della Francesca. Stoi na tle mijanej przez nas przed chwilą bramy i tajemniczo uśmiecha się do mnie ze zdjęcia. Chcę przeczytać na odwrocie, dlaczego kobieta jest tak ubrana, gdy ktoś dotyka mojego ramienia. Podskakuję przestraszona.

— *Ciao*. Anka, Kuba?

Odwracam się gwałtownie, mrugam oczami i patrzę zdezorientowana. Kobieta z pocztówki stoi obok. Ma te same rude, trochę krótsze włosy, okulary i szarą sukienkę, ale to ona.

— Carla? To ty? — pytam bez sensu, patrząc na pośredniczkę i trzymaną w ręku fotografię.

Carla uśmiecha się szeroko i podaje mi rękę. Kuba, do tej pory stojący z boku, przy stoisku z gazetami, patrzy zaskoczony.

— To wy się znacie?

Pokazuję mu pocztówkę.

— Ach — Carla macha ręką — to zdjęcie z Palio. We wrześniu w Sansepolcro mamy fiestę, Palio della Balestra. Biorę w tym udział, zresztą, nie ja jedna.

— Piękny strój. — Kuba przygląda się pocztówce.

Carla śmieje się, odsłaniając równe, piękne zęby. Zastanawiam się, ile może mieć lat. Drobne zmarszczki w kącikach ust świadczą niezbicie, że dawno przekroczyła trzydziestkę, ale szczupła sylwetka, lśniące, gęste włosy i młoda twarz nie pozwalają jednoznacznie określić wieku.

— Ale laska — szepczę do Kuby po polsku.

Carla opowiada o Palio i dopytuje się o nasze plany.

— Gratuluję odwagi, nie każdego stać, by porzucić dotychczasowe życie i zacząć wszystko od nowa. Włosi nie robią zbyt często takich wolt. Zbyt mocno jesteśmy związani z rodziną.

— No, chyba że się wszystkich ze sobą zabierze — odpowiadam.

— Niestety, to niemożliwe, znikałyby wówczas całe miasta — śmieje się Carla. — W małych miejscowościach wszyscy są ze sobą skoligaceni.

Z placu wchodzimy na malutką uliczkę, tuż przy sklepie z ubraniami. Sprzedawca, starszy siwy pan, podciąga ze zgrzytem zniszczoną markizę, kręcąc zawzięcie długim drągiem. W tej części placu jest już cień i nie trzeba chronić wystawy przed słońcem.

Ulica jest wąska i nie ma możliwości wjechać w nią samochodem. Dopiero kilkanaście metrów dalej rozszerza się i od tego miejsca zaczynają parkować na niej auta. Małe, ciasno przytulone do siebie domki zacieniają chodnik i dają miły chłód. Czerwone pelargonie wylewają się ze stojących na parapetach doniczek.

— To jedna z najlepiej zachowanych średniowiecznych uliczek w mieście — mówi Carla. — Zresztą również jedna z najstarszych.

— Byliśmy tu zimą, ale wchodziliśmy na nią z drugiej strony. Tam niżej wydaje się szersza.

— Bo tak jest. W szesnastym wieku, po walkach gibelinów z gwelfami, została przebudowana i zmieniono jej położenie. Stąd ten niewielki zakręt. Kiedyś prowadziła prosto.

— Gwelfowie? — patrzę na Kubę. — A co to za dziwna nazwa? Brzmi jak z „Władcy pierścieni".

— Dwa stronnictwa, papieskie i władzy świeckiej. Czytałem, że ten podział mocno zapisał się w heraldyce miast. Gibelinowie umieszczali w herbach czarnego orła, a gwelfowie trzy złote lilie.

Patrzę z podziwem na Kubę i nagradzam go małymi oklaskami, podczas gdy Carla zatrzymuje się i zaczyna grzebać w swojej przepastnej torbie. Rozglądam się. To chyba tu. Stoimy przed odrapaną, zniszczoną kamienicą. Wielkie, drewniane wrota i znajdujące się zaraz obok duże, wejściowe drzwi są szare i spłowiałe od wody. Gdzieniegdzie wiszą długie pajęczyny. Tuż nad skrzynką pocztową, na wysokości oczu, ktoś przypiął kartkę z napisem „Vendesi", czyli „sprzedam", i dopisaną ręcznie informacją po włosku. Nie potrafię jej odczytać. Czerwony anons, jedyny barwny element na tym smutnym, szarym budynku. Teraz kartka jest spłowiała, pogięta i szorstka od deszczu, który musiał moczyć ją przez dłuższy czas. Okrągłe, kiedyś złote kołatki na bramie są zaśniedziałe i bez połysku. Widać, że dawno nie dotykała ich żadna ręka. Tak jak nikt nie sprawdzał poczty, z otworu na listy wystaje gruby plik zapomnianych, starych ulotek reklamowych. Krata w okienku na parterze jest zardzewiała i skrzywiona w jednym miejscu, kiedyś prawdopodobnie zahaczył o nią jakiś samochód, który próbował przeciskać się uliczką. Tynk odpada płatami, tworząc na elewacji ciemniejsze plamy. Popołudniowe słońce oświetla wyższe kondygnacje i brudne, zatrzaśnięte okna. „Ten dom jest pusty" — wydają się mówić z wysoka. Brak okiennic sprawia, że budynek wygląda na większy i szerszy od pozostałych. Gdyby nie dwa kamienne portale na parterze, przetrącona krata i renesansowe drzwi, nic nie wskazywałoby, że to włoskie *palazzo*. Równie dobrze mógłby to być dom na Oruni w Gdańsku.

— Kuba, to tutaj — mówię, zadzierając głowę. — Smutny domek.

— Domek? To wielka kobyła. Zimą wydawało mi się, że jest mniejszy.

Carla wyciąga z torebki pęk kluczy, znajduje właściwy i popycha drzwi. Otwierają się z głośnym skrzypieniem. Ze środka uderza w nas chłodne powietrze. Wchodzimy i stajemy w zagraconym holu. Tym razem coś widać.

Wszędzie stoją porozstawiane różne narzędzia, części samochodowe i pojemniki z jakimiś kablami. Na ustawionych pod ścianą półkach piętrzą się zakurzone kartony. Na podłodze leżą rury, pręty i przewody elektryczne. Stłumione światło słoneczne wpada przez przeszklone półokrągłe okno nad wejściem, przedzierając się przez wieloletnie warstwy brudu na szybach i zwisające, grube jak koc warstwy pajęczyn.

Przedpokój jest duży i nawet porozrzucane wokół graty nie pozbawiły go uroku. Dwa kamienne, długie na całą szerokość stopnie dzielą go na dwie części. W dali widać szarą kolumnę z ładnym zwieńczeniem, stojącą przy wejściu na wyższe piętra. Z rozbitego, połamanego dachu pada na nią zimne, prawie niebieskie światło.

— Piękny dom — odzywa się w końcu Carla, zręcznie omijając sprzęty i stając przy kolumnie. Gładzi spękaną warstwę farby i patrzy na nas z uśmiechem. — Ma klimat i potencjał. Jeśli tylko będzie miał szczęście i trafi w dobre ręce, to uda się z niego wydobyć wszystkie uśpione i pochowane do tej pory cuda.

Stoimy chwilę bez słowa, rozglądając się w ciszy. Pokryte kurzem przedmioty, łagodnie oświetlone ciepłym światłem wydają się wygłuszać wszystkie dźwięki. Włosy Carli w szarym świetle, wpadającym z góry, wydają się czerwone. Jej szara sukienka zlewa się z kolorem kolumny.

— Jeśli nie będziecie nim zainteresowani, pokażę wam inne w Sansepolcro, ale według mnie ten jest najciekawszy — Carla przerywa nasze milczenie. — Oczywiście wy decydujecie, co tak naprawdę jest wam potrzebne.

— Wymaga bardzo dużo pracy — mówi Kuba i staje przy kolumnie.

— Tak. Przez czterdzieści lat stał pusty. Wszystkie instalacje, część podłóg, okna, wszystko to jest do wymiany. — Carla otrzepuje ręce i staje przy studni. — To kosztowne prace.

Stajemy koło wejścia do piwnicy i patrzymy w górę. Zbrojona szyba, oparta na pogiętych, przerdzewiałych od wody profilach, jest podziurawiona jak sito. Nad nami widoczne jest niebieskie niebo i okna na bocznych ścianach, wychodzące na mikroskopijne podwórko. Przed nami znajdują się półotwarte drzwi do wilgotnego, mrocznego schowka. Zaglądamy tam z Kubą razem, ostrożnie, bo zalewany latami sufit wybrzuszył się i wypaczył. W środku stoi samotnie brudny, czarno-zielony klozet. Czyli tu kiedyś była toaleta.

— To miejsce należy do domu? — pytam, cofając się szybko.

— Tak, teraz jest okropne, ale można tu zrobić wewnętrzne patio.

— Metr na metr?

— A czemu nie? — odpowiada Carla, wzruszając opalonymi ramionami. — To może być bardzo piękne.

Mijamy zabudowaną do wysokości metra studnię, która zimą napędziła nam strachu, i przez niskie przejście, stając przez chwilę na chybotliwym kamieniu, wchodzimy do małego pokoju, czy raczej składzika tuż obok kuchni. Mur oddzielający te dwa pomieszczenia jest gruby prawie na siedemdziesiąt centymetrów i zbudowany z dużych kamieni. Ktoś próbował wyrąbać w nim szersze przejście i obmurować cegłami, ale widać, że albo był pijany, albo nie miał dobrego dnia. Wszystko jest krzywe i ledwo się trzyma. Sufit jest półokrągły, zatarty starym, nierównym tynkiem, ale ściany wyłożono nowymi, brzydkimi cegłami i w jednej z nich wmurowano sejf.

— Jezu, a to co znowu? — pytam Carlę, pokazując skrytkę. — Po co komu w takiej graciarni sejf?

Carla ze śmiechem pokazuje mi dalsze pomieszczenie.

— Daj spokój. Właściciel jest bardzo nieufny. Widziałaś kominek?

Wchodzimy do ogromnej kuchni. Na podłodze, wyłożonej ładnym cotto, stoją stare komody z wyjętymi szufladami. Oprócz tego jest jeszcze motor yamaha, pordzewiałe narzędzia rolnicze i spiętrzone w kącie worki z cementem. Do środka, podobnie jak w holu, wpada słońce przez zakurzone okno. Pyłki kurzu wirują, błyszcząc fioletowo i zielono w powietrzu. Wszędzie panuje przyjemny chłód. Stajemy z Kubą i patrzymy na kominek, zagruzowany tak samo jak zimą. Od tamtej pory nikt nie tknął tej góry pokruszonego tynku w palenisku.

— Jak wam się podoba? Niezły, prawda? Tu była kuchnia. Kiedyś ten dom i kilka przyległych tworzyły kompleks Palazzo Gerardi. Tu się gotowało — mówi Carla i zagląda do komina.

Wychylamy się za nią. Przewód kominowy jest szeroki i czarny od smoły. W górze jaśnieje duży prostokąt nieba. Z przyjemnością zaciągam się zapachem drzewnego dymu. Kamienne podpory podtrzymujące okap są osmolone od wewnątrz, tak jak cała wewnętrzna ściana. Wbity w ścianę wielki hak służył prawdopodobnie do mocowania rusztu. Przez chwilę wyobrażam sobie, jak zawieszano nad paleniskiem prosię i rozpalano ogień. Trzask płonącego drewna, zapach pieczeni, kuchenny rozgardiasz. Jak wówczas wyglądał ten dom, kuchnia i ulica? I ludzie, którzy przez setki lat tu mieszkali i pracowali?

— Fajny — Kuba wyrywa mnie z zamyślenia — nareszcie rozumiem te wszystkie anglosaskie historie ze Świętym Mikołajem i wślizgiwaniem się przez komin z prezentami. Całe życie męczył mnie widok faceta, który próbuje wcisnąć się do dwusetki.

— Ile lat ma dom? — pytam.

— Trudno dokładnie określić — odpowiada Carla. — Ta część jest prawdopodobnie piętnastowieczna. Piwnice mogą być starsze.

Dotykam ściany. Pod palcami czuję chłodną chropowatość tynku. Pięćset lat temu ktoś już tu przebywał. Szedł po tej podłodze, przystawał na chwilę, zamyślał się, spoglądał na ten sam sufit, na który teraz ja patrzę. Otwierał okno, kucał przy palenisku, ścierał pot z czoła.

Zostawiam Kubę i Carlę. Przechodzę ponownie przez hol i schodami wspinam się na górę. Kuta, prosta poręcz przyjemnie chłodzi dłoń. Jest gładka od przesuwających się po niej latami czyichś dłoni. Kamienne stopnie, zużyte i starte od setek, tysięcy kroków prowadzą mnie na pierwsze piętro. Pokój po prawej, zalany słońcem, prawie pusty w porównaniu z dolnymi pomieszczeniami, jest wyraźnie cieplejszy. Nie dociera tu już chłód piwnic i zimnych posadzek. Na ścianie, zaraz obok kominka, brzydkiego i nowoczesnego, zieje wielka dziura. Zaglądam do niej. To przewód kominowy, który oglądaliśmy przed chwilą. Słyszę odgłosy rozmowy, ale rozróżniam tylko pojedyncze słowa Carli i Kuby. Otwór pachnie palonym drewnem. Przechodzę do kolejnych pomieszczeń, starając się zapamiętać rozkład. Dwa małe pokoje, rozmieszczone symetrycznie po dwóch stronach kominka, mają w wejściach solidne kamienne portale, teraz zamalowane białą farbą. Okna jednego z pokoików wychodzą na ulicę, drugiego na podwórko-studnię. Otwieram je i wychylam się na zewnątrz. Szary, brzydki tynk złazi wielkimi liszajami. Mimo że dzień jest słoneczny, tutaj panuje mrok i zimna szarość. Na ścianie obok jest okno sąsiadów z ładną, ozdobną kratą. Zapalona nad blatem lampa oświetla czyjąś kuchnię. Odwracam się. Czuję się niezręcznie, zaglądając w cudze okno.

Dom, dzięki dziennemu światłu i ciepłu słonecznych promieni, ożył. Zimą był nieprzyjemnie opuszczony i obcy. Panujące wówczas ciemności sprawiały, że nie dawał się ogarnąć. Był bezkresny i nieuchwytny. Teraz widzę sufity, podłogi, dotykam ścian, drzwi, czuję drzewny zapach i odnajduję w nim życie. Nie zwracam uwagi na bałagan, bo to tylko śmieci. Fakt, że w nieprzebranej ilości, ale wszystko to rzecz ruchoma, może zniknąć. Natomiast tajemnicza studnia, kolumna i światło wpadające przez szklany sufit zostaną tu na zawsze.

Podoba mi się tutaj. Podoba mi się prostota domu, jego zwykłość. Dzięki temu potrafię zobaczyć siebie, jak wieszam pranie lub robię sobie kawę. Pospolite czynności, życie bez onieśmielających znaków przeszłości, tak przytłaczających w palazzo Banti. Jednocześnie cieszy mnie obecność dyskretnych detali, które świadczą, że dom ma swoją historię, opowieść, która trwa od wieków. Czuję podekscytowanie i radość, że tu jesteśmy.

Kuba cicho staje za mną i całuje mnie w szyję. Odwracam się do niego.

— Zobacz, co mam. — Uśmiecha się i potrząsa kluczem. — Carla musiała wrócić na chwilę do biura. Możemy sobie sami wszystko pooglądać, a potem spotkamy się z nią na kawie.

Zarzucam mu ręce na szyję.

— Cieszę się.

— Z klucza?

— Też. I że możemy tu dziś być. To twój pomysł.

— Zadowolona?

— Tak. Ile mamy czasu?

— Godzinę.

— To co — odsuwam się od niego — zaczniemy od góry?

Wracamy na korytarz i zdezorientowani chcemy schodzić na parter. Gubimy się w labiryncie przejść i pokoi, by w końcu odnaleźć właściwe schody. Wspinając się na nie, stajemy na półpiętrze i zaglądamy przez zakurzone okno na podwórko wewnętrzne. Na dole widać zadaszenie oglądanej wcześniej toalety i roztrzaskany szklany dach. Stoimy obok siebie w milczeniu.

— Ciekawe, czy są tu duchy — odzywa się w końcu Kuba — jak myślisz?

— Gdzie studnia, tam Samara. Na pewno w nocy słychać kroki i pobrzękiwania łańcuchów.

— I jęki. — Kuba zaczyna naśladować mój przyspieszony oddech, gdy się kochamy: — Tak... tak... och... Nie, czekaj, tutaj to będzie *si... si...*

Ze śmiechem próbuję uderzyć go w ramię, ale się uchyla.

Kuba otwiera okno i wychyla się przez nie, patrząc w górę. Przyglądam się plątaninie rur kanalizacyjnych, biegnących po ścianie. Wygląda to jak skrzyżowanie autostrad w Detroit. Nie do zrozumienia.

— I co? — pytam. — Co o tym sądzisz?

Kuba zamyka okno i milczy. Siłuje się chwilę z klamką, a właściwie zasuwką, której bolce wchodzą w górny i dolny uchwyt.

— No?

— Nic. To nie jest zabawa dla normalnych ludzi. Tu trzeba szalonej determinacji.

— Czyli coś dla nas?

— Jesteśmy wariatami, ale przez przesady. Ja mówię o kompletnym szaleństwie.

Wchodzimy na drugie piętro. Po prawej, tak jak piętro niżej, duży pokój, mniej więcej trzydziestometrowy, i dwa mniejsze. Na podłodze leżą czerwone, ładne cegły, ale sufit straszy wielkimi zaciekami. Brunatne plamy sięgają ścian, gdzieniegdzie zieją czarne dziury po pokruszonych pianellach, sufitowych cegłach. Niektóre belki wiszą, jakby miały zaraz spaść nam na głowy. Widać, jak woda lała się latami, spływała po ścianach, zalewała kominek i piętra niżej. Tynki są żółte, z ogromnymi liszajami, złuszczona farba wybrzuszyła się i miejscami spadła.

— Chryste, to największa demolka, jaką do tej pory widzieliśmy. — Staję z zadartą głową na środku pomieszczenia i przyglądam się plamom i falującym belkom. — Ten sufit zaraz runie. Tego przecież nie da się naprawić.

— Zapomniałaś o Todi.

— Todi to była ruina cywilizowana. A to jest żywioł. Wszystko wisi. Dotkniesz i spadnie.

— Zaraz tam spadnie. — Kuba otwiera okno, przygląda mu się uważnie i wychyla się. — Brak ci wiary.

— A tobie rozumu.

— Carla powiedziała, że właściciel naprawił dach. Już nie cieknie. — Kuba staje obok mnie. — Uważaj, za tobą leży umywalka, nie potknij się. To stare, suche zacieki.

— To nie są zacieki, to jeden wielki zaciek.

Oglądamy pokój po pokoju. Mały, od strony ulicy, wygląda całkiem, całkiem. Ale drugi, równie niewielki, z oknami wychodzącymi na podwórko, nie ma sufitu. Pozostała jedna samotna belka, nad którą widać drewnianą konstrukcję dachu. Carla miała rację, jest nowy.

Wychodzimy na korytarz. Po jego drugiej stronie jest kolejny pokój, duży, dwudziestokilkumetrowy, z wbudowaną w ścianę dużą, starą szafą. Wysokie, pociemniałe od deszczu i starości okno wychodzi na nieznane nam podwórze. Uchylamy ostrożnie okiennicę, by nie naruszyć zwisających, grubych pajęczyn. Na dole widać zarośnięty trawą placyk, zabrudzone przez ptaki schody, a przed nami ścianę jakiegoś domu, piękną, kamienno-ceglaną, z pomalowanymi na szaro, zamkniętymi na głucho oknami. Wydaje się, że nikt od lat tu nie zaglądał. Panuje zupełna cisza.

— Ale ładne. Zobacz, ile gołębi — pokazuję siedzące na gzymsie ptaki. — I ta ściana, wygląda jak splot jakiejś tkaniny.

— Skąd to tu się wzięło? — zastanawia się Kuba.

— Ale co?

— No, to podwórko.

— Jezu, zawsze tu pewnie było.

— Musimy poprosić Carlę o plany. Bez nich ten dom to dziki labirynt.

Na końcu korytarza jest jeszcze jeden pokoik. Ten także nie ma sufitu. Pogięte pręty, wystające ze ścian, świadczą o tym, że musiał tu kiedyś być sufit kleina. Przez małe okno wpada do środka światło odbite od ceglanej ściany naprzeciwko i zalewa pomieszczenie pomarańczową, nierealną poświatą.

Wracamy na korytarz. Całą jedną ścianę zajmuje metalowe fabryczne okno z początku XX wieku. Delikatna klameczka, pokryta złuszczającą się farbą, ma napis „Paris".

— Chodź tu, idziemy na strych. — Kuba otwiera jeszcze jedne drzwi i wyciąga do mnie rękę. Za nim widać wąskie, drewniane schody. Uderza w nas gorące powietrze z wyczuwalnym zapachem kociej toalety. Schodki są chybotliwe i strome, przytrzymuję się zawieszonej na jednej ze ścian liny i podciągając się, wspinam się wyżej. Stryszek to małe, niskie pomieszczenie o stromym suficie. Można stanąć wygodnie tylko w wąskim przejściu. Przez spękane, rozeschnięte drzwi na końcu korytarza wpadają wąskie strumienie słonecznego światła i rozpraszają mrok. Kuba, by je otworzyć, musi rozebrać dziwną konstrukcję z rynny i metalowego drąga, która wspiera wejście i podtrzymuje drzwiczki. W końcu udaje mu się szarpnięciem wyciągnąć rynnę i wychodzimy na taras.

— O cholera — mówię zaskoczona. — Kuba, to sen dekarza.

Taras ma około dwudziestu metrów kwadratowych i ze wszystkich stron otoczony jest dachami i ścianami innych budynków. Stare, średniowieczne dachówki tworzą całe przestrzenie falujących, czerwono-czarnych powierzchni. Wystające zewsząd kominy to wielka wystawa ludzkiej kreatywności. Każdy jest inny. Metalowa, gięta barierka zamyka taras z przodu i chroni przed wpadnięciem do podwórka-studni.

— I co ty na to? — pytam.

— Mnie się podoba.

— Nie ma widoków, tylko te dachy — marszczę nos — i dachy.

— No właśnie. Przepiękne.

Rozglądam się dookoła. Na daszek naprzeciwko ostrożnie wskakuje szary, duży kot, sadowi się wygodnie na krawędzi i zaczyna nam się przyglądać. Łapki wsunął pod tułów i mruży lekko oczy. Widać, że to jego teren, teraz spokojnie czeka, aż go opuścimy. Ogon zwisa mu z boku, nieruchomy, tylko sam koniuszek porusza się prawie niedostrzegalnie na boki.

— Zobacz, to Pan Smrodek. Czeka, aż zapomnimy zamknąć

drzwi, zawsze to milej siknąć pod dachem niż na powietrzu. — Wyciągam rękę w stronę kota. — Kici, kici, chodź tu.

— Anka, on nie rozumie po polsku. — Kuba ogląda przykryty folią fragment przeszklenia na podłodze tarasu, ogrodzony pogiętą barierką. — Lepiej chodź tutaj, potrzymasz mi folię.

Zostawiam nieruchomego kota, który wyniośle odwrócił głowę, i ostrożnie łapię koniec brudnej, czarnej folii.

Kuba ogląda dachowe okno, wmurowane dawno temu, pewnie w latach siedemdziesiątych, z popękaną, zbrojoną szybą, ledwie trzymającą się ramy.

— To okno całe jest do wymiany. Brzydkie i przecieka. Gdyby w tym miejscu zrobić szybę, po której można byłoby chodzić, i zlicować ją z poziomem posadzki tarasu, to jednocześnie udałoby się uzyskać okno dla pomieszczeń niżej i podłogę tutaj. Dodatkowy metr powierzchni.

— Jak powiedziałaby babcia Marcia: piechotą nie chodzi.

Stoimy w ciszy na tarasie, słońce pomarańczowo oświetla ceglaną ścianę budynku za nami. W przyokiennym ogródku stoją doniczki z bazylią. Biała doniczka i zieleń rośliny wyglądają malowniczo no tle chropowatych, wypłukanych cegieł. Na niebie widać krzyżujące się w powietrzu, złote ślady po przelatujących samolotach. Jest cicho i spokojnie. Kot chyba zasnął, siedzi bez ruchu, z zamkniętymi oczami, nawet jego poszarpane w walkach uszy śpią.

— Kuba, dobrze mi tu.

— Mnie też.

— Ale te sufity, zniszczone podłogi... To nie dla nas. Polegniemy tu i wiatr zasypie nasze kości.

— Mnie się podoba. To dopiero byłaby walka z materią. Żuławy się nie umywają.

— Brakuje ci mocnych wrażeń? Chcesz więcej *hardcore'u*?

— Wchodzę w wiek średni. — Kuba uśmiecha się lekko. — Ostatnia szansa na to, by poczuć smak życia.

— Kup sobie harleya, to motory niespełnionych sześćdziesięciolatków.

— Mam czas.

— To o co chodzi?

Kuba rozgląda się uśmiechnięty po okolicznych dachach, zatrzymuje wzrok na śpiącym kocurze, w końcu patrzy na mnie.

— O to, by od czasu do czasu dostać po głowie, by nie wpaść w samouwielbienie i stan przedśmiertnego zadowolenia.

— I ten dom ci to zapewni?

— Nie wiem. Ale dobrze rokuje. Jest w sam raz zdewastowany i w sam raz piękny.

— Jest całkowicie zdewastowany. Zajeździ nas na śmierć. Będziemy przeklinać chwilę, w której tu trafiliśmy. To będzie niekończąca się historia. W końcu się znienawidzimy i rozstaniemy.

— Wytaczasz najcięższe działa. Damy radę. Będę pracował jak wół.

Milknę. Słońce skryło się za dachem. Ściana za nami zgasła i zszarzała. Taras zaczyna stygnąć, czuję chłodniejsze podmuchy powietrza. Kot zniknął bezszelestnie, znudzony czekaniem. Nie wiem, co myśleć. Podoba mi się ten dom, ale czuję, że ryzykujemy. Że coś się tu zdarzy złego. Z drugiej strony, jesteśmy ostrożni. Kuba potrafi wiele rzeczy, jest zaradny i pracowity. A studnia i kominek kuszą.

— Na pewno jest tu jakaś kolejna mina.

— Nie ma — odpowiada Kuba, oparty o ścianę.

Podnoszę brwi i patrzę na niego wyczekująco.

— Widziałem na dole napis: „Min niet".

Wybucham śmiechem. Odganiam złe myśli. Może on ma rację. Może to jest to, czego szukamy. Może to będzie nasze miejsce. W popołudniowym świetle wszystko wydaje się takie oswojone, do ogarnięcia. Pokoje są przytulne i miłe, mimo zniszczeń i stosu zakurzonych gratów.

Kuba odrywa się od ściany i przygarnia mnie do siebie.

— No, już przestań baniaczyć. Obejrzymy dom jeszcze raz? Liczyłaś pokoje?

— Nie, ale możemy policzyć.

— Jeden na dole, z kominkiem. Drugi ten mały zaraz obok, bez okna.

— Na pierwszym piętrze trzy, jeden duży i dwa małe, razem pięć. Na drugim to samo.

— Osiem.

— Jeszcze ten z szafą w ścianie i mały, na końcu korytarza — dodaję.

— Dziesięć.

— No i jeszcze kaplica na pierwszym, ta z freskami, dzisiaj tam jeszcze nie byliśmy.

— Czyli jedenaście plus dwie piwnice.

— Oszaleję, jeśli będę miała to sprzątać.

— Samo otwarcie i zamknięcie okien zajmie nam pół dnia.

— Nie znamy przepisów, materiałów, fachowców... — zaczynam wyliczankę. — Nic, nic...

Kuba całuje mnie w usta, przyciskając mocno do siebie.

— Cicho... już nic nie mów...

— Ale...

— Zrobimy wszystko tak, żeby było dobrze... okej? Będziemy się wszystkiego uczyć. Wszystko poznamy. Ludzi, techniki, język. — Kuba bierze moją twarz w swoje dłonie. — Jesteśmy tu razem i wszystko się uda.

Wdycham z przyjemnością zapach jego skóry. Ściskam mocno jego dłoń i całuję jej wnętrze.

— A miny? — mówię, patrząc mu w oczy.

— Wszystkie rozbroję. Dla ciebie.

8.

— Nareszcie — mówi Carla i zabiera z krzesła torebkę, robiąc mi miejsce obok siebie. — Już myślałam, że wyjechaliście bez pożegnania.

Jest prawie siódma. W Kappa Caffè, przy głównej ulicy, jest pełno ludzi. Wieczorna pora aperitifów przed zbliżającą się kolacją. Na ulicach przesuwają się tłumy ludzi w różnym wieku, wszyscy na tradycyjnej *passeggiata*. Siadamy przy stoliku, zaskoczeni patrzymy na powolny pochód mieszkańców. Jestem oszołomiona. Z cichego, pustego domu i z innej rzeczywistości nagle, jak w wehikule czasu przenieśliśmy się w głośne tu i teraz. Zamawiamy zimne piwo.

— Carla, czy to normalne, codzienne — wskazuję na zatłoczoną ulicę i zapalam papierosa — czy macie dziś jakąś uroczystość?

Carla poprawia okulary i uśmiecha się szeroko.

— Dziś jest sobota, zawsze pod koniec tygodnia na ulicach jest tłoczno. Przyjeżdża sporo ludzi z okolic, sklepy są otwarte.

Kelnerka stawia przed nami szklanki, miseczkę z chipsami i talerz z malutkimi tartinkami. Teraz czuję, jaka jestem głodna.

— I jak rekonesans? — Carla patrzy na nas wyczekująco. — Obejrzeliście wszystko dokładnie?

— Tak. Walczymy z myślami. I z sobą. — Patrzę na Kubę, który spokojnie nabija fajkę. — Trochę się różnimy.

Carla co chwilę pozdrawia kogoś na ulicy. W końcu to małe miasto, w którym wszyscy się znają. Zastanawiam się, ile razy dziennie ludzie tu mówią sobie dzień dobry. Czy tylko raz, rano, czy może za każdym razem, gdy się widzą. Ratuje ich to, że rano witają się inaczej i wieczorem też inaczej. Zawsze to jakieś urozmaicenie. Przyglądam się Carli raz jeszcze. Ma niezwykły kolor włosów, rudy blond, lekko dymny, intensywny. Dobry fryzjer czy szczodra natura? Włosy są błyszczące, zdrowe, nie widać, by były farbowane. Myślę, że to dobry fryzjer.

— Zarezerwowałam wam hotel w centrum, w Ristorante Fiorentini — mówi Carla do mnie — wspominałaś, że chcecie zostać na noc.

— Tak, dziękuję. Farbujesz włosy czy masz takie naturalne? — pytam, patrząc na jej fryzurę. — Bo wiesz, gdybyśmy mieli tu zamieszkać, to przyda mi się kontakt do polecanego zakładu.

Uśmiecham się zadowolona, że znalazłam usprawiedliwienie dla własnego wścibstwa.

— Pół na pół. Z natury mam rude, ale niestety, teraz pełno już w nich siwizny. Więc farbuję, ale staram się, by był to mój naturalny. Jak będziesz chciała, pójdziemy razem, pokażę ci, gdzie to jest.

— Wyglądają super. Jestem pod wrażeniem. W ogóle świetnie wyglądasz.

— Dziękuję — Carla ściska moją rękę na stoliku — to miłe. Mam dorosłą córkę, studiuje w Perugii.

— O! Ja też. Marta ma dwadzieścia dwa lata.

— Nie wierzę. Ile masz lat?

— Halo, czy mogę? Mam pytania. — Kuba puka łyżeczką w szklankę i patrzy na mnie wymownie. — Ważne pytania.

Milkniemy na chwilę. Kuba przygląda się nam bez słowa. Odchylił się na krześle i patrzy z uniesionymi brwiami. Typowe belferskie miny.

Odwracam się do Carli.

— Czterdzieści dwa, a ty?

— Czterdzieści pięć skończę w lipcu.

— Lew, prawda?

— A ty?

— Byk.

— Dobry znak. Spokój i dostatek.

— To może ja się przejdę — wtrąca Kuba, odstawiając piwo.

Sięgam ręką do jego twarzy i głaszczę go po policzku.

— No już dobrze, teraz ty, słuchamy. Tylko się nie naburmuszaj.

— Jeszcze chwila, a zaraz dowiedziałbym się wszystkiego o porodach, rozstępach i najlepszych środkach do depilacji.

Wybuchamy śmiechem. Naprzeciwko kawiarni, w drzwiach małego sklepiku spożywczego, staje sprzedawca w białym fartuchu i furażerce i oparty o futrynę, głośno gwiżdże. Za nim, na półkach, leżą zawinięte w papier i przewiązane sznureczkiem salami i stoją słoje z kiełbaskami. Przełykam ślinę.

— No więc wszedłem na drugi strych, ten niski, by sprawdzić dach. Wydaje się zrobiony solidnie, ale mam jeszcze kilka pytań.

— Ja też — dodaję — ale ty pierwszy.

— Przede wszystkim powiedz mi, jak tu jest z remontami. Czy występuje się o pozwolenie, a jeśli tak, to czy zawsze, do każdych prac, czy tylko do wybranych. Kto prowadzi taką budowę i jak znajduje się fachowców, na przykład elektryka. — Kuba ponownie zapala fajkę i wypuszcza aromatyczny dym. — Ten dom wymaga bardzo dużo pracy, sami nie damy rady.

— Sami nie moglibyście przeprowadzić tak dużego remontu. — Carla przerywa i znów pozdrawia przechodniów, tym razem przechodzącą obok parę z dzieckiem i wraca do rozmowy. — Musicie mieć geometrę. To osoba z uprawnieniami, która przygotuje projekty, wystąpi o wszystkie zgody do urzędu miasta, nadzoruje budowę i robi odbiory prac. Mogę wam kogoś polecić, ostatnio remontowałam swoje mieszkanie i jestem zadowolona.

— Czy to kosztowne tutaj?

— Standardowo płaci mu się około ośmiu procent wartości wykonanych prac. Geometra ponosi odpowiedzialność za całą budowę, bezpieczeństwo pracy i takie tam sprawy.

— A fachowcy?

— Zwykle geometrzy pracują z ekipami budowlanymi. Gdy jest jakaś praca do wykonania, rozsyłają zapytanie i dostają oferty. Taka oferta cenowa nazywa się *preventivo*. Potem wy wybieracie najlepszą i podpisujecie umowę.

— Jeśli geometra ma procent od kosztów, to nie jest zainteresowany niskimi cenami, prawda? — wtrącam. — To znaczy, że jest konflikt interesów, bo my chcemy tanio, a on drogo.

Carla wzrusza ramionami, rozkłada ręce i wydaje z siebie coś w stylu „eee". Oznacza to chyba „no cóż" albo „czy ja wiem?". Jeszcze długo będę musiała się uczyć takich gestów.

— Czy formalności związane z uruchomieniem prac trwają tutaj długo? — Kuba ciągnie dalej. — Chodzi mi o zgody, projekty i tym podobne?

— Nie wiem, ale myślę, że trzeba dać sobie na to kilka miesięcy, dla bezpieczeństwa.

Przyglądam się przesuwającym się przed nami ludziom. Panowie pchają wózki, niosą swoje maluchy lub prowadzą za rękę. Czasem zdarza się dwóch tatusiów z pociechami na wspólnym spacerze. W Polsce rzadkość. Tuż obok przechodzi siwy, starszy pan, w wieku mocno dojrzałym, ubrany w spodnie w wąskie szaro-niebieskie paseczki i sportowy, granatowy golf. Wygodne, idealnie czyste tenisówki dodają mu ostatecznego szlifu. Gdy nas mija, łapie mój wzrok i uśmiecha się lekko. Odpowiadam tym samym. Chyba dostrzegł w moich oczach podziw, bo uśmiechając się, idzie dalej.

— Dwa, trzy lata? — Kuba patrzy zaskoczony na Carlę. — Chyba żartujesz?

— A o co chodzi? — Próbuję wrócić do rzeczywistości. — Zamyśliłam się.

— Carla mówi, że remont takiego domu może potrwać nawet trzy lata. — Kuba odkłada fajkę i wypija resztę piwa. — W naszym wypadku to wykluczone.

— Dlaczego tak długo? — pytam.

— Po prostu widziałam już kilka remontów i prace zawsze się ślimaczą. Geometrzy prowadzą kilka budów i nie angażują się w każdą tak, jak byśmy oczekiwali. Geometra wpuści kolejną ekipę, gdy jemu będzie pasować. Przerwy mogą trwać kilka tygodni. Jeśli będziecie tu na miejscu, to na pewno pójdzie szybciej.

Wypijam łyk piwa i chwilę milczę. Niby wszystko jest jasne, ale tak naprawdę to czarna magia.

— Jak tu się mieszka? — pytam w końcu.

— Moja rodzina pochodzi z Turynu, a tu mieszkam od dziesięciu lat. To niewielkie miasto, ale w dobrej kondycji. Jest kilka dużych firm, które dają zatrudnienie, nie ma bezrobocia, nie ma przestępczości, jest bezpiecznie. Poza tym są dobre sklepy, restauracje, prawie nie ma emigrantów.

— To problem?

— Tu nie. Ale niedaleko stąd jest Città di Castello, tam jest już inaczej. Nie myślcie tylko, że mam coś przeciwko emigrantom. To nie tak. Chodzi tylko o to, by żyć uczciwie, pracować, szanować czyjąś własność. W Città jest żebranie, zdarzają się kradzieże, prostytucja Rumunek. Wieczorami nie można spokojnie spacerować po całym mieście, są miejsca, które są po prostu niebezpieczne. Tu tego nie ma.

— A co ci tu przeszkadza — wtrąca Kuba — wiesz, denerwuje, razi.

— W Sansepolcro się dobrze żyje i nie mówię tego dlatego, że chcę, byście kupili tę nieruchomość, tylko dlatego, że tak myślę. Co mnie denerwuje? To małe miasto i ludzie są ciekawscy. Znają się od pokoleń i potrzebują atrakcji. Musicie się liczyć z tym, że będziecie dla nich taką atrakcją. Będą was obserwować i oceniać.

— Czyli nie powinniśmy bić się na ulicy i wyrzucać śmieci przez okno.

Carla wybucha śmiechem.

— Nie, chociaż zanim ktoś zwróciłby wam uwagę, minęłoby sporo czasu. Najpierw traktowaliby to jako wasze normalne zwyczaje.

— Dom nam się podoba — zaczynam ostrożnie — ale musimy jeszcze o tym porozmawiać.

— Chcielibyśmy też pomówić o cenie. Musielibyśmy poznać jakieś wstępne koszty remontu, nie wiemy zupełnie, czego się spodziewać...

— Macie czas — odpowiada Carla. — Na rynku zrobił się zastój, nieruchomości nie schodzą. Ten dom jest już długo wystawiony do sprzedaży, myślę, że właściciel też będzie chciał się porozumieć. Choć przyznam, jest trochę dziwny. Jeśli chodzi o koszty, możecie wysłać mi wstępną listę prac, które chcielibyście wykonać, a ja przekażę je Brunowi, by je oszacował. To geometra, o którym wspominałam.

— O, świetny pomysł. Nie będzie to dla ciebie kłopot?

— Jasne, że nie.

— Carla, powiedz mi jeszcze, jak tu przeprowadza się taką transakcję kupna-sprzedaży? — pyta Kuba, chowając fajkę.

Jestem podenerwowana i zmęczona. Mam wrażenie, że za szybko rozmawiamy o konkretach. A ja nie czuję się jeszcze gotowa. Poza tym nie lubię złych przeczuć, nawet jeśli zawsze się nie sprawdzają. Mam obawy, że nie damy rady z tym domem, ale Kuba wydaje się taki pewny swego.

— Składacie ofertę ze swoją ceną. Taki projekt oferty mogę wam wysłać mailem. Jest po angielsku i po włosku. Jeśli właściciel ją zaakceptuje i podpisze, w zasadzie umowa została zawarta. Wtedy wpłacacie na nasze konto jakąś kwotę, na przykład dziesięć tysięcy euro, to samo robi właściciel, i jest to zabezpieczenie na wypadek zmiany zdania. Wtedy ta strona, która chciałaby się wycofać, traci zadatek na rzecz drugiej. Potem, tydzień, dwa później, podpisujemy w biurze *compromesso*, czyli umowę wstępną, gdzie potwierdza się warunki zawarte w ofercie i wtedy wpłacacie trzydzieści procent wartości nieruchomości. To dziesięć tysięcy jest zaliczane na poczet tej wpłaty. W *compromesso* ustalamy termin ostatecznej umowy i inne detale. Wtedy też strony rozliczają się ze swoimi agencjami. Koszt naszej pracy to trzy procent wartości domu. Ostateczną umowę podpisuje się u notariusza i tam też płaci się resztę ceny. Koszt notariusza to dwa procent. I to wszystko. Jesteście właścicielami i możecie się wprowadzać. Choć to akurat w waszym wypadku bym odradzała.

— Proste — mówi Kuba i uśmiecha sie do mnie. — Ja nie mam więcej pytań. Carla, dziękuję za wszystko. Poświęciłaś nam dużo czasu.

— Było miło, nie znałam do tej pory Polaków, nieruchomości w Toskanii kupują głównie Anglicy i Niemcy.

— A ja mam ostatnie pytanie. Czy jest jakiś ostateczny termin zawarcia umowy? Chodzi mi o to, czy możemy to zrobić po kilku miesiącach?

— Jasne, jeśli obydwie strony tak się umówią. Przepraszam, jest prawie ósma, muszę uciekać. To jest moja prywatna komórka, zapiszcie ją sobie. Gdybyście czegoś potrzebowali, dzwońcie. — Carla chowa do torebki okulary i wstaje od stolika. — Będziemy w kontakcie mailowym, jeśli będziecie mieli jeszcze jakieś pytania, dajcie znać. Ja mogę wam tylko powiedzieć, że ten dom ma niezwykły potencjał i jeśli macie wyobraźnię i dość siły, by się z nim zmierzyć, to możecie mieć tu piękne miejsce do życia.

Podajemy sobie ręce. Carla całuje mnie w policzki, po jednym cmoku w każdy.

— Anka, zapomniałabym, wasz hotel. — Bierze mnie za rękę i pociąga za sobą. Stajemy na środku *corso.* — Zobacz, tam na rogu jest restauracja. Mają też pokoje gościnne. Zgłoście się do Alishii, ona wszystko wie. A teraz pędzę. *Ciao*.

Wracam do stolika. Przesuwam dłonią po twarzy i w milczeniu patrzę na Kubę. Zmęczenie spłynęło na mnie nagle, czuję, że mam ciężkie powieki i trudno mi się poruszać. To był szalony dzień. Przecież dziś rano rozmawialiśmy z Claudiem, potem byliśmy w San Gemini, w malutkim Costacciaro, a teraz ten dom. Jestem głodna i muszę odpocząć. Kuba przygląda mi się, sięga po moją dłoń i przysuwa sobie do ust.

— Zmęczona?

— Tak.

— Wiesz, że zawsze wtedy pięknie wyglądasz?

Kuba zaczyna zbierać ze stolika nasze rzeczy. Podaje mi komórkę i zapalniczkę.

— Idziemy do hotelu, położysz się na chwilę, a ja pójdę do samochodu po nasze torby, dobrze?

Potakuję bez słowa. Wstaję i czekam na ulicy, aż Kuba opłaci rachunek. Gwiżdżący sprzedawca, już ubrany do wyjścia, z hałasem opuszcza kratę na drzwi do sklepu i lekkim krokiem rusza przed siebie. Słyszę cichnące dźwięki z „Wesela Figara".

Na szczęście do hotelu jest tylko parę kroków. Ristorante Fiorentino mieści się na pierwszym piętrze narożnej kamienicy. Duża sala restauracyjna jest prawie pusta. Na każdym stoliku leży biały obrus, przygotowano kieliszki i sztućce do wieczornego posiłku. Zastanawiam się, czy nie zostać od razu na kolacji, ale zmęczenie zwycięża. Przy ladzie, gdzie zastajemy Alishię, właścicielkę restauracji, śliczną, delikatną kobietę, pachnie aromatyczną kawą. Dostajemy klucz do pokoju i instrukcję, jak wieczorem wejść do budynku, gdybyśmy chcieli wrócić późno.

W pokoju kładę się na łóżko, a Kuba zdejmuje mi klapki i podkłada pod stopy poduszkę.

— Leż i odpoczywaj. Jak będziesz miała siłę, pójdziemy potem coś zjeść. Zaraz wracam.

Zamykam oczy i czuję błogi spokój. Zza zamkniętych okien dobiegają przytłumione rozmowy i krzyki dzieci. Słychać dźwięk otwieranych gdzieś obok drzwi i cichą rozmowę na korytarzu. Zasypiam natychmiast.

Gdy otwieram oczy, wydaje mi się, że upłynęło kilka minut. Kuba leży obok na łóżku i studiuje plan miasta. Odwraca się w moją stronę.

— I jak, żyjesz?

— Tak, która godzina?

— Po dziesiątej.

— Idziemy na jedzenie?

— Nie za późno? — pyta, odkładając mapę i kładąc się blisko mnie.

— Nie wiem, jesteś głodny?

— Trochę. Ale nie ma problemu.

— Zasnęłam jak kamień.

— Widziałem.

Kuba wtula się w moje ramię i przysuwa bliżej. Czuję jego ciepły oddech na szyi. Kładę rękę na jego piersi. W pokoju pali się mała nocna lampka, na suficie odbijają się cienie mebli i koronkowego abażuru. Leżymy w ciszy, oddychając spokojnie.

— Zasypiasz? — pytam.

— Nie, tak tylko sobie leżę. Dobrze mi.

— Słyszę twoje serce — szepczę.

— Ja twoje też.

— Wyjdziemy na spacer? Chciałbyś?

— Tak. Patrzyłem, jak spałaś. — Kuba bierze moją dłoń w swoją i przyciska do twarzy. Lekko pociera swój policzek. Odpowiadam mu uściskiem. — Kocham cię. Jesteś najpiękniejsza na świecie. Pójdę za tobą na koniec świata.

— Jesteśmy szczęściarzami, wiesz?

— Wiem. A ty pójdziesz ze mną zobaczyć jeszcze raz ten dom? Z zewnątrz?

— Pójdę.

Milczymy, wpatrzeni w sufit. Ażurowy cień tworzy dziwną postać olbrzyma, ugiętego pod dużym ciężarem. Potężne nogi opierają się o ścianę naprzeciw nas. Olbrzym zdaje się pochylać coraz bardziej nad nami, jakby nie miał już sił, by utrzymać to coś, co go przygniata.

— To chodź — Kuba podrywa się z łóżka i podsuwa mi buty — bo niedługo przyśniemy.

Podaje mi rzucony w kąt fotela sweter.

— Poczekaj, muszę się chociaż uczesać.

— Zwariowałem na twoim punkcie. Od pierwszego wejrzenia. Już wtedy, w dziekanacie, gdy przygotowywałaś dla nas katalog.

Zarzucam sweter na ramiona, śmiejąc się głośno.

— Dzwoniłeś w idiotycznych sprawach, nie wiedziałam, o co ci chodzi. Powiedziałam Renacie, by cię spławiała. Kolejny zakręcony naukowiec bez kontaktu.

— A mnie chodziło o seks.

— To trzeba było mówić od razu, a nie zawracać mi głowę kolejnymi poprawkami w tekście. Chodź, idziemy.

Via San Giuseppe jest kilkadziesiąt metrów od hotelu. Prawie biegniemy. Jestem zaskoczona, że na ulicach jest tak dużo ludzi, popołudniowa *passeggiata* była małym preludium do wieczornego spaceru po kolacji. Jest ciepło i przyjemnie. Ludzie całymi rodzinami powoli przemieszczają się, przyglądając się wystawom i głośno rozmawiając. Jest tak tłoczno, że miejscami trzeba się przeciskać przez tłum. Z ulgą skręcamy w boczną via Gerardi, tuż przy sklepiku z gazetami, i potem w San Giuseppe. Nagle znów jesteśmy sami. Wszyscy zniknęli, słychać tylko szum, z którego od czasu do czasu wyrywa się pojedyncze słowo lub głośny śmiech. Stajemy pod domem. Latarnia uliczna oświetla zimnym światłem ponurą fasadę naszej kamienicy. W jej świetle wejściowe drzwi wydają się prawie białe. Deszcz wypłukał z nich wszystkie barwy. Patrzymy na zatrzaśnięte na głucho, ciemne okna. Dotykam kołatki i stukam delikatnie.

— Jest tam kto?

Kołatka, uderzona o metalowy ozdobny bolec, głucho dźwięczy. Czuję, jak serce zaczyna mi walić. Pospiesznie robię kilka kroków do tyłu. Jakbym obawiała się, że brama zaraz się uchyli i zostaniemy wessani do środka.

— Kupujemy go? — pyta cicho Kuba, nie patrząc w moją stronę. Stoimy oparci o dom naprzeciwko i wpatrujemy się w zamknięte drzwi. Podkładam sobie ręce pod plecy. Czuję ciepło stygnącego tynku.

— A chciałbyś?

— Tak. Podoba mi się.

— Mnie też. Ale trochę się go boję.

— Przecież żartowałem z tymi duchami.

— No to kupujemy.

Odwracamy głowy i patrzymy na siebie w milczeniu.

— Jesteś pewna? — pyta Kuba.

— Nie. Ale ci ufam. Jeśli mówisz tak, ja też powiem tak. Dobrze mi w tym miejscu. A ten dom w dzisiejszym słońcu był... prawie piękny.

— Będziemy tu szczęśliwi?

— Wszędzie będziemy szczęśliwi. Tu też.

Kuba odrywa się od ściany i podchodzi do bramy kuchennej. Przyglądam się, jak stoi przed nią bez ruchu przez dłuższą chwilę. Potem ostrożnie zdejmuje czerwoną kartkę z informacją o sprzedaży. Podchodzi do mnie i staje naprzeciwko.

— Ten dom, droga pani, nie jest już na sprzedaż. Właśnie został kupiony — wyciąga do mnie rękę, a ja odbieram od niego ogłoszenie — proszę więc na niego łakomie nie zerkać. Co najwyżej mogę zaprosić panią na lody lub królika z groszkiem i dobre wino. I proszę wybierać szybko i nie kręcić nosem, bo się rozmyślę.

Śmiejemy się cicho. Dotykam kartki, czując pod palcami jej

chropowatość. Postrzępione rogi miękko uginają się pod naciskiem. Moje serce galopuje i nie chce się uspokoić. Z *corso* dochodzi do nas daleki szum rozmów, jak jednostajne mruczenie setek malutkich instrumentów. Miasteczko wygrywa swoją cotygodniową uliczną muzykę, nawet nie wiedząc, że to na naszą cześć. Na samym dnie kieszeni Kuby leży klucz od Carli, do drzwi wejściowych. Zupełnie o nim zapomnieliśmy. Mały kawałek żółtego metalu, który mógłby odstraszać i przyciągać zło, jeśli tylko zechciałabym w to uwierzyć. Raz jeszcze spoglądam w górę. Dom, niewzruszony i obojętny, przygląda się nam milcząco z wysoka. On wie wszystko.

Część II

I.

Wypadek

1.

Długi dzwonek wyrwał mnie z płytkiego snu. W całym mieszkaniu były porozrzucane sterty papieru pakowego, kartonów, szarych taśm samoprzylepnych i folii bąbelkowej. Wszędzie walały się nożyki introligatorskie i grube pisaki, którymi starałam się dokładnie opisywać zawartość zamkniętych pudeł. Czerwony kolor to kuchnia, zielony — książki i dokumenty, niebieski — ubrania, a czarny to różne różności, jakich pełno w każdym domu. Ostatnie trzy dni spędziliśmy razem na pakowaniu ostatnich drobiazgów. Pomagał nam Maciek, przyjaciel Kuby.

Dźwięk domofonu sprawił, że usiadłam na łóżku. Przesunęłam ręką po twarzy. Nie chcę nikogo widzieć — pomyślałam — muszę odpocząć. Dach domu naprzeciwko oświetlało poranne słońce, barwiąc na pomarańczowo wnętrze naszej sypialni. Dopiero jutro spodziewałam się Kaśki, która miała mi pomóc posprzątać dom. W pierwszym momencie przyszło mi do głowy, że to Kuba. Że wrócił, bo zapomniał czegoś bardzo ważnego. To głupie — uśmiechnęłam się do siebie — wczoraj wieczorem, gdy rozmawialiśmy przez telefon, minął Berlin i kierował się na południe na A9. Spojrzałam na zegarek. Była ósma. Kuba jest już w Austrii.

Natarczywy dźwięk ponownie przerwał ciszę. Pinia zerwała się z posłania i przyszła się ze mną przywitać. Machała wesoło ogonem i patrzyła w oczy prosząco. Okej, staruszko — powiedziałam — wyjdziemy, ale jeszcze nie teraz. Niechętnie wstałam, ubrałam sukienkę i wcisnęłam guzik domofonu. Usłyszałam na dole dźwięk otwieranych drzwi. Weszłam do łazienki i przyczesałam włosy. Zmoczyłam twarz wodą i otworzyłam drzwi.

Na korytarzu stało dwoje policjantów. Kobieta była drobna i niska. Pomyślałam wtedy, jak też udało się jej z taką posturą dostać pracę w policji. Jej delikatne, szczupłe dłonie nie dałyby przecież rady utrzymać broni. Mężczyzna miał wąsy i wydatne, duże usta. Patrzyłam na jego poruszające się wargi i każde słowo docierało do mnie z opóźnieniem. Jakby zepsuła się płyta w odtwarzaczu, gdy słowa płyną, nie nadążając za akcją. Wypadek? Siedzieliśmy w bibliotece, przy stole, puste półki na książki świeciły bielą. Stara, gdyńska biblioteczka, otwarta na oścież, pokazywała swoje opróżnione wnętrze. Dom, pozbawiony naszych rzeczy, obrazów, książek, niektórych mebli, był obcy i opuszczony. Głos policjanta odbijał się od gołych ścian, dźwięcząc twardo. Wypadek zdarzył się dzisiaj o 3.15 nad ranem. Na A9 była lekka mgła. Wielka ciężarówka man stanęła na autostradzie, na wysokości Allersberg koło Monachium. Kierowca poczuł w kabinie zapach spalonego plastiku. Gdy wysiadał, w naczepę uderzył jadący zbyt szybko volkswagen caddy.

Serce waliło mi jak oszalałe. Moje ręce, jak dwie osobne części ciała, bawiły się rolką szarej taśmy. Gorączkowo poszukiwały początku, jakby znalezienie sklejonej końcówki pomogło w zrozumieniu niezrozumiałych słów.

— Czy ma pani kogoś, kto mógłby teraz pani towarzyszyć? — spytała milcząca do tej pory kobieta. — Jakąś rodzinę albo przyjaciół?

Patrzyłam na nich bez słowa. Co ci ludzie robią w naszym

domu? Mam tak dużo pracy. Kuba jedzie do Sansepolcro. Za kilkanaście dni dołączę do niego. Zaczynamy remont.

— Właściwie to ja nie mam czasu — powiedziałam. — Widzicie, jak tu wygląda.

Kobieta pochyliła się przez stół i schwyciła moją rękę. Jej uścisk był mocny i zdecydowany. Drugą ręką ostrożnie wyjęła z moich dłoni rolkę taśmy.

— Pani Aniu, proszę zadzwonić do kogoś, kto teraz do pani przyjedzie. Będzie pani potrzebowała pomocy.

Wyrwałam się jej, wstałam z miejsca i podeszłam do okna. Dom naprzeciwko świecił już na żółto, słońce oświetlało teraz dach i jasną elewację. Na balkonie starsza kobieta rozwieszała pranie, strzepując energicznie każdą rzecz. Pani Magda z pierwszego piętra jak zwykle próbowała nieporadnie zaparkować, starając się wpasować w niewielką, wolną przestrzeń pomiędzy dwoma samochodami. Miałam ochotę zbiec po schodach na dół i pomóc jej w manewrach. Czy oni powariowali? Wypadek? Przecież wszystko wygląda jak zawsze. Tłok na parkingu, łopoczące na wietrze ręczniki, pani Magda ze swoim jamnikiem, trzaskająca drzwiami małej hondy. Nic się nie stało. To musi być pomyłka.

— Chodź, zobacz, Magda parkuje. — Kuba stoi przy oknie i pali fajkę.

— No to co?

— No to będzie widowisko. Zaraz zarysuje kolejny samochód. Dzisiaj to będzie nasz caddy.

— Jezu, to zejdź i jej pomóż. Kobieta nie ma do tego drygu.

— Spróbuj jej zwrócić uwagę, zaraz poszczuje jamnikiem. Ja nie będę ryzykował.

— Tchórz — rzucam znad książki.

— To pomyłka — odwróciłam się do siedzącej przy stole pary — wczoraj rozmawiałam z Kubą, miał pół godziny do przystanku. Zaraz zadzwonię i wszystko się wyjaśni. I dziwię się, że bez sprawdzenia przynosicie państwo takie potworne wieści.

Szybkim krokiem poszłam do sypialni i przyniosłam komórkę. Wybrałam numer Kuby. Mechaniczny głos w słuchawce powiedział, że abonent jest poza zasięgiem.

— Prowadzi i nie może rozmawiać — odłożyłam telefon na stół i popatrzyłam na policjantów — po prostu.

— Bardzo nam przykro, to sprawdzona informacja. — Wąsacz wstał i odsunął krzesło, prawie zmuszając mnie, bym usiadła. — Dostaliśmy faks o szóstej rano. Koledzy dzwonili do Niemiec.

Kobieta podała mi ze stołu komórkę.

— Proszę zadzwonić do kogoś z rodziny — powiedziała cicho.

Wzięłam od niej aparat i spojrzałam jej w twarz. Była spokojna i opanowana. Policjantka uśmiechnęła się do mnie i dotknęła mojego ramienia.

— Proszę...

Poczułam strach. Lęk ogarnął całe moje ciało i doszedł do gardła. Miałam wrażenie, że jest szarą, lepką masą, zapełniającą szczelnie brzuch, która teraz podchodzi do góry i zatyka mi płuca i nos. Serce gwałtownie zatrzepotało. Chciałam powiedzieć, że się bardzo boję, ale usta miałam zupełnie suche. Moje dłonie zrobiły się lodowate, nie czułam koniuszków palców.

Trzymałam komórkę i patrzyłam bezradnie na siedzących naprzeciwko ludzi.

— Muszę się napić — szepnęłam.

Policjant ruchem ręki zatrzymał mnie na miejscu i wstał pospiesznie.

— Ja przyniosę. Kuchnia jest tam? — Wskazał na przedpokój. Skinęłam głową.

Kobieta zapisała mi na kartce jakiś numer. Jej długopis głośno stukał o drewno blatu. Przesunęła papier w moją stronę.

— Tu jest numer, gdzie dostanie pani więcej informacji. Zapisałam też nasze nazwiska i numery naszych pokoi na komendzie. Do kogo może pani zadzwonić?

— Do Maćka. To bliski przyjaciel mojego męża. Wczoraj pomagał nam się pakować. — Chwyciłam przyniesioną szklankę i chciwie wypiłam jej zawartość. Pies przydreptał do pokoju i oparł łeb na moim udzie. Pogłaskałam go machinalnie. Kartony stały ustawione w kącie pokoju tak, jak przed wyjazdem poukładał je Kuba.

— Tylko nie zapełniaj ich do końca, bo będzie za ciężko — mówi, ostrożnie budując z nich piramidę — okej?

Leżący na stole czerwony pisak nie miał zatyczki. Zginęła gdzieś w bałaganie. Kuba wybrudził sobie nim ręce i wczoraj z czerwonymi plamami, które nie dawały się zmyć, wyjechał.

— W razie kontroli drogowej powiedzą, że mam krew na rękach — żartuje, szorując palce szczoteczką. Staję oparta o futrynę i trzymam czysty ręcznik. — Ale tych martwych staruszek i tak nie znajdą — śmieje się, zakręcając wodę.

— Pani Aniu, proszę zadzwonić — głos policjantki zabrzmiał zdecydowanie.

Wpatrywałam się w komórkę. W głowie miałam pustkę. Jak Maciek się nazywa? Jak mam go znaleźć? Położyłam aparat na stole, obok kartki z numerami i ukryłam twarz w dłoniach.

— Ja zadzwonię, dobrze? — spytał policjant. — Czy to będzie pod Maciek?

Kiwnęłam głową. Słyszałam, jak bierze telefon i wychodzi do przedpokoju. W oddali, za oknem, słychać było gruchanie gołębi. Spojrzałam na kobietę. Siedziała bez ruchu i patrzyła na mnie. Na stole położyła chusteczki.

— Czy... on, czy ja... mogę tam pojechać...?

— Jeśli pani chce. Są firmy, które zajmą się wszystkim, także samochodem. — Policjantka pochyliła się, by mnie lepiej słyszeć. — To nie jest konieczne.

— Powinnam tam być... z nim... miał palce brudne od tuszu... opisywaliśmy kartony — mówiłam coraz ciszej. — Powinnam sprawdzić, czy... to on.

— To nie jest konieczne.

— Nie powinien być tam sam.

Kobieta siedziała bez ruchu. Patrzyła na mnie, potem jej wzrok powędrował za okno. Odwróciła się, gdy wszedł mężczyzna.

— Państwa przyjaciel zaraz tu będzie. — Policjant położył przy mnie telefon. — Jedzie z Gdańska.

Zapanowała cisza. Zza okna dochodził tylko dźwięk przejeżdżających samochodów. Pies wstał, przeciągnął się i popatrzył na mnie z wyczekiwaniem.

Na nagły dźwięk dzwonka komórki podskoczyłam do góry. Złapałam aparat i spojrzałam na wyświetlacz. To nie był Kuba. Czułam na sobie wzrok wpatrującej się we mnie pary. Odłożyłam telefon z łoskotem. Przesunął się na środek blatu. Poczułam, że dłużej nie wytrzymam z tymi ludźmi w jednym pomieszczeniu. Zrobiło mi się duszno.

— Chciałabym zostać sama — powiedziałam do kobiety.

Telefon dzwonił coraz natarczywiej.

— Czy możecie już iść?

— Tak. Nie odbierze pani?

— Nie teraz.

— Pan Maciek zaraz powinien tu być.

— Wiem.

Policjanci wstali i milcząc, przyglądali się dzwoniącej komórce. Obserwowałam razem z nimi wyświetlający się napis „Olchowa". Dzwonili rodzice Kuby.

— Idźcie już. Przepraszam.

Mężczyzna podał mi dłoń. Jego uścisk był ciepły i mocny. Przytrzymał moją dłoń w swojej i popatrzył na mnie chwilę bez słowa.

— Proszę do nas przyjść, udzielimy wszystkich informacji — odezwał się w końcu, puszczając moją rękę. — Jesteśmy do dyspozycji.

Poczułam pustkę, moje ramię przez ułamek sekundy zawisło w powietrzu. Opuściłam je na stół i kiwnęłam głową.

Trzaśnięcie drzwi poruszyło powietrze. Słyszałam oddalające się na schodach kroki. Potem na dole kolejny wystrzał uderzających o futrynę skrzydeł. Dom ściszył odgłosy. Rozejrzałam się po pokoju. Kominek naprzeciw mnie był zimny i pusty. Kuba jeszcze wczoraj czyścił go, by nasi lokatorzy, którzy wynajęli mieszkanie na najbliższe trzy lata, zastali wszystko w idealnym porządku. Pomagałam mu trzymać worek foliowy, gdy wygarniał popiół.

— Powinienem trochę tego zostawić, wtedy będzie im się lepiej paliło — mówi. — Ale pomyślą, że jesteśmy flejtuchy, więc wysprzątam wszystko.

— Następny kominek rozpalimy już u siebie. — Spoglądam na Kubę z czułością. Zerkam na trzymaną w rękach siatkę. — Jak sypiesz! Zostawisz mi tu bałagan!

— Będziesz miała pamiątkę…

W przedpokoju na ławce leżały rzucone niedbale puste wieszaki i dwie moje torebki. Na jednej z nich spał kot, zwinięty w kłębek i prawie niewidoczny z daleka. Z boku szafy dostrzegłam wiszącą koszulę, którą wczoraj Kuba zdjął po pracy. Mój oddech przyspieszył. Szary strach w środku zabulgotał i podniósł się wyżej. Wstałam powoli i stanęłam w drzwiach, nie mogąc się zmusić, by podejść bliżej. Koszula, z szaroniebieskiego lnu, miała zagniecenia na rękawach, w zgięciach ramion. Jej kształt nadało ciało Kuby, gdy spocony wraz z Maćkiem po raz któryś z kolei schodził po schodach, by upchnąć coś w samochodzie.

— Tylko mi ją przywieź, to moja ulubiona.

— Przecież sama ci ją kupiłam.

— No właśnie.

Wymiotowałam samą wodą. Od wczorajszego popołudnia, gdy zjedliśmy kanapki, nic nie jadłam. Gwałtowne torsje wyrwały mnie z waty niedowierzania. Opierałam się o umywalkę i głośno płakałam. Z nosa leciał mi śluz i łzy, dławiłam się śliną. Kontakt z zimną posadzką łazienki boleśnie uświadamiał, że żyję, a mój mąż zginął. Przed oczami miałam auto wbijające się pod naczepę. Roztrzaskiwało się z hukiem, wszędzie fruwały kawałki szkła i jakieś narzędzia. Spłukiwałam wodę, naciskając raz po razie przycisk, by zagłuszyć odgłos zgrzytającej blachy. W mojej głowie, jak w zacinającym się projektorze, powracały jedna po drugiej wizje samochodu wsuwającego się pod tira. W zwolnionym tempie blacha uginała się, pękały szyby, radio milkło i w ciszy twarz Kuby zbliżała się do burty przyczepy. Huk i trzask, metaliczny dźwięk pocieranego o asfalt żelaza, pękające lusterka, najpierw jedno, potem drugie. I znów, i znów.

Dzwonek do drzwi przedarł się przez odgłosy wypadku i szum wody. Siedziałam na podłodze z twarzą ukrytą w ręczniku. Ciemność panująca w łazience dawała mi ukojenie. Wyjście na światło dzienne wydawało mi się teraz gwałtem na własnej osobie. Kąt pomiędzy umywalką a toaletą mógłby być moim schronieniem na zawsze. Wystarczyło zamknąć dokładnie drzwi, by dotychczasowe życie zostało na zewnątrz. Nasze mieszkanie, ludzie, których znamy, dom we Włoszech i zmasakrowany samochód. Wtedy dotarło do mnie, że Kuba jest pozostawiony gdzieś w środku Niemiec na łaskę innych osób. Czułam, jak serce zaczyna mi bić jak oszalałe. Wstałam gwałtownie, uderzając się o uchwyt do papieru. Ścierpnięte łydki odmówiły posłuszeństwa i zachwiałam się w mroku. Ręką wyszukałam kontakt i zapaliłam światło. W lustrze zobaczyłam swoją opuchniętą, zaczerwienioną twarz. Włosy posklejały się od wody i potu. Policzki mnie paliły. Odkręciłam mocno wodę i zmoczyłam ręcznik. Schowałam w nim twarz. Zimna tkanina chłodziła przyjemnie, czułam, jak przestają mnie piec oczy. Muszę tam pojechać. Muszę się o niego zatroszczyć. Zadbać o wszystko. Przecież nie mogę pozwolić, by zrobił to ktoś obcy.

Dzwonek do drzwi brzmiał bardzo natarczywie. Ktoś nie zdejmował palca z przycisku. Stałam bez ruchu w naszej łazience i patrzyłam w lustrze na miejsce obok. W odbiciu widziałam czerwony ręcznik Kuby, wiszący na chromowanym kółku, i fragment kabiny prysznicowej.

— Po co ludziom wielkie łazienki, zobacz, stoimy tu sobie we dwójkę i tłoku nie ma. — Kuba wyciera twarz w przewieszony przez szyję ręcznik i uśmiecha się do mnie w lustrze. Mokre kosmyki sterczą mu na wszystkie strony przy czole.

— W trójkę.

— W jaką trójkę? Przecież jesteśmy sami? Czy się mylę?

— A wujek Udo? — Przyklepuję jego włosy i robię mu tuż nad uchem przedziałek.

Kawałkiem papieru toaletowego przetarłam swoje brudne od łez okulary. Ktoś mocno zapukał do drzwi. Podeszłam i je otworzyłam. Maciek stał z ręką na przycisku dzwonka. Patrzył na mnie ze strachem.

— Anka, Boże, myślałem, że… Jezu… — Zrobił duży krok i objął mnie mocno, przyciskając do siebie. — Anka, nie mam słów…

Stałam w przedpokoju, w objęciach Maćka, sztywno wyprostowana, czując gwałtowne bicie jego serca. Serek, obudzony hałasem i ruchem, wskoczył na parapet i obserwował nas zza firanki.

— Pojedziesz tam ze mną — powiedziałam głośno, by zapanować nad głosem.

Uścisk Maćka zelżał. Czułam, jak nieruchomieje, a potem delikatnie odsuwa mnie od siebie. Spojrzał na mnie i głośno westchnął. Patrzyłam mu w oczy. Były wilgotne. Maciek płakał.

— Pojedziesz ze mną pod Monachium. Chcę sama zająć się Kubą.

Maciek przetarł oczy i przesunął dłonią po twarzy. Położył mi rękę na głowie i przytulił do siebie.

— Anka… chodź, napijemy się czegoś. Usiądziemy przy stole, dobrze? Porozmawiamy… pomyślimy razem, co robić. Jestem… jesteś… to jest coś… nieprawdopodobnego. Chodź — złapał mnie mocno za rękę i pociągnął w stronę kuchni — zrobię ci mocną kawę.

Mijając koszulę Kuby, dotknęłam jej i poczułam lekki zapach jego wody toaletowej. Zacisnęłam oczy i nabrałam powietrza. Siłą powstrzymałam się, by jej nie złapać i ściągnąć z wieszaka.

Siedziałam przy stole z kubkiem w dłoni i paliłam papierosa. Płakałam bezgłośnie. Łzy płynęły mi po policzkach, spadając na sukienkę. Wilgotne plamy ciemniały na szarej bawełnie, tworząc kwiatowe, nieregularne wzory. Maciek, oparty o zlew, jednym ruchem wlał w siebie kieliszek koniaku. Sięgnął po butelkę i znów nalał sobie do pełna.

— Dzwoniła mama Kuby... Nie odebrałam... Nie wiem, czy ona wie...

— Zadzwonię do niej.

— I co jej powiesz?

— Nie wiem. Zobaczę, czy wie. Wtedy pojadę do nich. — Maciek usiadł naprzeciwko, odebrał mi papierosa i zgasił.

— Nie pal tyle.

Milczałam. Kawa parzyła mnie w usta, ale jej zapach uspokajał.

— *Czy ty zawsze musisz liczyć ziarenka? Wystarczy, że sypię inną łyżeczką, a ty już narzekasz, że kawa do bani.*

— *Bo źle odmierzyłeś.*

— *„Dzień świra", naprawdę.*

— Pojedziemy do Niemiec. Musisz mi w tym pomóc. — Wytarłam głośno nos i spojrzałam na Maćka. — Nalej mi trochę koniaku, dobrze?

Zapaliłam kolejnego papierosa i odwróciłam się do okna. Słońce obchodziło dom dookoła, teraz zatrzymało się na szafkach kuchennych i białym blacie. Oświetlało jaskrawo stojące na wierzchu dwie filiżanki, Kuby i Maćka, które zostały po naszym wczorajszym lunchu.

— *Anka, a co dla ciebie?*

— Maciek, która godzina? — spytałam, odwracając się w stronę stołu.

— Po jedenastej.

— Pojedziemy?

— Tak, pojedziemy. Masz jakiś numer do tych policjantów? Porozmawiałbym z tym facetem, musi nam podać szczegóły, rozumiesz?

— Tak. — Podniosłam kieliszek do ust i połknęłam jego zawartość. Palenie w przełyku przez moment odebrało mi oddech. Ale zaraz potem przyjemne ciepło zaczynało przesuwać się niżej, do żołądka.

— Kuba nie może tam być sam, rozumiesz? — powiedziałam zdławionym głosem, alkohol ciągle zapierał mi dech.

— Anka, pojedziemy. — Maciek oparł łokcie o blat i patrzył się w okno. Wyglądał jak stary człowiek, który wypatruje odwiedzin bliskich. Na ustach miał gorycz, której nigdy wcześniej nie widziałam. Maciek — wesołek. Zawsze potrafił powiedzieć na koniec swój ironiczny, błyskotliwy komentarz.

— Muszę wyjść z psem — przerwałam milczenie i wstałam z trudem z krzesła. Bolały mnie wszystkie mięśnie, jakbym całą poprzednią noc biegała po plaży.

— Zostań, ja pójdę.

— Dziękuję.

Upiłam znów trochę kawy. Po koniaku wydawała się gorąca.

— Nie chcę nikogo widzieć. I z nikim rozmawiać. Z Martą porozmawiam później...

— Tak.

Maciek podszedł do mnie i złapał moje dłonie. Ścisnął je niemal boleśnie i potrząsnął.

— Pojechałbym po niego nawet do Chin. To mój najlepszy kumpel. Wszystkim się zajmę. Teraz się połóż, dobrze? Wyjdę z psem, zadzwonię do rodziców Kuby, na policję i na uczelnię. Powiem o Kubie i pogadam o zaległym urlopie. Mam jeszcze z tydzień. — Trzymał mocno moje ręce. — Położysz się?

— Tak. Nie mam siły być.

— Już dobrze...

Kiwnęłam potakująco głową i ukryłam twarz w dłoniach. Słyszałam, jak Maciek wlewa koniak do szklanki.

— Anka, masz... — Podsunął mi ją, napełnioną do połowy. — Wypij... Znieczulisz się.

Przechyliłam szklankę i wypiłam wszystko. Taka ilość alkoholu zdusiła mój oddech. Złapałam go z trudem. Przeszłam przez przedpokój i weszłam do sypialni. Na zasłonach pojawiły się kwadraty słonecznego światła. Usiadłam na łóżku.

— W tym świetle jesteś złota — Kuba przesuwa po moim brzuchu zewnętrzną powierzchnią dłoni i zatrzymuje się przy pępku — wiesz?

— Wiem — mruczę i rozsuwam powoli nogi.

— Ania, dasz mi klucze? Nie będę dzwonił — spytał Maciek, stając w drzwiach.

— Dobrze. Leżą na stoliku przy drzwiach.

— A kontakt na policję?

— Na stole.

Siedziałam bez ruchu na łóżku i gładziłam prześcieradło. Chłód białej pościeli pod palcami uspokajał. Czułam mrowienie w palcach. Myślałam o naszej ostatniej rozmowie, gdy leżąc w nocy obok siebie, żartowaliśmy, czy nasz życiowy skok na główkę nie pogruchocze nam kręgosłupów.

— Ty jesteś jak z gumy. Otrzepiesz się i wstaniesz — mówi Kuba i kładzie głowę na poduszkę. Zamyka oczy i głośno wzdycha. Odwraca się w moją stronę i patrzy na mnie, uśmiechając się.

— A ty niby jesteś porcelanowy?

— Ja jestem ze stali. Niestety, będę rdzewiał.

— We Włoszech mniej pada. Słońce powinno ci służyć.

— Ale na słoneczku guma parcieje. — Kuba śmieje się i uchyla przed moim ciosem. — Nie bij mnie po głowie, bo będę rośliną.

— No i dobrze. Skończysz, jak wszystkie kwiaty w tym domu. Suchy jak wiór.

Słyszałam, jak Maciek przywoływał psa. Pinia najwyraźniej nie miała ochoty z nim wyjść, mimo że już dawno minęła pora, gdy wyprowadzałam ją na spacer. Leżała rozpłaszczona w sypialni, obok drzwi, patrzyła na mnie spod grzywy.

— Idź — powiedziałam.

Wstała z ociąganiem i wyszła z pokoju. Maciek chwilę jeszcze kręcił się po mieszkaniu, pewnie szukając smyczy. W końcu wyszedł. Odgłos zamykanych drzwi sprawił, że moje serce znów zaczęło łomotać. W ustach wciąż miałam smak koniaku. Na szafce stała butelka wody. Napiłam się i wstałam powoli. Zachwiałam się, alkohol zaczął działać. Podeszłam ostrożnie do szafy w przedpokoju i stanęłam przed nią. Koszula Kuby była powieszona krzywo, w pośpiechu. Wczoraj zaplanowali z Maćkiem, że skończą o drugiej. Była trzecia, gdy weszli zmęczeni do kuchni i zawołali: jeść!

Potem Kuba wziął szybki prysznic, a ja szykowałam mu torebkę z jedzeniem. Koszula leżała na ławce w przedpokoju, zsunęła się lub kot ją zrzucił. Bałaganiarz — pomyślałam. Zza drzwi łazienki dochodził szum wody. Podniosłam ją i powiesiłam na wieszaku.

Teraz ostrożnie ją zdjęłam i mocno przycisnęłam do twarzy. Zapach Kuby trwał w niej, jakby przed chwilą miał ją na sobie. Zacisnęłam oczy i krzyczałam, zatykając usta tkaniną. Nagle opadłam z sił i uklękłam na dywanie w przedpokoju. Nie pamiętam, jak znów znalazłam się w sypialni i wsunęłam się pod prześcieradło, z koszulą przy piersi. Skuliłam się mocno, by objąć ją całą, by nic nie umknęło w powietrze, i nakryłam się dokładnie. Tylko ja i on. Leżałam z otwartymi oczami, zlodowaciała w środku. Nie miałam siły oddychać. Moje ciało było głuche, nie dźwięczało. Kokon z pościeli i koszula, wokół której się zwinęłam, były teraz najlepszym ze światów.

2.

— Anka.

Otworzyłam oczy. Było mi duszno i ciepło. Nie wiedziałam, gdzie jestem. Z tyłu głowy majaczyła myśl, że coś się stało. Odsłoniłam prześcieradło i usiadłam na łóżku. Odgarnęłam z twarzy wilgotne kosmyki. Maciek stał przy drzwiach, oświetlony od tyłu lampą w przedpokoju. Na dworze było ciemno. W pierwszej chwili nie dotarło do mnie, co on tu robi. Potem dzisiejszy ranek wrócił ze wszystkimi szczegółami. Wąsaty policjant, jego mała koleżanka, tir na autostradzie, łzy Maćka. Spojrzałam na łóżko, na poduszce leżała pognieciona koszula Kuby. Strach zaczął powoli wypełniać moje wnętrze. Zaczęłam szybciej oddychać. Przetarłam oczy i rozejrzałam się bezradnie za okularami. Nie pamiętałam, gdzie je odłożyłam. Maciek schylił się i podniósł je z podłogi. Podał mi je i popatrzył na zwinięte ubranie Kuby.

— Dziękuję — mój głos był zachrypnięty. Przełknęłam ślinę. Bolało mnie gardło.

— Jest dziewiąta. Spałaś prawie dwanaście godzin.

Wstałam i bez słowa poszłam do łazienki. Czułam się chora. Czułam wszystkie mięśnie, jak po długim wysiłku. Zdjęłam sukienkę i weszłam pod prysznic. Mocno odkręciłam niebieskie pokrętło. Silny strumień uderzył skórę chłodem. Przeszedł mnie gwałtowny dreszcz. Lodowata woda leciała mi na twarz, moczyła włosy, zmywała pot z ciała. Stałam pod nią bez ruchu, długo, czując jak ciepłe łzy szybko spłukuje woda. Gdy zaczęłam szczękać zębami, odkręciłam wrzątek. Wychłodzona skóra płonęła od rozpryskujących się kropel, para dławiła. Miałam potrzebę ekstremalnych doznań, zimna i gorąca, gorzkiego smaku i słodyczy, głośnej muzyki i absolutnej ciszy. Chciałam zagłuszyć ból i strach.

Przez szum wody usłyszałam pukanie. Potem znów, mocniejsze. Zakręciłam kran, stojąc i obserwując parę unoszącą się nad ciałem. Maciek znów zapukał do drzwi łazienki.

— Anka?

— Tak?

— Wszystko dobrze?

— Tak.

— Wyjdź, zrobiłem coś do jedzenia.

— Dobrze.

Na kuchennym stole stał talerz z grzankami, z mocno przypieczonym serem. W dzbanku naciągała herbata. Usiadłam i sięgnęłam po papierosa.

— Zostaw. Zjedz coś, dobrze? — Maciek usiadł naprzeciwko. Pod oczami miał szare cienie. Nalał mi do kubka herbatę i podsunął cukier.

— Nie słodzę, Maciek.

— To tylko trochę energii, jedną łyżeczkę.

Sięgnęłam po chleb i ugryzłam kawałek. Miałam wrażenie, że

rośnie mi w ustach. Popiłam herbatą i połknęłam. Odłożyłam resztę z powrotem i pokręciłam głową.

— Nie mogę. Przepraszam.

Siedzieliśmy chwilę w milczeniu. Maciek bawił się zapalniczką, obracając ją w palcach. Koty usiadły na kuchence mikrofalowej, próbując skorzystać z ciepła, którym promieniowała obudowa.

Wypiłam kolejny łyk i wsypałam trochę cukru. Czułam, jak drżę w środku.

— Chcesz posłuchać, co załatwiłem?

Kiwnęłam twierdząco. Zacisnęłam palce na uchwycie kubka.

— Byłem na policji. Dowiedziałem się o szczegóły. Wypadek zdarzył się przed Allersberg. Kubę zabrali do Norymbergi, to duże miasto przy autostradzie A9. Jest w policyjnej kostnicy. Zginął na miejscu... Nie cierpiał... To był ułamek sekundy. Samochód został zupełnie rozbity. Wszystkie rzeczy zabrała specjalna służba, która sprząta miejsca zdarzenia. Są w depozycie — Maciek mówił cicho, prawie szeptem. Słuchałam jego słów w milczeniu, patrząc z dziwnym zafascynowaniem na jego poruszające się usta. Piłam gorącą herbatę, parząc sobie wargi. Sprawiało mi to przyjemność, czułam, że ból mnie budzi i pozwala trzymać się rzeczywistości.

— Anka, jeśli tylko będziesz chciała, pojedziemy tam. Ale jeśli uznasz, że poczekamy na niego tutaj, to jeszcze dziś może po niego wyjechać firma, która zajmuje się... sprowadzaniem ludzi do Polski. To profesjonaliści, wszystko jest załatwiane bardzo... godnie, rozumiesz, dbają o człowieka, odbierają jego rzeczy. Jutro wieczorem byliby z powrotem. Zadzwoniłem do kilku osób, aby mieć pewność, że oddamy Kubę w dobre ręce.

Milczałam.

— Posłuchaj — Maciek wyciągnął do mnie rękę i przykrył swoją dłonią moją dłoń — rodzice Kuby już wiedzą. Jego mama miała problem z sercem, ale już jest lepiej. To znaczy nie jest dobrze, są zupełnie załamani, ale lekarz zapisał jej leki i śpi. Tato Kuby dzwonił do Tomka, do Stanów, więc pewnie przyjedzie na pogrzeb, w końcu to jedyny brat. Do Marty nie dzwoniłem, zrobisz to ty albo, jak będziesz chciała, ja. Powiedziałem Asi i Adamowi. I Jolce. Zadzwoniłem też do Aliny, bo nie ma jej w Gdańsku. Zadzwoniłem na uczelnię, kobiety w rektoracie wpadły w histerię. Kuba był bardzo lubiany. Wszystkich, z którymi rozmawiałem, prosiłem, by dziś i jutro cię nie…

— Maciek — przerwałam mu nagle — jak ja mam istnieć? Jeść, pić, iść ulicą, z psem na spacer? Jak to się robi bez Kuby?

— Anka…

Spojrzałam na Maćka i przycisnęłam rękę do ust. Chciałam powstrzymać szloch. Nabrałam dużo powietrza i wolno wypuściłam. Głos mi drżał.

— Nie potrafię sobie tego nawet wyobrazić. Nie chcę sobie tego wyobrażać. On ma czekać na mnie w Sansepolcro — mój głos się załamał — ma tam czekać… tak się umawialiśmy, rozumiesz? Zawsze dotrzymywał słowa…

— Wiem. — Maciek mocno zacisnął rękę na mojej. — Wiem…

— Co mam dalej z sobą zrobić? Rozejrzyj się. — Wyrwałam dłoń, wstałam i oparłam się o zlew. — Spójrz na to mieszkanie. Jest puste. Słyszysz? Puste! Nas już tu nie ma. Nawet nie ma naszych rzeczy. Tu się wszystko skończyło, a tam… tam nawet się nie zaczęło! — Odwróciłam się do okna i zacisnęłam dłonie na zlewie. Jego ceramiczny chłód działał jak zimna chustka na czoło. Dawał ulgę. Zapadła cisza.

Sięgnęłam do stołu i zapaliłam papierosa. Zaciągnęłam się mocno.

— Co mnie obchodzą panie w dziekanacie?! Co mnie to wszystko obchodzi?! Za dwa tygodnie muszę się stąd wyprowadzić, a mój mąż leży martwy w jakiejś kostnicy w Niemczech! Kurwa mać! — Ręce mi drżały, jakby były osobnymi bytami, nie miałam na nie wpływu. Chciałam napić się wody, ale szklanka wypadła mi z rąk. Rozbiła się na podłodze, kawałki szkła rozprysły się po całej kuchni.

— Kurwa! — krzyczałam do Maćka, który stanął zgarbiony

przy ścianie, przestraszony moim wybuchem. — Moje życie się właśnie rozpadło! Melodramatycznie, jak ta pierdolona szklanka! Mam ochotę stąd wyjść, zostawić ten dom, ten burdel, tych ludzi i zniknąć! Zniknąć! — Zaczęłam płakać, pochylona mocno nad zlewem. Głośno szlochałam, próbując kucnąć i stać jednocześnie. Miałam wrażenie, że jeśli się puszczę, spadnę i stłukę się jak to szkło.

— Maciek, ja nie chcę nikogo oglądać! Nikogo! Schowaj mnie przed wszystkimi! Proszę! Zamknij mnie w tym mieszkaniu i nie pozwól, by ktoś tu wszedł! — Poczułam dłonie Maćka na swoich plecach i odwróciłam się do niego gwałtownie. Przywarłam do niego najmocniej, jak mogłam, i wczepiłam się rękoma w jego ramiona.

— Błagam, zrób coś. Pomóż mi, bo oszaleję. Zawisłam w powietrzu, nie mam teraz nic. Boję się! Wszystko było takie proste, nasze plany, miłość. Zobacz, co zostało. Ruina. Nic. Nie mam się czego uchwycić — szeptałam gorączkowo, wtulona w koszulę Maćka, i chłonęłam ciepło jego ciała — przytrzymaj mnie mocno, błagam.

Zaczęłam całować Maćka w szyję i twarz i nerwowo rozpinać guziki jego koszuli, jakby moje gwałtowne pożądanie, nagła potrzeba, by rozpłynąć się w kimś, zatopić w rozkoszy, miały pomóc mi ukoić moje ciało i zabić potworny lęk w środku. Czułam, jak Maciek sztywnieje i odsuwa się ode mnie. Złapał mnie za nadgarstki, oderwał moje ręce od siebie i mocno przytrzymał.

— Anka, już, już, spokojnie, Boże, nie rób tego, chodź, siadaj, już dobrze... — Prawie siłą posadził mnie na krześle, rozejrzał się i sięgnął po papierowy ręcznik. — Już dobrze, nie płacz. Nikogo tu nie wpuszczę, dobrze? Wytrzyj twarz, a ja zmiotę. Zobacz, koty pokaleczą sobie łapy. I pies. Nie ruszaj się.

Siedziałam przy stole, z twarzą ukrytą w ręczniku i słyszałam, jak krząta się po kuchni. Głośno płakałam. Chciałam, by wraz ze łzami wypłynął ze mnie ten potworny, szary budyń lęku. By dzisiejszy dzień okazał się nieprawdziwy, wymyślony, jak dobra powieść. Trochę straszna, trochę dramatyczna, a potem wszystko wraca do normy. Ludzie się odnajdują, wracają do domów, kobiety szczęśliwie rodzą dzieci. Zaczynałam oddychać spokojniej. Głośno wytarłam nos i odetchnęłam kilka razy głęboko. Mój oddech był płytki i przerywany. Przetarłam szkła okularów. Patrzyłam, jak Maciek dokładnie zbiera szklane odłamki i zgarnia je na szufelkę. Założyłam okulary i zapaliłam papierosa.

— Przepraszam cię, nie wiem, co mi się stało. Maciek... ja... przepraszam.

— Już dobrze. — Maciek wsypał zawartość śmietniczki do kubła i kucnął przede mną. — Już dobrze. Nic się nie stało. To tylko emocje. Teraz zaparzę kawę i jak będziesz chciała, to ustalimy wszystko, dobrze? Wszystko poukładamy, najlepiej, jak się da. Nie będzie dobrze, Anka, ale spróbujemy poustawiać sprawy, byś była bezpieczna. Tak?

— Tak.

— Zjedz chociaż jakiś owoc. — Maciek postawił na stole miskę z owocami i odwrócił się, by zrobić kawę.

— Kuba, znów masz skórkę od banana na stole. Zostawiam ją, by zgniła. Sczernieje i zwinie się w mały wiórek. To będzie symbol twojego bałaganiarstwa.

Kuba podnosi oczy znad książki i uśmiecha się do mnie szeroko.

— Jesteś bezwzględna.

— Kpisz.

— Tak. Celny cios. Skórką — Kuba kręci głową — w dodatku zgniłą.

— Kiedyś torbą bananów rozbiję ci głowę. Pamiętaj.

Poszliśmy z Maćkiem do salonu. Z kanapy zniknęły rulony papierów i folii. Stół był już uprzątnięty i pusty. Ściany wydały mi się nagie, nie było już naszych obrazów i grafik, zostały zapakowane i czekały w magazynie.

— Posprzątałeś.

— Tylko trochę, poskładałem te wszystkie wczorajsze śmieci. Wszystko leży za kanapą, pod oknem.

Usiadłam na swoim ulubionym miejscu. Podkuliłam nogi

pod siebie i wzięłam do ręki kubek. Patrzyłam bez słowa, jak Maciek przesuwa swój fotel i prostuje zagięty dywan.

— Będziesz chciała jechać do Niemiec? — zapytał, gdy usiadł.

— Nie wiem.

— Zrobimy, jak będziesz chciała.

— Nie wiem. Ciągle widzę, jak leży tam sam, i obcy ludzie mieliby go dotykać...

— Znalazłem firmę, która się zajmuje takimi przypadkami.

— Ach tak.

— Myślę, że powinniśmy poczekać tu. Wszystko odbędzie się prawidłowo. Będą o niego dbali. Nie dopuściłbym do niego innych ludzi, gdybym nie był pewien. To polecana, rodzinna firma, bardzo odpowiedzialni. Żadna przypadkowa ekipa. Sprawdziłem ich.

— Wiem.

— Anka, zostajemy?

Milczałam. Nabrałam powietrza i wypuściłam wolno. Patrzyłam na Maćka. Wyglądał na wykończonego. Zrobiło mi się go żal.

— Tak — odpowiedziałam.

— Na pewno? Nie będziesz potem tego żałować?

— Nie. Zostajemy.

— To poczekaj, zadzwonię do tej firmy. Mam komórkę właściciela. To bliski przyjaciel rodziców Aliny. — Maciek wyszedł do przedpokoju, a ja przytuliłam się do Petunii, która przyszła i usiadła mi na kolanach. Zamruczała głośno, gdy przesunęłam powoli ręką po jej grzbiecie. Pupilka Kuby.

— To Petusia będzie moją towarzyszką życia, gdy w końcu cię zostawię z powodu twojego ględzenia.

— Czyli wolisz młodsze.

— Nie, mniej pyskate.

— Anka — Maciek wrócił ze słuchawką przy uchu — czy podpiszesz dziś pełnomocnictwo? Panowie podjechaliby tutaj. Bez tego nie będą mogli odebrać Kuby.

— Tak — odpowiedziałam, nie podnosząc wzroku.

Kotka przymykała oczy z rozkoszy i terkotała gdzieś wewnątrz siebie. Głaskałam jej szarosrebrne futerko i gładziłam delikatne, prawie przezroczyste uszka.

Zawołałam Serka. Nasza druga kotka była cięższa, brzydsza, bardziej pospolita, ale w przeciwieństwie do Petunii miała spryt i inteligencję.

— Ja wolę obcować z mądrymi kobietami — mówię, głaszcząc siedzącego na kolanach Serka i patrząc wymownie na Petunię, siedzącą Kubie na ramieniu.

— A ja z pięknymi — odpowiada Kuba i uśmiecha się — dlatego jestem z tobą.

— Przeproś!

Kuba ostrożnie zdejmuje kota ze swetra i pochyla się nade mną, zagłębiając dłoń w moje włosy.

Maciek skończył rozmowę i usiadł naprzeciwko. W milczeniu piliśmy kawę, słuchając kociego mruczenia. Cisza w tym pokoju była nienaturalna. Brakowało mi naszego zegara, jego wybijania kwadransów, melodyjnego odliczania półgodziny oraz głębokich dźwięków wygrywanych przy pełnych godzinach. I spokojnego tykania, które dawało poczucie bezpieczeństwa. Szwedzka, skromna stylistyka z początku XIX wieku. Znalazłam go kiedyś w małym składzie ze starociami niedaleko domu babci. Zadzwoniłam do Kuby i ze słuchawką w wyciągniętej wysoko ręce, stojąc na krześle, dałam mu posłuchać melodii. Sprzedawca ustawił wskazówki na dwunastą, byśmy mieli czas na wsłuchanie się w dźwięk dzwonu. Byłam podekscytowana, bo Kuba zawsze powtarzał, że w domu musi tykać zegar. Że dom bez zegara jest martwy i że człowiek potrzebuje świadomości upływu czasu. By nie wpadł w grzech pychy.

— I co? — pytam, gdy granie ustało. — Bo dla mnie pięknie.

— To go kup. Jesteś nienormalna, wiesz? — odpowiada Kuba, którego wyciągnęłam z zajęć.

— Wiem. Dziś go przywiozę. To będzie prezent dla ciebie.

— Zegar pojechał z Kubą czy jest w magazynie?

— W magazynie. Porozmawiamy o tym, co zrobisz?

Ból, który czułam do tej pory, zacisnął się teraz w małą, szarą piłeczkę. Nie rozpływał się już po całym ciele, nie pozwalając oddychać. Stał się żelazną kulką, którą dotkliwie czułam w środku, w brzuchu. Prawie ją widziałam. Co chwilę próbowała odskakiwać, by wpaść w coraz szybszy, przerażający ruch, który powodował, że brakowało mi tchu i dławiłam się gwałtownym biciem serca. Milczałam, pijąc kawę. Lampa na stoliku oświetlała tylko niewielki krąg w swoim sąsiedztwie. Włoski na piegowatych rękach Maćka w tym świetle prawie płonęły na rudo.

— Myślę o pogrzebie — powiedział Maciek i pochylił się w moją stronę. — Trzeba będzie się tym zająć.

— Ty to zrób. Proszę.

— Nie wszystko będę mógł załatwić sam.

Odchyliłam głowę do tyłu i oparłam na wysokim oparciu fotela. Patrzyłam na stiuki na górze i rozetę na środku sufitu. Kuba przed wyjazdem wkręcił wszystkie żarówki, bo bywało, że brakowało kilku. Opuściłam głowę i spojrzałam na Maćka.

— Nie będę chciała uczestniczyć w pogrzebie.

— Anka...

Milczałam, obserwując cienie na ścianie. Poprawiłam się na fotelu i głośno nabrałam powietrza.

— Maciek, posłuchaj. Nie będzie mnie na pogrzebie, rozumiesz? Będę chciała się pożegnać z Kubą wcześniej, sama. Tak bym chciała. A potem niech ten tłum go porwie i zrobi przedstawienie. Gdy Kuba przyjedzie, załatw to tak, bym mogła być z nim sama. Dobrze?

Zamilkłam. Zapaliłam papierosa i przypatrywałam się, jak wąska strużka dymu zaczęła wznosić się do góry, rozpływając się w mroku. Spojrzałam na Maćka. Siedział bez ruchu, czekając.

— Znałam go inaczej niż reszta. Intymnie. Na pogrzebie on już nie będzie mój, tylko wszystkich.

— Dobrze.

— Rozumiesz mnie? Tylko tak będę mogła się z nim pożegnać. Nie w ciżbie żałobników.

— Rozumiem.

— Zrobimy małe przyjęcie dla przyjaciół. Naprawdę małe. Razem ustalimy, kto miałby na nim być. Tu, w domu. Każdy opowie jakąś anegdotę o Kubie. Napijemy się wina. Obejrzymy zdjęcia. Tylko najbliżsi. W szafie zostało Brunello, mieliśmy je z Kubą wypić, gdy sprzedamy to mieszkanie, ale pal sześć. Mieszkanie niesprzedane, a zresztą teraz to żadna okazja, prawda? Świat się przecież wywrócił.

Maciek przyglądał mi się spokojnie. Siedzieliśmy chwilę w milczeniu, zatopieni w myślach. Nagły dźwięk dzwonka wyrwał nas z zamyślenia.

— To pewnie firma pogrzebowa. — Maciek wstał i poszedł otworzyć. Pinia krótko zaszczekała, obudzona hałasem. Czekałam, przyglądając się swoim dłoniom. Wąska obrączka na palcu połyskiwała matowo. Szukaliśmy z Kubą jakichś ciekawych, szerszych i prostych, bez ozdób, ale nic takiego nie było. Odrzucały nas wymyślne, złote cudeńka, ornamenty, brylanciki i platyna. W końcu w małym zakładzie złotniczym na Starym Mieście w Gdańsku Kuba znalazł zwykłe, srebrne, tanie obrączki. Śmialiśmy się, że jego skąpstwa nie skruszy nawet własny ślub.

— Anka, są te dokumenty. — Maciek wszedł do pokoju, zapalił górne światło i odwrócił się w stronę przedpokoju. — Proszę, niech panowie wejdą.

Zamrugałam oślepiona. Wzrok przystosował się do jasności i mogłam spojrzeć na wchodzących mężczyzn. Obydwaj byli już po pięćdziesiątce. Ubrani w ciemne, stonowane koszule, czarne spodnie i w krawaty. Czarne, błyszczące buty zastukały o parkiet. Podeszli i przywitali się cicho, składając kondolencje.

— Proszę usiąść — powiedział Maciek. — Chcemy chwilę z panami porozmawiać.

Usiedli obok siebie na kanapie. Koszulkę z dokumentami położyli na stole. Zapadła cisza.

— Czy to panowie osobiście odbiorą Kubę z... tego miejsca, gdzie jest? — odezwałam się pierwsza.

Starszy, szpakowaty pan kiwnął głową. Widać było, że on jest szefem.

— Tak. Jedzie z nami jeszcze kierowca. Będziemy się zmieniać. Na podstawie upoważnienia od pani możemy zabrać męża. Jedziemy samochodem z trumną, zabieramy zmarłego, a tutaj, już w Polsce przygotowujemy wszystko do pogrzebu. — Mężczyzna popatrzył na Maćka. — Samochód jest przystosowany do przewozu zmarłych, część z trumną ma specjalną klimatyzację.

— Będziecie go... widzieć?

— Tak. Strona niemiecka zrobi swoją identyfikację, na podstawie dokumentów, a my swoją. Dla pewności.

— Kuba miał palce brudne od czerwonego pisaka. Nie mógł tego usunąć...

— Proszę się nie martwić, zadbamy o wszystko — wtrącił drugi mężczyzna. Miał niski, ciepły głos, niepasujący do jego szczupłej, wręcz chudej postury.

— Kuba... on był dobrym i... miłym człowiekiem... proszę traktować go dobrze...

— Proszę, niech pani się tym nie martwi. Wszystko będzie dobrze.

— A co z samochodem i rzeczami? — spytał Maciek.

— Teraz jedziemy po pana, później, gdy policja będzie miała gotowy protokół, jedzie laweta i ściąga auto do kraju. Rzeczy z depozytu także. Na załatwienie wszystkich formalności potrzeba tygodnia — odpowiedział starszy i sięgnął po koszulkę. — Proszę podpisać, musimy jechać. Przed nami prawie tysiąc kilometrów.

— Potrzebujemy akt ślubu państwa. Ma pani? — wtrącił się młodszy.

Spojrzałam na Maćka. Na pewno gdzieś jest, ale nie miałam pojęcia, gdzie. Kuba zostawił karton z naszymi dokumentami, ale w tym momencie nie potrafiłam sobie przypomnieć, co się z nim stało.

— Zobaczymy w sypialni, mówił mi, że wszystkie ważne rzeczy są tam — powiedział Maciek i wstał. — Sprawdzę.

— To powinno być w niebieskim segregatorze.

Patrzyłam, jak szczuplejszy mężczyzna wyjmuje dokumenty i rozkłada je na stole. Obserwowałam, jak jego zręczne palce rozsuwają papiery, by przygotować je do podpisania. Te same dłonie będą niedługo dotykać ciała Kuby. Wejdą z nim w bliski, intymny kontakt, zarezerwowany tylko dla mnie.

Przechyliłam się nad stołem i przykryłam swoją dłonią jego dłoń. Była ciepła i sucha. Palce znieruchomiały. Spojrzał na mnie zaskoczony. Zacisnęłam mocniej palce.

— Proszę potrzymać moją dłoń. Przez chwilę. Jak jutro będzie pan przenosił Kubę, to będzie to tak, jakbym trochę przy tym była.

Patrzyłam przez chwilę na niego i trzymałam jego rękę, czując, jak odpowiada uściskiem. Maciek wszedł z segregatorem i stanął w drzwiach.

— Ma pan długopis? — spytałam i cofnęłam dłoń, uśmiechając się do mężczyzny. Zamrugał, jakby wytrącony ze snu. Zaczął szukać w teczce i w kieszeniach.

— Ja mam. — Maciek podszedł i podał mi swoje pióro.

Podpisałam szybko wszystko, nie czytając. Maciek ustalał szczegóły i podawał starszemu mężczyźnie nasze dokumenty, wpisując je od razu na listę. Akt ślubu, urodzenia Kuby, kartę pojazdu.

Siedziałam w fotelu, paliłam powoli i koncentrowałam się na kulce w brzuchu, bo czułam jej drgania. Wraz z szybszym biciem serca uaktywniała się i miała ochotę znów wpaść w szał.

Gdy wychodzili, mój wzrok spotkał się przez dłuższą chwilę ze wzrokiem młodszego. Widziałam w jego oczach, że zobaczył mnie i Kubę, że przestaliśmy być kolejnym wypadkiem w jego służbowych obowiązkach. Nabrałam przekonania, że będzie ostrożny i delikatny. Podałam mu rękę na pożegnanie, a on uścisnął ją mocno, a potem podniósł do ust i pocałował. Gdy wyszli, poczułam się zmęczona.

— Która godzina? — spytałam.

— Prawie dwunasta.

— Nie musisz wracać?

— Nie. Alina z Hanią jest u rodziców na Kaszubach. Zostanę.

— Wyjdziemy z psem?

— Chcesz?

— Tak.

— To chodź. — Maciek podał mi rękę i przywołał psa. Pinia podskoczyła z radości i z emocji zaczęła się drapać. — Weź jakiś sweter, wieczorem zrobiło się chłodniej.

Nasze kroki na klatce schodowej dźwięczały donośnie. Schodziłam powoli, jakbym uczyła się tego od nowa.

— A my tak zawsze razem, za rączkę, jak jakieś popieprzone, szczęśliwe małżeństwo. Pewnie wszyscy sąsiedzi dookoła pukają się w głowę, że nam się jeszcze nie znudziło — mówi Kuba, schodząc na dół. Pinia plącze się nam pod nogami, uradowana spacerem.

— A co byś wolał, żebyśmy się tłukli przy śmietniku i tarzali w liściach?

— Ja to może nie, masz mocną rękę, ale nasi sąsiedzi... To dopiero byłaby frajda, nie?

Chłodne, rześkie powietrze uderzyło mnie w twarz. Zaciągnęłam się głęboko. Na ulicy było pusto. Pinia podążała naszą stałą trasą. Wybickiego w górę, później Kręta, Kopernika i z powrotem.

— Jak wygląda sprawa z mieszkaniem? — zapytał Maciek i wziął mnie pod rękę.

— Wynajęte. Za dwa tygodnie wchodzi lokator. Jakiś francuski menedżer dużej firmy samochodowej.

— Nie możesz anulować umowy?

— Nie, została zawarta na trzy lata, jest restrykcyjna dla nich, ale też dla nas. Zależało mi, by zagwarantować sobie trzy lata stałych dochodów.

— Więc co?

— Nie wiem. Muszę się wyprowadzić — odpowiedziałam i zacisnęłam palce na ramieniu Maćka — ale w Polsce nie mam dokąd.

— Zawsze da się coś znaleźć. Popytamy znajomych i znajdziemy rozwiązanie.

— Maciek, boję się, co się ze mną stanie…

— Spokojnie. Wszystko powoli rozwiążemy.

— We Włoszech czeka nasz dom i umówione ekipy budowlane…

— Wiem. Dziś o tym nie myśl. Jutro zaczniemy się zastanawiać…

Szliśmy w tunelu starych lip. Pinia biegła przed nami, kucając przy swoich ulubionych drzewkach. Światło latarni prześwitywało przez liście, rzucając na chodniki zielonkawą poświatę. Znałam każde pęknięcie w płytach, każdy wystający korzeń. Nasze wieczorne spacery ulicami górnego Sopotu to była tradycja. Bez względu na porę roku.

— Dasz sobie radę finansowo? — odezwał się Maciek, zatrzymując się ze mną na zakręcie. — Na życie i w ogóle.

Pinia kucnęła z większą potrzebą. Zaczęłam szukać w kieszeni swetra woreczka foliowego.

— Dlaczego zawsze ja mam sprzątać te rarytasy? — Kuba wyciąga z kieszeni spodni torebkę i patrzy z dezaprobatą na psa.

— Bo mnie kochasz, matołku.

— Mamy oszczędności na remont i dwuletnie życie we Włoszech. Jest kredyt na to mieszkanie tutaj, ale wynajem miał go spłacać. Tamten dom kupiliśmy za gotówkę. Udało się nam sprzedać mieszkanie Kuby, na Focha.

— Kuba był ubezpieczony?

— Tak. I na uczelni, i prywatnie. Nie wiem na jaką kwotę. Nie pamiętam. Maciek — zatrzymałam się na chodniku przed sklepikiem i spojrzałam mu w twarz — nie chcę jutra. Jutro muszę zadzwonić do Marty. Jutro powinnam iść też do rodziców Kuby, pewnie czekają. Ale ja nie mam na to siły. Czekałby tam na mnie emocjonalny huragan. Nie mogę…

— Nie musisz. Ty decydujesz, wszystko załatwimy powoli.

— Zadzwonię do Marty.

— Tak.

— Kiedy przywiozą Kubę?

— Jutro późno w nocy. Właściwie już dziś.

— To dobrze. Ci ludzie... wzbudzają zaufanie.

Maciek ścisnął mi rękę i ruszyliśmy z powrotem do domu. Większość okien na ulicy była ciemna. Tylko w naszym mieszkaniu paliły się lampy. Salon świecił żółtym światłem, jedyny jasny punkt w mrocznej, jakby wymarłej kamienicy.

— Lubię wracać, gdy jesteś już w domu. A najbardziej zimą, do ciepełka. — Przyciskam zmarznięty policzek do skroni Kuby i całuję go w czoło.

3.

Poranny przyjazd Kaśki zaskoczył mnie i ucieszył. Zapomniałam o niej i gdy stanęła w drzwiach, z torbą wypełnioną przysmakami własnej roboty, zaczęłam nagle płakać, poruszona obecnością bliskiej osoby. Kaśka popłakała się wraz ze mną, nie kryjąc łez. Szlochała bezgłośnie, patrząc na mnie szeroko otwartymi oczami, a potem nalała nam po kieliszku wódki.

— Taki młody, dobry człowiek. A sukinsyny łażą po świecie bezkarnie.

Potem odmówiła cicho pacierz, szepcząc niezrozumiale słowa modlitwy. Swoim przybyciem wniosła praktyczny, prosty sposób rachowania się ze śmiercią. Wstała, głośno wytarła nos, przytuliła mnie mocno i zabrała się za sprzątanie.

— Ty organizuj pogrzeb, Ania, i przygotuj mu rzeczy — powiedziała, gdy stanęłam w drzwiach pokoju, patrząc, jak wyciąga zza kanapy upchnięte tam niedbale papiery i folię. — To twój obowiązek. Ja ci we wszystkim pomogę w domu. Życie się ułoży, zobaczysz. Wszystko wróci na swoje miejsce, jak w układance. Tylko potrzeba czasu.

Firma pogrzebowa wzięła na siebie organizację ceremonii. Odwiedziłam ich w biurze w Gdańsku, razem z Maćkiem i ojcem Kuby. Wybór trumny i oprawę uroczystości pozostawiłam im. Siedziałam na twardym krześle i przysłuchiwałam się milcząco, jak ustalają szczegóły z właścicielem. Mnie interesowało tylko jedno. Chciałam pożegnać Kubę z dala od ludzkich oczu. Samotnie.

W pokoju było chłodno, pachniało wodą kolońską i pastą do podłogi. Biurko lśniło, na błyszczącym blacie stał szklany przycisk do papieru w kształcie małej urny.

— Tak jak wcześniej ustaliliśmy, pogrzeb odbędzie się jutro, o trzynastej. Załatwiliśmy z zarządcą cmentarza, że dwie godziny przed nami nie będzie żadnego pochówku — mówił siwy mężczyzna, którego poznałam w naszym domu kilka dni temu, gdy wyjeżdżał po Kubę. Patrzyłam na wiszące za nim duże zdjęcie w skromnej ramce. Przedstawiało ciemny, prawie czarny las, w gęstej, mlecznej mgle. Na ziemi, między drzewami leżała ruda ściółka, mocno kontrastująca z resztą krajobrazu.

— Trumnę z pani mężem wystawimy więc w kaplicy wcześniej, o jedenastej. Wtedy będzie pani sama. Tak jak pani chciała — zwrócił się do mnie. — Czy ma pani jakieś dodatkowe życzenia?

Oderwałam wzrok od zdjęcia i pokręciłam przecząco głową. Milczeliśmy. Ojciec Kuby siedział zgarbiony i zmęczony. Odzywał się mało, jakby rozmowa dotyczyła obcych osób. Był nieobecny, zatopiony w swoich myślach. Właściciel zakładu pogrzebowego siedział za biurkiem pochylony w naszą stronę. Na tle jego kremowej, ładnej koszuli wąskie, granatowo-beżowe paski na krawacie wydawały mi się zbyt ekstrawaganckie i obcesowe. Zdawały się falować, jakby krawat powiewał na wietrze, poruszany wirtualnym podmuchem.

— Proszę się nie obawiać — mężczyzna pochylił się w moją stronę i lekko ściszył głos — mimo tragicznego wypadku pani mąż wygląda dobrze.

— Tak.

Ponownie zapadło milczenie. Poprawiłam się na krześle i spojrzałam mu w oczy.

— Dziękuję — odezwałam się w końcu. — Dobrze, że to pan zajmuje się moim mężem.

Mężczyzna chrząknął i poprawił siwe włosy, przesuwając palcami po głowie.

— O trzynastej rozpocznie się ceremonia — kontynuował — trumna już będzie zamknięta. Mamy zgłoszone cztery przemówienia. Jeśli będzie chciała pani powiedzieć coś od siebie, na końcu będzie czas. Obok trumny będzie stało zdjęcie pani męża, które dostarczył pan Maciej. — Mężczyzna schylił się i postawił na biurku dużą, czarno-białą fotografię Kuby, oprawioną w skromną ramkę. Zdjęcie zrobione przeze mnie na naszych wakacjach na Sycylii rok temu. Kuba, w jasnej koszuli, opalony, z nieodłączną fajką, patrzy poza obiektyw, uśmiechając się do mnie.

— Wiesz, że tutaj Giuseppe Tornatore kręcił „Cinema Paradiso"? Pamiętasz tego chłopca z wystającymi zębami? — Kuba wjeżdża na rozległy ryneczek i parkuje pod kościołem.

Na pustym, zalanym słońcem rynku Palazzo Adriano słychać tylko szum lejącej się wody w dużej fontannie. Jest pusto.

— Kino spłonęło — odpowiadam, zamykając okno — więc to smutna historia.

— Dobrze się kończy, więc to wesoła historia.

— To zdjęcie zrobiłam w Palazzo Adriano — powiedziałam, wpatrując się w fotografię. — Był pan na Sycylii?

— Nie.

— To proszę koniecznie jechać. Jest piękna i dzika, szczególnie jej środek.

Mężczyzna popatrzył przez chwilę na zdjęcie i chciał je odłożyć z powrotem koło biurka, ale ojciec Kuby wyciągnął rękę i dotknął twarzy Kuby. Chwilę przesuwał palcem po szkle, obrysowując palcem kształt podbródka syna. Potem cofnął rękę, jakby zawstydzony tym gestem, zbyt intymnym w tym oficjalnym miejscu.

Zapadło milczenie.

— Jeśli chodzi o oprawę muzyczną...? — odezwał się tato Kuby.

— Pan Maciej zorganizował muzyków, więc myśmy nie proponowali naszej.

— Krzysiek z chłopakami zagrają jazzowe interpretacje — powiedział Maciek, patrząc na mojego teścia. — Kuba się z nimi znał i lubił ich ostatnią płytę.

— Wziął ją do samochodu — powiedziałam cicho.

— Tak.

— Zabrali państwo ubranie pana Kuby? — zapytał mężczyzna.

Garnitur Kuby ze ślubu, czarny z odcieniem brązu, i jego koszulę w wąskie paseczki, którą kupił sobie sam i z której był bardzo zadowolony, włożyłam do przezroczystego pokrowca. Kaśka wypastowała bardzo dokładnie buty i włożyła do pudełka. Patrzyłam, jak równiutko składa bieliznę i białą, mocno wyprasowaną chustkę do nosa.

Maciek sięgnął po dużą papierową torbę i postawił na biurku. Zniknęła po drugiej stronie, tuż obok zdjęcia.

— Tu znajdzie pan wszystko.

— To w takim razie omówiliśmy każdy szczegół. Czekamy na panią jutro o jedenastej, a na resztę państwa trochę później.

4.

Wyszliśmy na jasno oświetloną słońcem, gorącą ulicę. Tłumy turystów przemieszczały się z jednego miejsca Starego Miasta na drugi, przyciągani jazgotem Jarmarku Dominikańskiego. Czułam, jak cała nasza trójka kuli się od naporu ludzi i hałasu. Szybkim krokiem skręciliśmy na najbliższym rogu w małą, nieuczęszczaną uliczkę.

— Kończ tę kawę, pogrzebiemy sobie w starociach — mówię i wstaję od stolika. — Uwielbiam ten śmietnik przy Grodzkiej. Lalki ze sfilcowanymi włosami, czapki czerwonoarmistów i plastikowe pudelki. Prawdziwe cuda.

— Ale umawiamy się, żadnych kolejnych skorup nie taszczę do domu. Zgoda?

— *Chodź już, potem będą tabuny turystów i nie będzie już tak fajnie.*

— *Anka, zgoda?*

— Panie Marku, pójdziemy na małą kawę? — spytałam ojca Kuby.

— Nie, dziecinko, dziękuję. Wracam do domu, Joasia ciągle źle się czuje — odpowiedział i przetarł twarz dłonią — muszę przy niej być. Wiesz, że dziś o trzeciej przylatuje Tomek?

— Tak, dzwonił do mnie.

Starszy pan objął mnie mocno i przytulił. Był drobny i szczupły, lekko pochylony, z ładnym profilem, który odziedziczył po nim Kuba. Tak jak Kuba palił fajkę i pachniał dobrym tytoniem. Zawsze, od kiedy go pamiętam, wszystkie wolne chwile spędzał przy swoim biurku, z rozłożonymi wszędzie książkami. Pochylony nad lekturą, nie uczestniczył w życiu rodzinnym, ograniczając się tylko do kąśliwych, zabawnych komentarzy, wypowiadanych bez podnoszenia głowy, gdy rozmawialiśmy akurat o czymś, co go zainteresowało. Lubiłam te jego błyskotliwe, krótkie wypowiedzi, zaskakiwały mnie swoją przewrotnością.

— Trzymaj się. — Poklepał mnie lekko po plecach. — Jutro się spotkamy. I ucałuj Martusię.

Patrzyłam, jak odchodzi, w cieniu drzew, z założonymi z tyłu rękoma, w ciemnym polo i jasnych spodniach, i dostrzegłam w jego krokach ten sam rytm i sposób stawiania nóg co u Kuby. Leciutko utykał i prawie niedostrzegalnie przy co drugim kroku przechylał się na prawo.

— Przyjechać po ciebie jutro? — zapytał Maciek, wyrywając mnie z zamyślenia.

Weszliśmy w zacieniony zaułek. Było cicho i pusto. Brak sklepów i straganów w tym miejscu nie przyciągał spragnionych zakupowego szczęścia. Usiedliśmy na ławce, pod dużym klonem. Jakaś staruszka w oknie na parterze podlewała kwitnące geranium.

— Nie, przyjadę sama. Marta dotrze z Kaśką i dziadkami.

— Jak ona się czuje?

— Dobrze. Właściwie to nie wiem. Milczy. Śpimy razem, chyba obydwie tego potrzebujemy.

— Powiedziała mi wczoraj, że się o ciebie martwi.

— Wiem. Ja o nią też.

— Może przyjedziecie do nas na Kaszuby? Jak będzie po wszystkim?

— Nie — powiedziałam szybko. Miałam wrażenie, że za szybko. Nie chciałam być niegrzeczna, ale Maciek troszczył się o nas w sposób, który zaczynał mnie uwierać.

— Maciek, to nie jest dobry pomysł. Muszę trochę pobyć sama. Ale ci dziękuję.

Maciek zamilkł. Ja też nie miałam ochoty na rozmowę. Gdyby zaproponował mi trwanie w zawieszeniu, tu, na tej ławce, i obserwowanie drobnej staruszki pielęgnującej swoje kwiaty, przez tydzień lub dwa, zgodziłabym się bez wahania. Ale nie wyjazd, do obcego domu, bycie gościem, w dodatku gościem specjalnej troski. I ta nadopiekuńcza, dobra Alina.

— Anka, co dalej?

Nie odpowiedziałam. To pytanie miałam w głowie cały czas, zaraz po „dlaczego?". O ile to pierwsze mogłam zadawać sobie w nieskończoność, przez resztę życia, to to drugie zaczynało mnie parzyć. Krzyczało w mojej głowie, niecierpliwe i pulsujące. Wiedziałam, że to kwestia godzin, gdy będę musiała się z nim zmierzyć.

— Anka...

— Nie wiem.

Staruszka zaciągnęła starannie bielutkie, sztywne firanki. Pod wpływem wiatru lekko falowały, potrącając czerwone, pełne kwiaty. Musiało tam pachnieć cytrynami, pamiętam, że jako dziecko dotykałam niby przypadkiem pelargonii u babci, bo uwielbiałam jej różano-cytrynowy zapach.

— Za osiem dni musisz opuścić mieszkanie.

Spojrzałam na Maćka. Siedział lekko pochylony, z łokciami opartymi na kolanach, i patrzył na swoje buty. W końcu podniósł wzrok i popatrzył mi w oczy.

— Anka, porozmawiaj ze mną o tym.

— Marta chciała, bym pojechała z nią do Poznania. Ale to niemożliwe.

— Dlaczego?

— Bo to jej życie. I jej miejsce.

— Tutaj nie możesz zostać. Niedługo pojawi się lokator. Rozmawiałem z kumplem, ma mieszkanie do wynajęcia…

— Chyba wyjadę — przerwałam Maćkowi.

— Dokąd?

— Do Włoch.

Zapadła cisza. Na parapecie u staruszki niepostrzeżenie usiadł bury, wielki kot. Miałam wrażenie, że mi się przygląda. Maciek wstał z ławki, przeszedł parę kroków, wrócił i usiadł ponownie.

— Powiedz, że żartujesz.

Milczałam, patrząc uważnie na kocura, koniec jego ogona zwisał z okna i leciutko się poruszał na boki. Tik-tak, tik-tak. Hipnotyczny, miarowy ruch. Z trudem oderwałam od niego wzrok i spojrzałam na Maćka. Był wyraźnie przejęty.

— Anka, powiedz, że to żart.

— Nie.

Maciek wziął mnie delikatnie za rękę i mocno ścisnął.

— Anka, posłuchaj…

— Myślę o tym poważnie.

— Posłuchaj… posłuchaj mnie przez chwilę… Nie rób tego. Tam nie ma nic. Jest ten dom, wiem, ale go sprzedasz i…

— Co ty wygadujesz? Jak to sprzedasz?! A co to jest, kurwa?! Ubezwłasnowolnienie? — Wyrwałam rękę i wstałam. Serce waliło mi w piersiach, nie pozwalając głęboko oddychać. Patrzyłam na Maćka z góry. Wstał także i stanął blisko mnie.

— Nie mów tak. — Pochylił się nade mną. — Po prostu nie chcę, byś tam… Nie znasz tam nikogo. Tylko z Kubą to miało sens. Jak sobie chcesz poradzić? Opowiadał mi, ile pracy was tam czeka. Co, będziesz skuwać podłogi młotem pneumatycznym? Obce miejsce, ludzie, to się nie może udać…

— No to się nie uda.

— Jest ci to obojętne?

— Tak. I co się stanie? Jedna porażka na świecie więcej? A kto to zauważy? Jakie to ma znaczenie? Dla mnie nie ma, więc dla ciebie tym bardziej nie powinno mieć. Ja tu już nie istnieję. Rozumiesz? Tam jest przynajmniej coś, czego mogę się uchwycić.

Zaczęłam grzebać w torebce, by znaleźć papierosy. Zniknęły wśród chusteczek papierowych, luźno wrzuconych dokumentów, portfela, kluczy i innych śmieci. W końcu je wyciągnęłam, zapaliłam i milcząc, spojrzałam na Maćka. Był zdenerwowany.

— Maciek, powiedz tak szczerze, wyobrażasz sobie moje życie tutaj? Jak niby miałoby wyglądać? Miałabym chodzić na cmentarz i zanosić Kubie kwiaty? I unikać górnego Sopotu, bo będzie przypominał mi Kubę, bo tam mieszkaliśmy? Unikać Gdańska, bo rano jadaliśmy tu czasem śniadania u Pellowskiego?

— *Co bierzesz? Bo ja tartę owocową. I kawę.*

— *Jagodziankę. Jestem uzależniony.*

— Mam unikać Oliwy, bo łaziliśmy po jej lasach z psem? Nie chodzić po księgarniach, bo we wszystkich bywaliśmy razem? Tu każde miejsce to Kuba. Tu stłuczka z pijanym motocyklistą, tam kupowaliśmy naszą sofę, tu zginął nam pies, a tam się znalazł. Gdzie nie spojrzę, wszędzie widzę film z naszym udziałem. Nawet tutaj, na tej uliczce widzę, jak wracaliśmy razem z kina, zimą, było późno, padał śnieg, samochód stał kompletnie zasypany, a my nie mieliśmy czym go oczyścić.

— *Dawaj gazetę, zrobimy z niej ścierę.*

— *Skąd ci wezmę gazetę?*

— *Ze śmietnika, zobacz, z tamtego wystaje piękna, kolorowa szmata.*

— *Mam grzebać w śmietniku, jak jakiś menel?*

— *Grzeb, bo zimno... Rusz się, księżniczko.*

— To nie powód, by uciekać.

— Nie? A skąd to wiesz?

— Bo to są emocje. W końcu się wyciszą i wszystko stanie się normalne, te miejsca stracą pamięć.

— Ale ja nie chcę tego stracić! Nie rozumiesz? Ja nie chcę zapomnieć o tym śniegu! O stłuczce, o skradzionej komórce w knajpie w Sopocie, o zapachu jego ciała. O niczym nie chcę zapomnieć. Ale tutaj na co nie spojrzę, zawsze będę widziała kolejny stary film.

— Ania, polegniesz tam sama.

— *A miny?*

— *Wszystkie rozbroję. Dla ciebie.*

— Myślisz, że się nie boję? Maciek, boję się jak cholera. Jestem przerażona. Odkąd to wszystko się stało, odkąd pojawiła się w mojej głowie myśl, że nie mam właściwie wyjścia, że muszę tam jechać, tu, w środku — przyłożyłam płasko dłoń do serca — tutaj czuję lód. Tu jest czarno. Ale jeśli mam żyć, rozumiesz, jeśli mam iść naprzód, a nie tylko jeść, pić i znieczulać się winem lub snem… Znam siebie. Skryję się, będę unikać ludzi. Ciebie w końcu też. Nikogo do siebie nie wpuszczę. Zacznie mi w końcu sprawiać to przyjemność, to znikanie. Bycie samą. Tego też się boję, nawet bardziej niż życia tam. Bo to jest wąska ścieżka. Coraz węższa. Jeśli mam jakąkolwiek nadzieję, że nie pogrążę się w rozpaczy, to tam.

Zamilkłam zdyszana. Czułam napięcie w mięśniach, jak po długim wysiłku. Wyjęłam z torebki butelkę wody i napiłam się. Przetarłam dłonią oczy i usiadłam na ławce. Spojrzałam z dołu na Maćka. Stał milczący, zgarbiony. Sięgnęłam po jego rękę i pociągnęłam go za sobą. Usiadł posłusznie obok. Trzymałam mocno jego rękę w swojej dłoni i mówiłam do niego cicho, z bliska.

— Słuchaj. Dziękuję ci za wszystko. Za wszystko. Nigdy ci nie zapomnę tej pomocy. I obecności. Wiem, że czujesz się zobowiązany o mnie dbać. Że Kuba tak samo zadbałby o Alinę. Bez ciebie… nie wiem, jak by to było. Ale tę decyzję podejmę sama. Dobrze? Nawet jeśli jest zła. Nawet jeśli polegnę, nie dam rady, pokona mnie wysiłek, samotność albo strach, Maciek, to ja nie mogę żyć z zamkniętymi oczami. Z głową pod kołdrą. A tak by było.

Siedzieliśmy, milcząc. Słońce zalało skwerek i dotarło do naszej ławki, prześwietlając klonowe, delikatne liście. Na nas i na ławce zamigotały jasne plamki. Kot na parapecie siedział nieporuszony, z głową na rozgrzanej blasze. Chłonął ciepło całym ciałem. Przymknęłam oczy. Oddychałam spokojnie. Powiedziałam po raz pierwszy głośno to, o czym zaczęłam myśleć od naszego nocnego spaceru z Maćkiem, po tym potwornym, złym dniu. Ta decyzja była we mnie od samego początku, choć wydawała się nieprawdopodobna. Z każdym dniem nabierałam pewności, że nie może być innej. Nasz dom, pusty i głuchy, rozebrany na części i niezłożony, naznaczony wieloma znakami obecności Kuby, nie dawał mi już schronienia. Jego obcość potęgowała świadomość, że z każdym dniem powinno być mnie w nim mniej, że muszę go opuścić. Nieubłagana logika naszego planu, który teraz rozsypał się, jak miałki piasek w palcach. Nie chciałam nawet myśleć o próbie przywrócenia wszystkiego do poprzedniego stanu, o powrocie do poprzedniego życia. Tamto się skończyło. Nie będzie już wygrzewania stóp przy kominku, obserwowania jesienią wiatru w szarpanych gwałtownie gałęziach kasztanów pod domem, łazienkowych rozmów o niczym, naszych odbić w lustrach czy chichotu, gdy Magda podjeżdżała pod dom i zaczynała parkowanie. Koniec. Twarda, ołowiana kula w środku mnie nie zmniejszyła się nawet odrobinę. Miała zostać ze mną na długo, musiałam ją polubić. Była jak ciężarki na nogach biegaczy. Potrzebowałam teraz jej obecności. Bez niej byłabym chwiejna i zbyt lekka. Nie potrafiłabym zrobić kroku.

— Wracamy? — spytał Maciek.

— Tak.

— Nie będę cię odwodził od tej decyzji. Ty sama wiesz lepiej, co powinnaś zrobić. Boję się, Anka, że myślisz o wyjeździe, bo wydaje ci się, że nie masz wyjścia — powiedział Maciek. Szliśmy wolno w stronę parkingu, starając się unikać zatłoczonych miejsc. To nie było łatwe. — Że nie będziesz miała za chwilę gdzie mieszkać, że zamknęłaś w Polsce swoje sprawy i nie masz nic. Tak nie jest. Tylko tyle chciałem ci powiedzieć, gdy proponowałem ci wynajęcie mieszkania. To też jest rozwiązanie. Nie na zawsze, na stałe, ale na teraz. By zebrać myśli i ochłonąć. A potem mogłabyś wybrać taką drogę, jaką byś chciała. Nie chciałbym, byś dokonywała takich ważnych wyborów w determinacji i rozpaczy. Z czarną ścianą przed sobą. To nie będzie wtedy dobry wybór. Rozumiesz?

— Tak.

— *Chryste, ja zwariuję z tobą. Dlaczego jesteś taka uparta? Przecież możesz się chyba mylić? Czy nie?*

— Przemyśl to sobie jeszcze raz, spokojnie. Masz czas.

— Przemyślałam to. Jadę.

Maciek patrzył na mnie przez chwilę, a potem przygarnął do siebie. Chwilę przytrzymał mnie w ramionach, a potem odsunął się i spojrzał mi w oczy.

— Pamiętaj, pomogę ci, ile będę w stanie, ale i tak w całości będziesz musiała polegać na sobie — zamilkł i potarł rękoma czoło. — Jakkolwiek by się nie ułożyło, zawsze będziesz mogła wrócić.

Kiwnęłam potakująco głową. Chciałam go uspokoić. Wraca się do czegoś lub kogoś. Tu nie było już nic.

5.

...tak to sobie wyobrażałam... że stoisz na parkingu... wieczorem... i z uśmiechem patrzysz, jak podjeżdżam od strony Pieve Santo Stefano... wcześniej zadzwoniłabym i powiedziała... a gdzie ty jesteś?... jadę do ciebie dwa tysiące kilometrów... a ty co?... a ty na to... czekam od wczoraj... wariatko... o której będziesz?... a potem wysiadam na sztywnych nogach... bo oczywiście robiłam za mało przerw... pies już cię dostrzegł... więc szaleje na tylnym siedzeniu... zaniepokojone koty popiskują... Pinia skacze po ich koszach... a ja wpadam w twoje ramiona... i wącham zagłębienie twojej szyi... tuż przy kołnierzyku... uwielbiam... i to mi wystarcza... już wiem... że jestem w domu... twoje ciepło i zapach skóry... i ten ujadający... zniecierpliwiony pies… który też chce być pogłaskany i cieszy się… bo stado znów w komplecie… dotykam twoich rąk… radość miesza się ze zmęczeniem… w końcu z samochodu wypuszczamy psa… który nie wie… co robić najpierw… sikać na trawę… czy skakać koło naszych nóg… parking jest prawie pełen… w końcu to sobota… w dodatku środek sezonu… zjechali turyści i miejscowi z okolicy… zaczynasz opowiadać mi… co się dziś działo… że robotnicy skuwają stare posadzki w piwnicy… i burzą ścianki w kaplicy… kurz taki… że Anka, nie można oddychać… w dodatku wyjątkowy upał… gdy przychodzi święta sjesta… zjadam coś szybko… biorę prysznic i natychmiast zasypiam… wiesz?… i mówisz jeszcze… że zamówiłeś stolik na dziś w L'Apennino… że napijemy się wina… zjemy pizzę… kocham cię… nareszcie jesteś… bez ciebie tu było nijak… wiesz?… tęskniłeś?… pytam… no pewnie… a ty nie?… też… nie mogę oderwać od ciebie rąk… Włosi pomyślą… że jestem starym zbokiem… bo jesteś… mówię ze śmiechem… niesiemy koty w koszach do mieszkania na via della Castellina… nigdy tam nie byłam… Carla dała ci klucze… gdy przyjechałeś… ja tylko załatwiłam z nią wynajem… pies plącze się pod nogami… Palazzo Laudi jest oświetlone jaskrawo… na *piazza* tłumy… skręcamy w uliczkę na wprost Duomo… drugie drzwi po prawej… pod siedemnastką… dlaczego, kurwa… tak nie mogło się zdarzyć?!… przecież wszystko… co teraz ci mówię… to wszystko było na wyciągnięcie ręki!… właściwie dotknęłam tego dnia… gdy przyjeżdżam do ciebie… do Włoch… prawie czuję na skórze ciepło twoich dłoni… zapach wieczornego powietrza… słyszę radosne odgłosy Pinii… dlaczego tak grzałeś na tej autostradzie?!… ten hotel… do którego jechałeś… spokojnie sobie stoi… pewnie rano… gdy nie dotarłeś… wykreślili jednym ruchem twoje nazwisko… kolejny gość… który się nie pojawił… mimo zrobionej rezerwacji… ryzyko zawodowe… tę kreskę widzę tak dokładnie… jakbym przy tym była… tak jak widzę, jak poprawiasz się na siedzeniu po ośmiu godzinach jazdy… zmieniasz płytę… grzebiąc przedtem w schowku i patrząc jednocześnie na drogę… jak zerkasz na zegar… podświetlony na pomarańczowo... jest 3.14... nucisz sobie coś pod nosem... chce ci się spać... patrzysz na gps... jeszcze 15 km... potem przed siebie... włączasz przeciwmgielne i wtedy ciężarówka rośnie przed tobą... i już nie ma odwrotu... hamujesz gwałtownie... ale to koniec... raz po razie oglądam rozpryskujące się kawałki szkła... plastiku... lecą, błyszcząc w powietrzu... widzę zgniatającą się jak folia aluminiowa blachę... najpierw przeraźliwy zgrzyt, a potem cisza... muzyka już zamilkła... światła zgasły... ciebie już nie ma... mam ochotę wrzeszczeć... z całych sił... żebyś zrozumiał... że masz jeździć ostrożnie... żebyś nigdy więcej nie robił w ten sposób... byś nigdy nie narażał siebie i mnie... potem ogarnia mnie gorzki śmiech... bo przecież twoja wina i twoja kara... to wszystko już za tobą... budzę się w nocy... słucham spokojnego oddechu Marty... obok mnie i... całą siłą woli duszę w sobie krzyk... czuję, jak narasta... rozlewa się w żołądku... podchodzi do gardła... przykładam poduszkę do ust... mocno... z całej siły... bo za chwilę ten krzyk się wyrwie... i nie będę mogła przestać... dławię się i w końcu wstaję... i prawie biegiem... na palcach... wpadam do łazienki... zamykam drzwi i patrząc w lustro... bezgłośnie krzyczę... na ciebie... na siebie... na tego niemieckiego kierowcę... i nasze plany... i dom w Sansepolcro... i Bogu ducha winnego Francuza... który zamieszka w naszym mieszkaniu w Sopocie... i tę cholerną mgłę... już się nigdy nie zobaczymy... czekałam na ciebie... i stoję teraz tutaj... i nie wiem, co mam ci powiedzieć... płaczę za naszym fajnym życiem... za naszymi rozmowami... za twoim dotykiem... za wujkiem Udo... za wspólnym gotowaniem... i kłótniami... kto dziś sprząta kuchnię... zawsze tylko ja... bałagan w naszej jadalni... te twoje książki... porozkładane, gdzie się da... tyle razy byłam na ciebie o to wściekła... miałam ochotę wyrzucić ci je przez okno... to było takie głupie... bądź przy mnie... teraz będzie zupełnie inaczej... jakbym wskakiwała do czarnej wody... nic nie widać... a wiesz, jak ja pływam... śmiechu warte... uczyłeś mnie na jeziorze w Ostrzycach... połóż się na plecach... oddychaj spokojnie... zobacz... jestem obok... potem puszczałeś mnie...

a ja wpadałam w panikę… bo nie czułam twojego dotyku… więc bądź obok… bo utonę… kochany mój… przywiozłam ci klucze od naszego włoskiego domu… przyczepiłam do nich breloczek z łosiem… zawsze cię śmieszył… ta jego krzywa noga… miej je przy sobie… bo ja tam będę… więc do widzenia…

II.

Sansepolcro, miasto z mgły

1.

Siedziałam na schodkach katedry, z psem przytulonym do mojego boku, i obserwowałam przechodzących ludzi. Była siódma, słońce schowało się za najwyższe kamienice i czułam, jak miasteczko zaczyna stygnąć po całodniowym upale. W kawiarni naprzeciwko nieliczni klienci pili przy stolikach ostatnią, wieczorną kawę lub kolorowe aperitify. Dwoje staruszków siedziało pod parasolem, wpatrując się w siebie milcząco, jakby szukali w swoich smutnych, pozbawionych wyrazu twarzach odpowiedzi na wszystkie niezadane do tej pory pytania. Przed lodziarnią, na końcu placu, dzieci szalały na rowerach, jeżdżąc w kółko i starając się wykonać jak najmniejszą ósemkę. Ich śmiechy i krzyki odbijały się echem od nagrzanych murów.

Minęły mnie dwie opalone, szczupłe kobiety, głośno rozmawiające o dopiero co zrobionych zakupach. Ich buty na wysokich obcasach dźwięczały rytmicznie na nierównych, schodzonych kamieniach. Tuż za moimi plecami, w katedrze, odbywała się ostatnia msza, na którą kilkanaście minut temu spieszyły starsze panie, ubrane w letnie, gustowne sukienki, każda ze starannie ułożonymi włosami.

Włoski dzień się kończył, dając wytchnienie ludziom i budynkom. Z wybiciem siódmej odezwały się dzwony na wieży Duomo, tuż nad moją głową, budząc siedzące na gzymsach, rozleniwione gołębie. Głębokie tony rozpłynęły się w złotawym, ciepłym powietrzu, wprawiając w delikatne drżenie kamienne stopnie. Zaraz potem odezwała się Santa Chiara, potem San Lorenzo, tuż po nim Santa Caterina, a na koniec rozległ się mój ulubiony dzwon w Santa Marta, trochę chropawy i stłumiony, jakby niepewny, czy może ścigać się z najlepszymi i kończyć ich granie swoim prostym, mocnym akordem.

Sierpień się skończył, zostało jeszcze kilka dni do Palio della Balestra, corocznej fiesty, która na jeden dzień zdominuje życie całego miasta. Jak powiedziała Carla, po Palio już tylko zima.

Mieszkanie na via della Castellina okazało się wygodne i zadbane. Miało dwa pokoje i niewielką kuchnię z widokiem na góry i ogród, w którym codziennie, od samego rana, wygrzewała się dwójka białoróżowych, grubych Australijczyków. Miało też samodzielne wejście od ulicy, co bardzo mi odpowiadało, za którymi były strome, kamienne schody prowadzące bezpośrednio na piętro. Nie chciałam ludzi zbyt blisko siebie. Wolałam ich obserwować z daleka, jak tę nudną parę w ogrodzie, schowana w cieniu okna.

Gdy pojawiłam się w mieście, po dwudniowej podróży, zmęczona upałem i wielogodzinną jazdą, prawie dokładnie miesiąc temu, Carla czekała już na mnie z butelką wina i gorącymi uściskami. Trzymała mnie mocno za rękę i głośno wycierała nos, aż zrobił się czerwony. Łzy rozpuściły jej makijaż, przez co oczy wydawały się jeszcze większe. Siedziałyśmy przy małym, drewnianym stole, w żółtym świetle kuchennej lampy, jadłyśmy krakersy i piłyśmy czerwone wino. Za oknem w ciemności słychać było świst szybujących nietoperzy.

— Anka, to dobre miejsce do życia, zobaczysz. Jest tak, jak

wam powiedziałam wiosną. To nie jest bajka dla pozyskania klientów.

— Wiem. Ale czuję się jak dziecko pozostawione samo na ulicy. Nic nie znam. Nie wiem, gdzie robić zakupy, gdzie wyrzucać śmieci, gdzie płacić rachunki. Mój włoski jest ciągle tragiczny.

— Jest dobry. Dużo nad nim popracowałaś, prawda?

— Trochę, od zeszłego lata do... wyjazdu Kuby. Wzięłam się ostro do nauki. Wzięliśmy...

— Wszystko będzie dobrze. Pomogę ci. Tak samo Paweł. Mówi po polsku, zawsze to łatwiej.

— Nie mogę cię angażować w moje sprawy.

Carla machnęła ręką i pokręciła przecząco głową. Duży, ozdobny pierścień na jej palcu zabłysnął jaskrawo i zgasł. W cieniu kamienie wydawały się czarne, w świetle zapłonęły na czerwono i niebiesko.

— Daj spokój. Musisz na początku korzystać z pomocy. Potem poradzisz sobie sama.

— Dziękuję.

— Z kim podpisaliście umowę na wykonanie prac?

— Z Silviem Buccim. Jeszcze nie podpisaliśmy, ale wybraliśmy jego.

— Aha. Nie znam. Jutro pójdziemy pozałatwiać najważniejsze sprawy. Na początek musisz mieć pojemniki na śmieci.

— I Internet.

— I to załatwimy. Prądem i wodą na budowie zajmie się Paweł.

Wypiłam wino i nalałam sobie jeszcze jeden kieliszek. Było mi dobrze, przy tym cudzym stole, z marną grafiką na ścianie i z piękną Carlą, która miała poprowadzić mnie za rękę, jak ucznia pierwszej klasy na początku roku szkolnego. Byłam jej wdzięczna za tę troskę.

— Podziwiam cię, że zdecydowałaś się na taki krok — powiedziała Carla i sięgnęła po butelkę. — Ja bym tego nie zrobiła.

Patrzyłam na Carlę w milczeniu, w końcu wzięłam z paczki

papierosa i zapaliłam. Zapałka wylądowała w plastikowym kubeczku.

— Nie wiesz, co byś zrobiła. Nie byłaś w takiej sytuacji. Ja sama ciągle myślę, że to sen. Że się obudzę i okaże się, że po prostu śnił mi się koszmar, wiesz, jeden z tych, co to zapamiętujesz każdy szczegół. — Spojrzałam jej w oczy i wzięłam duży łyk wina. — Czasem mam ochotę się śmiać, bo to jest tak idiotyczna historia, tak popierdolona, że tylko życie mogło ją napisać. A potem nagle, jak strzał w głowę, trafia do mnie, że to jest moje życie, moja rzeczywistość, i mam ochotę wyć z rozpaczy, bo — przechyliłam kieliszek i opróżniłam go szybko — widzisz Carla, mów, co chcesz, ale to nie jest, kurwa, sprawiedliwe.

— Oczekujesz od życia sprawiedliwości?

— Oczekuję harmonii. Dostałam kopniaka w brzuch i zrobiłam salto. Czy za dużo chciałam? A może byłam za szczęśliwa? Życie nie lubi monotonii. Potrzebuje zakrętów i wiraży, by wprawiać wszystko w ruch. Byliśmy z sobą tak blisko, że wyczerpaliśmy cały limit. Bo w końcu ile można? „Dość tego szczęścia, słoneczka moje" powiedział los i ciachnął nożem po naszych złączonych w uścisku paluszkach.

Roześmiałam się krótko i dolałam wina do naszych kieliszków. Zmęczenie zrobiło swoje, czułam, że zaraz będę pijana.

— Bardzo się kochaliście.

— Kochaliśmy? A co to za miałkie słowo? Myśmy, Carla, oszaleli na swoim punkcie. Rozstawaliśmy się na kilka godzin dziennie, a tęskniliśmy już po kilku minutach. Potrafiliśmy godzinami rozmawiać i godzinami milczeć. To było — ułożyłam na stole piramidę z paczki papierosów, pudełka zapałek, korka od wina i czarnego guzika, który odpadł mi od koszuli — wiesz, całkowite zauroczenie. Z rodzaju tych, co mieszają w głowie na zawsze.

Carla milczała, obracając w palcach kieliszek. Wino, ciemnoczerwone, prawie brązowe, zostawiało na ściance kieliszka rubinowy, przezroczysty ślad, który szybko znikał, spływając na dno.

— Boisz się?

Pstryknęłam palcami w zbudowaną konstrukcję, która rozpadła się i potoczyła po śliskim blacie.

— Jestem śmiertelnie przerażona. — Nakryłam ręką toczący się guzik i zatrzymałam go przy samej krawędzi stołu. — Przerażona i zdruzgotana. Moje serce co chwilę mocno trzepocze, a ja się boję, że nie wytrzyma tego napięcia. Ale chcę tu być. To jedyne miejsce, gdzie czuję, że powinnam być. Na każdym kroku brakuje mi Kuby. Gdy jem, śpię, patrzę przez okno, myję zęby. Wczoraj, w hotelu koło Monachium, wśród moich rzeczy znalazłam jego wodę toaletową. Rozryczałam się i nie mogłam spać przez całą noc.

— Dasz radę. — Carla mocno ścisnęła moje ramię. — Jestem przekonana.

— A ja nie — odpowiedziałam i znów rozpoczęłam budowę piramidy. — Niczego nie jestem pewna. Wszystko wydaje mi się kruche, łamliwe. Jak umierała moja matka, poczułam, że dopełnia się jakiś cholerny, biologiczny scenariusz. Wiesz, że gdy umierają nasi rodzice, stajemy się śmiertelni? A teraz odszedł Kuba i umarłam w połowie. Jestem już niekompletna, Carla, wybrakowana. Dlatego nie wiem, czy dam radę...

Następnego dnia, po niespokojnej, gorącej nocy w obcym łóżku, wśród obcych sprzętów i mebli, wstałam przed szóstą. Było jeszcze szaro, słońce miało pojawić się dopiero za niecałą godzinę. Ubrałam się, wzięłam psa na smycz i po wysokich, stromych schodach, prowadzących na ulicę, zeszłam na dół. Miasto było całkowicie puste i wymarłe. W oddali słychać było ciche szczekanie. Wyszłam na placyk przed Duomo. Starszy, niski pan otwierał olbrzymim kluczem wrota katedry. Pchnął je, mocno zapierając się o ziemię, i wielkie drzwi zaczęły się przesuwać. Pies biegał wokół mnie, próbując nakłonić mnie do spaceru. Mężczyzna zniknął w kościele. Pewnie przygotowywał poranną mszę. Ruszyłam w stronę *piazza*, przeszłam szybkim krokiem obok zamkniętego o tej porze sklepu z książkami i kartkami pocztowymi, minęłam lodziarnię i weszłam w naszą uliczkę. Przed domami stałe żółte, plastikowe kosze na śmieci, każdy wypełniony papierem. Szłam coraz wolniej, serce waliło mi ogłuszająco, w głowie czułam szybkie pulsowanie krwi. Zimne dłonie zacisnęłam na smyczy. Postanowiłam wejść do naszego domu. Nie widziałam go od czasu podpisania umowy sprzedaży, gdy zimą, wraz z Carlą, tuż przed transakcją, obeszliśmy całą nieruchomość, sprawdzając, czy wszystko jest zgodne z naszymi ustaleniami i czy dom został przygotowany do sprzedaży.

— Anka, to potwornie wielka chałupa. Teraz, gdy jest pusta, wydaje się dwa razy większa — mówi Kuba, wchodząc za mną na drugie piętro.

— To chyba dobrze, co? Gorzej byłoby, gdyby okazała się dwa razy mniejsza.

— Będziemy się tu ciągle szukać.

— To chyba fajnie, nie?

Tego grudniowego ranka dom ukazał się nam w innym wymiarze. Był wyczyszczony z wszystkich rzeczy, jakie znajdowały się w nim jeszcze kilka miesięcy wcześniej. Zniknęły stare komody z jadalni, gruz z kominka, silniki samochodowe i stojące w kącie telewizory. Pan Senesi nie zostawił nic, tak jak się umawialiśmy. Zaskoczeni chodziliśmy po opróżnionych pokojach, ze zdziwieniem patrząc na ich zaskakującą wielkość. Hol, pusty i szary, wydawał się dwukrotnie większy, niż go zapamiętałam. Było zimno, początek grudnia, nasze oddechy natychmiast zamieniały się w parę. Na zewnątrz, co chwilę nagle zaczynał padać deszcz i nagle przestawał. Miałam przemoczone buty, bo wcześniej poszliśmy na spacer popatrzeć na nieodległe, brązowo-zielone góry. Wszystko tonęło w siwej, gęstej mgle, tak ciężkiej, że wydawała się opierać z westchnieniem na zboczach. Miałam zmarznięte palce i z niechęcią dotknęłam kutej poręczy, wchodząc na piętro. Puściłam ją, czując szczypanie chłodnego metalu. Nasze głosy dźwięczały w pustych murach, od kamiennych posadzek dmuchało chłodem. Przez stłuczoną szybę nad wejściem wiało zimnym, wilgotnym powietrzem.

— I co, wszystko jest okej? — zapytała Carla, której pewnie

także zamarzył się powrót do ciepłego biura i zapach mocnej kawy.

— Wygląda na to, że tak — odparł Kuba i spojrzał na mnie. — Zimno!

— Uciekamy stąd — powiedziałam. — Jestem kompletnie zamrożona. — Carla, czy toskańskie zimy są takie mokre?

— Obawiam się, że tak.

— Nie mogłaś mnie uprzedzić, zanim postanowiliśmy tu zamieszkać? To w Polsce jest przyjemniej, bo biało.

— Przywykniesz. Idziemy?

Gdy teraz sama, w porannym chłodzie sierpniowego poranka otwierałam drzwi, poczułam gwałtowną potrzebę, by cofnąć się o krok, zatrzasnąć te ciężkie, szare wrota i odejść, pozostawiając rzeczy takimi, jakie są. Pomyślałam, że mogłabym wyjechać stąd natychmiast, właściwie w tym momencie, nawet samochód nie został rozpakowany i stał gotowy do drogi na parkingu. Zapakowałabym koty do koszy, zostawiłabym klucz w skrzynce na listy i wysłałabym Carli esemesa z pożegnaniem. A potem pojechałabym gdzieś daleko, aby zgubić się po drodze i zniknąć naprawdę. Te mury nie powinny mnie tu trzymać, są przecież taką samą przeszłością jak nasze mieszkanie w Sopocie, jak nasze sycylijskie wakacje, jak zapach fajki Kuby w powietrzu i szelest pościeli, gdy w nocy przewracał się na drugi bok. To tylko obrazy, które mam w głowie, one nie istnieją naprawdę. Jeśli ja zniknę, one znikną ze mną. Chłodne powietrze z wnętrza domu omiotło moje bose nogi. Pies pociągnął smycz i wszedł do środka. Usiadł w wejściu i popatrzył na mnie wyczekująco. Stałam niezdecydowana. Czułam, że jeśli zrobię krok w przód, zostanę tu na zawsze. Zatrzasną się za mną drzwi i ciemne, zimne wnętrze otoczy mnie, a ja roztopię się w nim i wyszarzeję.

— Dzień dobry.

Cichy, starczy głos wyrwał mnie z zamyślenia. Wzdrygnęłam się i spojrzałam w górę.

Starsza, szczupła, zupełnie siwa pani wyglądała z okna naprzeciw, paląc cieniutkiego papierosa.

— Dzień dobry — odpowiedziałam.

— Będziesz tu mieszkać? — zapytała bezceremonialnie i uśmiechnęła się. Za duże, ciemne oprawki okularów zsunęły się jej na czubek nosa, gdy wychyliła się jeszcze bardziej, by dokładnie mnie obejrzeć.

— Tak.

— A gdzie twój mąż?

— Umarł — odpowiedziałam, zaskoczona własną szczerością. To wyszło z moich ust tak po prostu, jakbym powiedziała, że wyjechał. Miałam ochotę zakryć usta dłonią.

— Przykro mi. Widziałam was tu kiedyś. On miał jasne włosy?

— Tak.

— Mój mąż też nie żyje.

Nie odpowiedziałam. Patrzyłam, jak staruszka wypuszcza dym i przypatruje mi się z uwagą. Pod oknem miała doniczki z czerwonymi pelargoniami. Skubnęła jakiś zeschły liść i rzuciła go na ulicę, na własną wycieraczkę.

— Kiedy zaczynasz remont?

— Za tydzień. Chyba.

— Zrobisz z tego piękny dom. Czuję to. On na to zasługuje.

Uśmiechnęłam się do niej. Strzepnęła popiół i poprawiła okulary.

— Życzę ci dużo siły. I nie mów mojemu synowi, że paliłam, będzie wściekły.

— Dziękuję — powiedziałam.

Starsza pani wyrzuciła papierosa przez okno, pokiwała mi i zamknęła głośno okiennicę.

Stałam chwilę na pustej, cichej ulicy. Niebo zrobiło się niebieskie i pierwsze promienie słońca dotknęły żółtego domu przy via Luca Pacioli, opierając się na ceglanym, wysokim kominie. Pies cierpliwie czekał, machając na siedząco ogonem i patrzył mi w oczy. Przeszłam przez próg i cicho zamknęłam za sobą drzwi. Odetchnęłam głęboko. Nasz dom objął mnie swoim chłodnym i głuchym, ciemnym wnętrzem. Poczułam ulgę.

2.

Niebo nad Sansepolcro stało się żółto-zielone. Pies zasnął, uspokojony moim dotykiem. *Piazza* zaczęło zapełniać się spacerowiczami.

Minął miesiąc od rozpoczęcia prac. Na środku holu piętrzyła się wielka hałda gruzu. Stara posadzka, potłuczony beton, kawałki cegieł i tynku, wszystko to tworzyło górę sięgającą prawie do połowy wysokości ściany. Cały dom wydawał się szary, pozbawiony kolorów. Kurz z rozbiórki podłóg i ścian pokrył grubą warstwą całe wnętrze, od piwnic do drugiego piętra. Codziennie rano, po ósmej, stawiałam się na budowie, by przyglądać się pracy robotników i odkrywać freski w kaplicy. Ta powtarzalność dnia, jego miarowy, jednostajny porządek, dawały mi spokój i ukojenie. Rano spacer z psem, potem praca do dwunastej, jakiś obiad, zrobione na szybko kanapki lub makaron, potem powrót do pracy i jej zakończenie punktualnie o siedemnastej. Prysznic, spacer z psem do późna, czasem jakieś zakupy i niespokojny, krótki sen. Zmieniali się tylko mijani na spacerze ludzie, czasem pojawiały się ciemne chmury i przychodziła gwałtowna, szybka burza. Nie miałam żadnych telefonów, komórka leżała w torbie, wśród nierozpakowanych rzeczy, rozładowana już pierwszego dnia po przyjeździe. Nie brakowało mi ludzi, nawet Marta zniknęła z mojego życia wraz z naszą ostatnią rozmową, tuż przed wyjazdem. Maciek prosił o cotygodniowe maile, ale nie miałam ochoty ani potrzeby informować go o sobie. Wiedziałam, że to z mojej strony niewdzięczność, ale liczyłam na to, że zrozumie.

W pierwszych dniach na budowę przychodziło kilku robotników, po tygodniu zostało dwóch, starszy, mrukliwy Marokańczyk i chłopak z Albanii, który próbował ze mną rozmawiać, ale mimo naszych wspólnych wysiłków nie udawało się nawiązać konwersacji. W trzecim tygodniu prace mocno zwolniły. Przychodził tylko Marokańczyk, który tynkował ścianę w holu, co chwilę przerywając i wychodząc przed dom na papierosa. Silvio pojawiał się tylko rano, dowoził jakieś materiały i znikał. Tylko Paweł był przewidywalny. Obserwowałam dzień w dzień, jak punktualnie o dziesiątej wchodzi do domu, zawsze perfekcyjnie ubrany, w nieskazitelnych butach, i po przejściu przez dom bezskutecznie usiłuje oczyścić się z kurzu. Jego skórzana, ciemna teczka dobrej marki w ciągu pięciu minut szarzała i traciła połysk.

— Nie przychodź tu w tych ciuchach, bo mam wyrzuty sumienia — mówiłam, patrząc na jego dziwny taniec, gdy próbował otrzepać sobie tył granatowych spodni. — To walka z wiatrakami.

— Tak, wiem — odpowiadał ze śpiewnym, włoskim akcentem. — Następnym razem założę coś jasnego.

Paweł miał dwadzieścia pięć lat i od dziesięciu lat mieszkał we Włoszech. Tu skończył liceum, potem studia i zaczął pracę na własny rachunek. Carla, podczas jednej z naszych rozmów telefonicznych, wczesną wiosną, poinformowała mnie radośnie, że przecież zna geometrę, który mówi po polsku, ale zapomniała o tym na śmierć, ale teraz sobie przypomniała i nie pozwalając mi na odpowiedź, przekazała Pawłowi słuchawkę. Okazał się małomównym, skupionym na swojej pracy człowiekiem, co nie dawało nam gwarancji na przyjemne, długie pogaduchy, ale zapewniało spokój, że dopilnuje swoich obowiązków. Zdecydowaliśmy z Kubą, że to on będzie prowadził naszą budowę.

— To jak wygrana w totka — mówię, przeglądając wyceny. — Jedyny geometra w tej okolicy, mówiący po polsku, w dodatku znajomy Carli.

— Zawsze ci powtarzałem, grajmy w lotto...

— Bo ty chciałbyś wszystko, i miłość, i pieniądze. A to się tak nie da. Albo-albo.

W kwietniu Paweł przedstawił nam oferty kilku wykonawców, z których wybraliśmy tego, który miał prowadzić prace. Pierwszy raz spotkałam się z Silviem Buccim w naszej jadalni, trzeciego dnia po moim przyjeździe. Czekał na mnie wraz z Pawłem w pustym, wysprzątanym domu. Popołudniowe słońce wpadało przez brudne szyby i rzucało ciepłe światło na fragment podłogi. Silvio

był siwym, kudłatym mężczyzną po pięćdziesiątce, z wydatnym brzuchem i denerwującym nawykiem niepatrzenia w oczy. Milcząc, przyglądałam się, jak Paweł próbował precyzować szczegóły oferty, ale mimo wysiłków nie otrzymywał żadnych wiążących odpowiedzi.

— Ile będzie kosztowało naprawienie tych popękanych pianelli? — spytał, przeglądając trzymaną w ręku ofertę.

Silvio spojrzał na Pawła, uniósł do góry ramiona, rozłożył dłonie na wysokości bioder i wydał z siebie długie „eee".

Ten gest, wszechobecny we włoskiej konwersacji, nie ma swojego odpowiednika w Polsce. Jest jednocześnie zdziwieniem, zaskoczeniem, okazaniem pewnej bezradności, ale też niestosowności zadanego pytania. Paweł zainteresował się kosztami wywozu gruzu i otrzymał podobną odpowiedź. Na pierwszym piętrze chciał dowiedzieć się, ile wyniesie zamurowanie dziury w kominie, i znów zobaczył ten gest i usłyszał tyradę o nieprzewidywalności kosztów. W ten sposób przeszliśmy cały dom i wszędzie zamiast konkretnej, prostej odpowiedzi dostawaliśmy ruch ramion w górę, „eee" i potok słów bez znaczenia. Silvio ani razu nie spojrzał na mnie podczas swoich obszernych wypowiedzi. Jakbym nie istniała. W pierwszej chwili było mi to obojętne. Patrzyłam na odrapane, zżółkłe od wieloletnich zalań ściany, na ciemne od brudu okna, na zbrązowiałe od wody sufity i myślałam tylko o tym, że ktoś musi tu po prostu wejść i zabrać się do pracy. Czy to będzie ten człowiek, czy ktoś inny, nie miało to dla mnie znaczenia. Chciałam, by jak najszybciej wykonał swoją pracę, tak, bym mogła zacząć sprzątać i porządkować dom. Za pół roku miałam się tu wprowadzić i to było dla mnie w tym momencie najważniejsze. Jednak uporczywe omijanie mnie w tej rozmowie, która przecież dotyczyła mojej własności, zaczynało mnie irytować.

— Paweł, czy możemy na dziś skończyć? Myślę, że Silvio dał nam dużo informacji jak na pierwszy raz — przerwałam przedłużającą się, coraz bardziej jałową dyskusję.

Paweł spojrzał na mnie zdziwiony. Wydawało mi się, że chce

zaprotestować, ale nie, posłusznie zakończył spotkanie. Wyszliśmy przed dom. Silvio zniknął za rogiem, a ja, stojąc obok kuchennego wejścia, patrzyłam na widoczny z bliska ciemniejszy prostokąt na drewnianej bramie. Ślad po zdjętym przez Kubę ogłoszeniu.

— *Będziemy tu szczęśliwi?*

— *Wszędzie będziemy. Tu też.*

— Elewacja też do zrobienia — Paweł spojrzał w górę, a potem przeniósł wzrok na mnie. — Ten Bucci... to dobry fachowiec, tylko trochę...

— Gaduła?

— No, taka pierdoła.

— Nie zrobił na mnie dobrego wrażenia. Nie patrzył na mnie. Irytowało mnie to — powiedziałam i ponownie spojrzałam na kuchenne wejście. Podeszłam do niego i palcem przesunęłam po ciemnym śladzie. Paweł zamilkł, przyglądając się temu, co robię.

Chropowate drewno prześwitywało spod brązowej, spłukanej farby. Drzwi były solidne, z wielkim zamkiem i zasuwami. Ciemniejszy prostokąt przez długi czas był zakryty kartką z ogłoszeniem, która uchroniła go przed słońcem i wodą. Teraz wydawał się nie pasować do całości, do jednakowo skruszałej, pofałdowanej powierzchni.

Opuściłam rękę i odwróciłam się do Pawła. Zamrugałam gwałtownie i nabrałam powietrza. Stłumiłam rozpoczynający się w środku mnie taniec szarej piłeczki lęku.

— Paweł — odezwałam się po chwili — mam złe wrażenie po dzisiejszym spotkaniu z Silviem.

— Dlaczego?

— Nie wiem. Po prostu nie przypadł mi do gustu. Wolę bardziej konkretnych ludzi. Ale może Włosi tacy są?

— Pracowałem już z nim, był w porządku.

— I nie patrzył na mnie. Jakby mnie tu nie było.

— Zawsze pracował z mężczyznami, może dlatego.

— Może.

3.

Codzienne spacery z psem dały mi niezłą orientację w terenie. Niezrozumiała plątanina uliczek zaczęła robić się klarowna, nazwy ulic stawały się znajome, różnice pomiędzy domami przy Porta Fiorentina a Porta Romana zaczęły wydawać mi się oczywiste. Polubiłam placyk przy Santa Chiara, ze studnią na środku, okolice starego konwentu przy Santa Marta, drogę do Montone, prowadzącą prosto w stronę zielonych, zawsze trochę zamglonych gór. Minął ponad miesiąc, od kiedy ruszyły prace. Czułam, że coś jest nie tak. Marokańczyk grzebał się jak mucha w smole, Silvio pojawiał się i znikał bezpowrotnie co ranek, a Paweł bezradnie rozglądał się po budowie i kręcił głową.

— Paweł — powiedziałam, gdy kolejnego dnia o dziesiątej pojawił się i spojrzał na zatynkowany fragment ściany, niepowiększony od wczoraj nawet na milimetr — jak długo ten facet będzie bawił się z tą ścianką?

— No, trochę długo to trwa.

— W takim tempie wprowadzę się tutaj za co najmniej dwa lata. Mieszkanie muszę zwolnić w grudniu, rozumiesz?

— Pogadam z Silviem.

Staliśmy w wejściu, słońce zaczynało jasną plamą nasuwać się na chodnik, z wnętrza domu bił przyjemny, orzeźwiający chłód. Oparłam się o kamienną futrynę i w milczeniu obserwowałam, jak Marokańczyk bez pośpiechu grzebał w skrzynce z narzędziami.

— Nie chciałabym, byś myślał, że jestem jakąś furiatką, ale w Polsce wyrzuciłabym bez wahania taką ekipę. Za chwilę ma wejść elektryk i hydraulik, a nic nie jest gotowe. Martwi mnie to, Paweł. Bardzo.

— Porozmawiam z nim. Dowiem się, co się dzieje.

— Chciałabym być przy tej rozmowie, dobrze? Nie odbierz tego źle, to nie znaczy, że ci nie ufam. Po prostu facet mnie ignoruje, a ja nie chcę mu na to pozwolić. Rano wrzuca materiały i odjeżdża, nie zamieniając ze mną słowa. Czuję się dziwnie.

— Dobrze. Jutro spotkamy się z Silviem.

Nie spałam dobrze na via della Castellina. Budziłam się co noc, około trzeciej, i prawie do rana słuchałam odgłosów nocy. Ludzi wracających z dyskoteki, świstu nietoperzy, gruchających przez sen gołębi. Czasem zasypiałam tuż przed świtem, gdy zaczynało robić się już jasno, zmęczona myślami i płaczem. Czułam się chora, wydawało mi się, że mam podwyższoną temperaturę, bolały mnie stawy i mięśnie. Moje ciało domagało się odpoczynku i spokoju, a ja nie mogłam mu tego dać. Zdarzało mi się zasnąć w porze sjesty, gdy po zimnym prysznicu kładłam się na chłodnym prześcieradle i zapadałam w głęboki, męczący sen. Budziłam się wtedy mokra od potu, obolała i nieprzytomna. Z trudem zmuszałam się, by wstać i iść do pracy. Rano, gdy brak snu wyrzucał mnie w końcu z łóżka, brałam psa na długie, spokojne spacery poza mury miejskie. Powietrze było wtedy świeże, upał, przyczajony gdzieś w zaułkach ulic, drzemał, czekając na wschód słońca. Szłam nad Tyber, mijając po drodze rozległe pola słoneczników, stojących nieruchomo jak wielka armia ludzi, ze złowieszczo opuszczonymi głowami. Wielkie talerze, ciężkie od nasion, powoli kierowały swoje oblicza na wschód, wypatrując spod zwieszonych głów pierwszych promieni słońca. Nie lubiłam tego widoku, bałam się tego nieprzebranego tłumu stojących jak żołnierze, twardych, bezlitosnych roślin.

Była prawie szósta rano, gdy postanowiłam pewnego dnia pojechać do pobliskiego Anghiari, prostą, jak narysowana linijką drogą prowadzącą przez rozległą, rolniczą Valtiberinę. Dzisiejsza noc nie różniła się niczym od pozostałych. Wstałam zmęczona, z ciężarem w brzuchu, który nie pozwalał mi głęboko odetchnąć.

Pola dookoła mnie były ponure i szare, jakby czekały na deszcz, ich dalekie krawędzie ginęły we mgle. Minęłam małą wioskę Mezzavia, czyli „pół drogi", i po chwili przede mną pojawiło się średniowieczne miasteczko. Inne niż Sansepolcro, położone na szczycie, całe z kamienia, warowne, które teraz, o poranku, zlewało się z kolorem powietrza. Wieże ginęły w niskich chmurach, a wysokie mury obronne stapiały się z otaczającym je srebrzystym tłem. Pies zasnął na tylnym siedzeniu i gdy zaparkowałam, nie kwapił się z wyjściem i porzuceniem ciepłego kocyka. Z głównego placu, teraz pustego, z zamkniętymi na głucho witrynami nielicznych sklepików i barów, ruszyłam pod górę. Małe, kamienne domy, całe w zieleni, pięły się wraz z ulicą, gubiąc poziomy parterów. Wszędzie porozstawiano donice z kwiatami, które szybko znajdowały oparcie na ceglanych lub kamiennych ścianach. Rośliny zwisały z okien, stały na schodach, przed bramami i na malutkich skrawkach podwórek i placyków. Panowała całkowita cisza. Gdy wyszłam na otaczające Anghiari mury miejskie, dzwon na wieży kościoła wybił wpół do siódmej. Stanęłam nagle i prawie zachłysnęłam się niespodziewaną, rozległą przestrzenią przede mną. Z wysokości wzgórza rozciągał się widok na całą Valtiberinę. Na horyzoncie ostro odcinały się wzgórza Apeninów, czarnoszarych na tle pomarańczowego nieba. Pośrodku leżało Sansepolcro, teraz schowane pod zalewającą całą dolinę różowobiałą mgłą. Wystawały z niej, porozrzucane niedbale, jakby od niechcenia, czubki strzelistych cyprysów i drzew piniowych. Wśród wystających gdzieniegdzie koron wznosiły się białe, wąskie kominy mgieł, wyglądające jak dymy z pogaszonych w nocy ognisk jakichś pierwotnych osad. Rosnące tuż pod murami gaje oliwne wydawały się srebrne, jakby prześwietlone od środka własnym, opalizującym światłem. Niebo z minuty na minutę jaśniało, zmieniając swój ciepły, intensywny kolor na coraz bardziej złoty. Mgła, wraz z jaśniejącym horyzontem, traciła swoją gęstość i zaczynała odsłaniać dolinę, wznosząc się coraz wyżej i ginąc w świetlistym powietrzu. Stałam zaczarowana, bojąc się poruszyć, by obraz przede mną nie okazał się ułudą i nie zniknął niespodziewanie, tak jak się objawił. Byłam sama. Oparłam się o szeroki, kamienny mur i z rękoma pod brodą wpatrywałam się w nierzeczywisty, bajkowy widok, który dostałam tego dnia w niespodziewanym prezencie.

W końcu, zza jednego z czarnych, oddalonych wierzchołków wzgórz wyłonił się nagle, ostro błyszcząc, mały skrawek słońca, jak zapalona nagle żarówka i cała, unosząca się nad doliną mgła zabłysła perłowym światłem. Długie cienie, do tej pory pomarańczowe i stłumione, teraz nabrały intensywności i rozłożyły się łagodnie po całej dolinie, zaczynając swoje umieranie wraz z szybko wyłaniającym się zza gór słońcem.

Zostałam tam jeszcze chwilę, obserwując w zachwycie, jak słońce w całości wysunęło się zza gór, a mgły rozproszyły się, jakby wchłonęła je ziemia, pozostawiając nad widniejącym w oddali Sansepolcro tylko cienką, tiulową zasłonę. Dopiero wtedy ruszyłam z powrotem na *piazza*, mając pod powiekami dopiero co oglądany obraz toskańskiego świtu. Mury miasteczka, dotknięte pierwszymi promieniami, nabrały głębokiego, intensywnego koloru wypalonej cegły. Teraz one zdawały się oświetlać mglistozłote powietrze. Szłam szybko, prawie powstrzymując się od biegu, a serce łomotało mi w piersi, dławiąc oddech. Dotknęłam przypadkowo absolutu i mój umysł nie potrafił poradzić sobie z nadmiarem wrażeń i obrazów. Czułam, jak rozpiera mnie jednocześnie radość i smutek. Miałam wrażenie, jakbym była przed chwilą przy cudzie narodzin.

— *Widziałeś to światło na obrazach Piera della Francesca?*

— *Malował to, co widział — mówi Kuba i włącza muzykę w samochodzie.*

— *Przecież nie ma takich krajobrazów.*

— *Są. Wiesz, że piękno potrafi zabijać? — pyta niespodziewanie. — Jesteśmy wobec niego bezbronni.*

Otwarty bar z daleka pachniał kawą. Zamówiłam podwójne *caffè* i usiadłam przy stoliku. Zapaliłam papierosa i spojrzałam na wynudzonego psa.

— I co ty na to? Bo ja umarłam na chwilę.

Pinia popatrzyła na mnie przeciągle i pomachała ogonem. Pogłaskałam ją i oparłam się wygodnie na krześle. Podniosłam do ust aromatycznie pachnącą filiżankę i wypiłam łyk kawy. Była idealna. Kremowa, łagodna, bez nuty goryczy. Z beżową pianką. Na placu pojawili się pierwsi ludzie, gdzieś blisko trzasnęły drzwi samochodu. Zastanawiałam się, jak to możliwe, że przed chwilą zdarzył się cud, a tu świat zachowuje się, jakby nic się nie stało. Ktoś zamaszyście zaparkował tuż przy kwietniku, kobieta w białej sukience poprawiała sobie włosy w lustrze wystawy, w barze rozwijała się w najlepsze dyskusja o piłce nożnej. Miałam ochotę wstać i krzyknąć na całe gardło: „Widzieliście to co ja?! Widzieliście zmartwychwstanie świata?! Jutro też będzie! Nie możecie wtedy spać! Żyjecie w raju!". Roześmiałam się cicho do siebie. Wariatka.

— Wariatka. No, naprawdę... — Kuba targa moje włosy i kręci niedowierzająco głową. — A kiedyś byłaś taką miłą dziewczynką.

— Nigdy nie byłam miłą dziewczynką.

Zaciągnęłam się papierosem i upiłam kolejny łyk. Nieznajomy starszy pan, mijając mój stolik, powiedział mi „dzień dobry". Uśmiechnęłam się do kobiety w bieli, która odpowiedziała mi tym samym. Kawa pachniała do ostatniej kropli. Zgasiłam papierosa i ruszyłam do samochodu.

Zjeżdżając prostą drogą w dół doliny, nuciłam cicho zasłyszaną w barze piosenkę. Świt nad Valtiberiną sprawił, że szara, ciężka kulka strachu w moim wnętrzu stała się przez kilka chwil lekka jak mgła. Zapomniałam o niej po raz pierwszy od tego lipcowego poranka, gdy dwoje policjantów stanęło w drzwiach naszego mieszkania.

4.

— Paweł, nie chcę więcej widzieć tego człowieka w moim domu — powiedziałam stanowczo i sięgnęłam po szklankę z wodą.

Siedzieliśmy przy stoliku w Kappa Caffè. Patrzyłam, jak Paweł zbiera pospiesznie rozłożone przed nami dokumenty.

— Anka, będzie nam trudno znaleźć innego wykonawcę — odpowiedział, drapiąc się po głowie. — Ludzie są jeszcze na urlopach. Najwcześniej w połowie września będziemy mogli zacząć z kimś rozmowy. Nie ruszymy wcześniej niż w październiku, w najlepszym razie.

Silvio kilka minut wcześniej wstał i bez pożegnania poszedł w stronę Porta Romana. Przede mną leżało jego rozliczenie za ostatnio wykonane prace. Koszty, które przedstawił, nijak się miały do jego wiosennej oferty. Za każdą z prac miałabym teraz zapłacić ponad dwa razy więcej. Gdy położył przed Pawłem niedbale zapisaną kartkę i bez mrugnięcia okiem zażądał pieniędzy, zdębiałam. Spojrzałam na kwotę, na Pawła, a potem popatrzyłam w milczeniu na Silvia.

— Nie.

Po raz pierwszy od naszego spotkania Silvio odwrócił się w moją stronę i badawczo na mnie spojrzał.

— Co?

— Powiedziałam „nie". Nie dostaniesz tych pieniędzy.

— Co ona mówi? — zaskoczony zwrócił się do Pawła. — Nie rozumiem.

Paweł nerwowo przesunął palcami po włosach i westchnął.

— Ona mówi, że ci nie zapłaci takiej sumy — wydusił z siebie.

— Jak to „nie zapłaci"?

— Silvio... — zaczęłam.

— Nie rozumiem — powiedział do Pawła i potrząsnął z niedowierzaniem głową.

— Silvio — odezwałam się głośniej.

— Od miesiąca wykonuję dla niej pracę, a ona mi nie zapłaci? — spytał Pawła.

— Silvio! — krzyknęłam i uderzyłam ręką w stolik. Zabrzęczały filiżanki i łyżeczki. Silvio spojrzał na mnie z szeroko otwartymi oczami. Paweł wzdrygnął się i sięgnął po papierosa.

Kilka osób przy sąsiednich stolikach obejrzało się na nas i wróciło niechętnie do swoich rozmów.

— Teraz coś powiem, a ty posłuchasz — powiedziałam cicho. — Dobrze?

Mężczyzna nie odpowiedział. Nerwowo poprawił się na krześle i sięgnął po pustą filiżankę po kawie. Przechylił ją i wypił ostatnią kropelkę. Odstawił ją z przesadną ostrożnością i zabębnił palcami na stole.

— Wybraliśmy twoją firmę, bo byłeś tani, a Paweł z tobą wcześniej pracował. To zdecydowało. Teraz, po miesiącu pracy, pokazujesz kartkę, gdzie piszesz, że te same prace kosztują dużo, dużo więcej. Nie akceptuję nowych cen. Jeśli coś było droższe, niż wcześniej podałeś, powinieneś mi to powiedzieć. A ja powinnam zaakceptować podwyżkę. Nie chcę, byś decydował za mnie o moich pieniądzach. Nie podoba mi się, że prace tak bardzo zwolniły. Na początku na budowie było kilku robotników, teraz został jeden, który robi, co chce. Ostatnio musiał skuwać to, co zatynkował, bo zrobił to nieprawidłowo. Jeśli nie rozumiesz, co mówię, Paweł przetłumaczy ci to jeszcze raz, bardziej poprawnie.

Silvio bębnił palcami po metalowym stoliku. Szybki, nierówny rytm nie pozwalał mi się skupić. Spojrzałam na Pawła.

— Powiedz mu, że rozważam zerwanie współpracy, chcę, by to było jasne. I zapłacę tylko tyle, ile wynika z pierwszej wyceny.

Paweł to powtórzył i bębnienie ustało. Silvio rozłożył ręce i podniósł ramiona.

— Eee… — zrobił typową dla siebie minę, czyli pomieszanie zdziwienia z oburzeniem.

— Ja skończyłam, teraz mogę wysłuchać ciebie — powiedziałam i zapaliłam papierosa.

Zapadła chwila ciszy. Ruch na *corso* się wzmógł, dochodziła dwunasta i każdy się spieszył, by zrobić ostatnie zakupy przed sjestą. Pani w piekarni naprzeciwko, w białym czepku na głowie, ustawiała na wystawie okrągłe ciasta z jabłkiem i konfiturami.

Silvio próbował dyskutować z Pawłem, narzekając na ogrom prac w naszym domu i ich trudność. Dowiedziałam się przy okazji, że Imar, czyli leniwy Marokańczyk, szukający każdej okazji, by przerwać pracę i odpocząć, jest świetnym fachowcem i że lepszego nie ma w okolicy. Zakryłam uśmiech filiżanką.

— On od jutra wprowadzi więcej ludzi, ale upiera się przy

tych cenach — powiedział Paweł, wyraźnie zdenerwowany naszą konfrontacją.

— To jest twoja propozycja, Silvio?

— Tak — odpowiedział warknięciem.

— Silvio — zwróciłam się do siedzącego obok mężczyzny — nie będę się z tobą targować. Jutro policzysz z Pawłem rzeczywiste koszty, ja ci płacę i mówimy sobie „do widzenia".

Patrzyłam mu w oczy. Były niebieskie i lodowate. Chwilę wytrzymał moje spojrzenie, a potem wstał gwałtownie, z hałasem odsuwając krzesło. Jakaś starsza para przy stoliku obok zamilkła i odwróciła się w naszą stronę.

— Czułem, że tak będzie. — Silvio wyciągnął w moją stronę palec. — Zawsze jest jakiś problem z pieprzonymi cudzoziemcami.

Popatrzył zimno na Pawła, kierując rękę w jego stronę.

— Uważaj, Paweł, ciebie też zrobi w konia.

Patrzyłam w milczeniu, jak znika w tłumie na *piazza*. Zamiast obawy o przyszłość budowy, poczułam ulgę. Od jutra przestanę co rano patrzeć na jego obrażoną, niechętną twarz.

5.

Moje sny zmieniały się wraz z upływem czasu. Przez pierwsze tygodnie od wypadku były chaotyczne, postrzępione, pełne pojawiających się i unoszących przedmiotów. Widziałam fruwające książki, opalizujące krążki płyt CD, unoszone jak liście, fajki Kuby i kolorowe szaliki, lecące powoli się w pomarańczowożółtym powietrzu. Obserwowałam ze strachem pokruszone, ostre fragmenty świateł samochodu, połyskujące w powietrzu jak noże. Patrzyłam bezradnie na znikającego za tym wszystkim Kubę, którego nie mogłam dosięgnąć, mimo że z całej siły wyciągałam przed siebie ręce. Później w snach pojawiła się mleczna, prawie biała mgła, w którą wsuwałam dłonie i na oślep szukałam w niej jakichś naszych rzeczy, natrafiając wyłącznie na próżnię. Zaciskałam palce, próbując schwytać coś nieokreślonego, tuż przede mną. Prawie czułam ciepło promieniujące zza mgielnej zasłony, czyjąś obecność, ale natrafiałam wyłącznie na wilgotne, śliskie powietrze. Budziłam się z palcami zaciśniętymi na kołdrze tak mocno, że zbielały, i miałam trudności z ich wyprostowaniem. Leżałam potem długo w ciemności, z otwartymi oczami i oddychałam ciężko, bojąc się, że mgła wróci.

Wydawało mi się, że wokół mnie jest zbyt dużo przestrzeni, światła i powietrza. Jakby świat stał się za luźny, zbyt szeroki, jak zbyt duże ubranie. Dokuczała mi obszerność rzeczywistości, tęskniłam za małymi, cichymi miejscami, gdzie byłoby ciepło i ciemno, gdzie miałabym wokół siebie miękką tkaninę, która zasłaniałaby mnie jak przenośna przymierzalnia, dokładnie i szczelnie z każdej strony. Widziałam się, jak wpadam naga w kłębek białej, puszystej waty, bezgłośnie i głucho, bez jednego odgłosu, w którym trwałabym, otulona organicznym kokonem, w idealnym spokoju.

Potem pojawiły się sny pełne dotyków i muśnięć, z męskimi dłońmi, nienależącymi do nikogo, przeciętne ręce, dość mocne, z krótkimi paznokciami, bez żadnych charakterystycznych znaków, z ciemniejszymi włoskami na wierzchach palców, ładne i niebudzące emocji. Ich dotyk, łagodny i silny jednocześnie, wędrujący po moim ciele, sprawiał mi przyjemność i budził do seksu. Tęskniłam za nimi i czekałam, kiedy znów się pojawią, by z upodobaniem przemieszczać się po mnie, znajdując miejsca, których nie odkrył Kuba, a które teraz z niecierpliwością prosiły o najmniejsze choćby muśnięcie.

Nie śpiąc później w nocy, myślałam o Kubie, jego wyrafinowanej erotyce, o zmysłowym szukaniu wspólnej przyjemności, do zupełnego zatracenia. Coraz częściej wracały do mnie obrazy naszych pieszczot, szeptów, niespodziewanych chwil, gdy bez słowa, kierowani tą samą nagłą potrzebą zatopienia się w sobie, zrzucaliśmy ubrania i z dławiącą radością szliśmy do łóżka. Czułam czasami jego dotyk, ten poruszający mnie natychmiast sposób przesuwania dłońmi po moim ciele, szyfr, który otwierał mnie na jego obecność. Moje ciało bezskutecznie prosiło o jeszcze, bardziej i do końca.

6.

— Dzień dobry — powiedziała do mnie po angielsku drobna kobieta o ciemnych włosach, gdy otwierałam drzwi do mieszkania. Wyglądało na to, że czekała na mnie specjalnie, oparta o mur naprzeciwko mojego wejścia.

Unikałam ludzi. Nawet kilkakrotne zaproszenia Carli na popołudniowy aperitif odkładałam na później, nie mogąc się przemóc, by spędzić z nią czas.

Kobieta miała około czterdzieści lat i prawie dziecięcą budowę. Odgarnęła grzywkę z czoła i wyciągnęła do mnie rękę.

— Nazywam się Maria Rossi, moi rodzice mają mieszkanie tutaj. — Uśmiechnęła się i wskazała parter, gdzie za oknem widniała tablica informująca o remoncie. — Możemy chwilę porozmawiać?

Przywitałam się, odłożyłam zakupy i patrzyłam na nią wyczekująco.

— Mamy pewien problem. Jutro nasz hydraulik będzie podłączał rury kanalizacyjne. Musi wkuć się na twojej klatce. Potem wszystko zatynkuje, nie musisz się obawiać. — Kobieta przyłożyła płasko dłoń do piersi. — Obiecuję. Czy udostępnisz nam swój korytarz? Jutro, około siódmej trzydzieści. Na mniej więcej trzy godziny.

— To nie jest mój korytarz, wynajmuję to mieszkanie. Ale poproszę kogoś, by zapytał jeszcze dziś właścicieli, dobrze? Dla mnie nie ma problemu.

— Bardzo dziękuję. — Uśmiechnęła się do mnie. — Remontujemy tutaj mieszkanie dla moich rodziców.

— Tak? A ja remontuję dom na via San Giuseppe — powiedziałam i zaraz pożałowałam swoich słów. Właściwie to nie miałam ochoty na podtrzymywanie konwersacji. Mimo wczesnej pory upał stawał się nie do wytrzymania.

— Gratuluję. Kupiłaś go?

— W ubiegłym roku.

— Chcesz, pokażę ci nasze mieszkanie. — Kobieta cofnęła się, stanęła na schodku przy drzwiach wejściowych, sąsiadujących z moimi, i pchnęła je mocno. — Chodź, zobaczysz, co ostatnio odkryłam.

Popatrzyłam na nią z wahaniem. Była miła i bezpośrednia, ale wolałam chyba wracać do domu.

— Dziękuję, ale ja właśnie zrobiłam zakupy i... — zaczęłam.

— Zostaw je na swojej klatce i chodź. — Maria stała w wejściu i patrzyła wyczekująco. — Nikt ci tam nie wejdzie. Skąd jesteś?

— Z Polski.

Stałam chwilę niezdecydowana, ale jej uśmiech mnie rozbroił. Postawiłam siatkę w wejściu, przymknęłam drzwi i ruszyłam za nią.

Mieszkanie składało się z małego, chłodnego holu i piwnicy na parterze oraz trzech pokoi, kuchni i łazienki na pierwszym piętrze. Nie było ładne. Nosiło wyraźne ślady przeróbek z początku XX wieku, podłogi z lastryko, dziwacznie gięte poręcze, brzydkie cotto.

Kluczyłyśmy pomiędzy workami z zaprawą i wijącymi się kablami elektrycznymi. W każdym pomieszczeniu kręcił się jakiś robotnik.

— Właśnie wyrzuciłam pewną ekipę z mojej budowy — powiedziałam, z zazdrością przyglądając się prowadzonym pracom.

— O! A co się stało? — Maria stanęła i uniosła zdziwiona brwi.

— Właśnie chodzi o to, że nic. Zatrudniłam firmę, a pracował tylko jeden Marokańczyk. Teraz zostałam sama — roześmiałam się — i muszę nauczyć się murować.

Weszłyśmy do dużego pokoju z marmurowym, secesyjnym kominkiem. Okna wychodziły na via della Castellina, na mur okalający ogród Australijczyków. Na środku stał stół, zastawiony puszkami z farbą. Spojrzałam na sufit i jęknęłam. Zaskoczona popatrzyłam na Marię.

Spod warstwy białej, starej farby wyłaniały się na samej górze piękne, ozdobne listwy w kolorach szarości, głębokiej czerwieni i brązu. Miały mniej więcej metr szerokości, zaczynały się pod sufitem i obejmowały prawie cały pokój, dookoła.

— Niesamowite — wyszeptałam. — Sama to znalazłaś?

— Tak, siedzę tu już drugi miesiąc i niczym innym się nie zajmuję. Podczas wystawiania drzwi odpadł fragment tynku i wtedy zobaczyłam to.

— Co za niesamowity ornament! Jak w Palazzo Vescovado. Z jakiego czasu pochodzi? Bo dom nie wydaje się bardzo stary. To mieszkanie na górze, w którym jestem, jest zwyczajne, nowoczesne.

— Via della Castellina to najstarsza ulica w mieście. Tu było pierwsze *castello*. Mniej więcej w dziesiątym wieku. A te malunki, jak sądzę, są z dwunastego wieku. Jesteś tu sama? — spytała nagle, patrząc na freski.

— Tak. W Polsce zostawiłam córkę. Studiuje.

— Aha.

Milczałyśmy, przypatrując się malowidłom. Chciałabym odkryć coś takiego u siebie. Spojrzałam na Marię. Ciemne włosy założyła za uszy, odsłaniając drobną, szczupłą twarz z czarnym pieprzykiem przy ustach. Krótka fryzura odejmowała jej lat, choć wokół oczu i ust widoczne były drobne zmarszczki. Mogła być w moim wieku, może trochę młodsza.

— Mój mąż zginął w wypadku. Kilka tygodni temu — powiedziałam, patrząc jej w oczy. — Ten dom, na via San Giuseppe, kupiliśmy razem, w grudniu ubiegłego roku.

Z pokoju obok dobiegał odgłos stukania i rozmowy robotników. Koło mojej nogi przeszedł rudo-biały kot, który prawdopodobnie musiał spać w koszu, przy kominku. Otarł się lekko o kostkę i wskoczył na parapet. Maria milczała, wyraźnie poruszona.

— Tak mi przykro, strasznie mi przykro — odezwała się po chwili i wzięła moją dłoń w swoje dłonie. — Nie wiem, co powiedzieć…

Uśmiechnęłam się do niej i zacisnęłam palce. Odpowiedziała mi uściskiem. Westchnęła głośno i zamrugała oczami.

— Napijemy się kawy? — zapytała.

Kiwnęłam głową.

Poszłyśmy do kawiarni przy Duomo. Przechodząc koło swoich drzwi, zatrzasnęłam je, bo były uchylone. Nie potrafiłam przyzwyczaić się do tego, że można pozostawić szeroko otwarte wejście i nie obawiać się kradzieży. Dla mnie była to lekkomyślność. Włosi nie dostrzegali zagrożenia. Byli albo bardziej ufni, albo nie mieli złych doświadczeń. Usiadłyśmy przy jedynym wolnym stoliku, sięgnęłam po papierosy i zapaliłam.

— Dajesz sobie tutaj radę? — odezwała się Maria, gdy postawiono przed nami kawę.

— Tak. Tylko ten Silvio… Będzie dobrze. — Machnęłam ręką. — To tylko małe zawirowanie. Muszę znaleźć inną ekipę.

Maria patrzyła na mnie w milczeniu. W końcu wzięła filiżankę i upiła trochę. Odstawiła ją powoli i się uśmiechnęła.

— Mam pewien pomysł. Jutro będę widziała się z Fabriziem Chimentim. To jego firma robi remont w naszym mieszkaniu. Może będzie mógł coś doradzić. Co ty na to?

— Bardzo dziękuję. Na szczęście skończyło się lato i wszyscy wrócili z urlopów. Trudno było kogoś znaleźć.

Maria uniosła rękę i wykonała ramieniem okrężny ruch, podnosząc oczy do góry.

Domyśliłam się, że po włosku to oznacza „koszmar".

— Czym się zajmujesz? — spytałam.

— Robię biżuterię i prototypy dla projektantów.

— To ciekawe.

— Pokażę ci przy najbliższej okazji mój warsztat. Mieszkamy przy via Garibaldi. Stefano, mój mąż, pracuje jako przedstawiciel handlowy.

Dobrze mi było z tą nieznajomą kobietą, siedzącą ze mną przy kawiarnianym stoliku. Miałam wrażenie zawieszenia, jakby nic poza tym nie istniało. Tylko ten bar, ciepłe powietrze muskające moje włosy, gwar rozmów i kościelne dzwony, wybijające kolejne godziny. Nie czułam żadnego napięcia z powodu jej obecności, jakbyśmy się znały wiele lat.

— Od kiedy tu jesteś? — zapytała.

— Przyjechałam na sam koniec lipca.

Maria milczała, przyglądając się ludziom na *piazza*. Dopiła kawę i spojrzała na mnie.

— Musi ci być ciężko.

Pokręciłam przecząco głową. Wygrzebałam łyżeczką resztkę pianki po cappuccino i włożyłam do ust.

— Nie czuję się tu źle. Właściwie to nie mogłabym być gdzieś indziej. Ten dom to było nasze największe szaleństwo. Popełniliśmy je i zostałam z nim sama. Kuba... Wiesz, że jechał do Sansepolcro i wtedy się rozbił? Od połowy lipca miał tu prowadzić prace.

— To straszne.

— Co jest straszne? Że w takich okolicznościach? Prawie symbolicznie? Dla mnie nie ma to żadnego znaczenia. Gdyby utonął w wannie, czułabym to samo.

— Jesteś silną osobą — powiedziała cicho Maria po dłuższej chwili. — Ja bym oszalała z rozpaczy, gdyby Stefano...

Milczałam, patrząc na wielką rozetę na katedrze. W końcu spojrzałam na Marię.

— Myślisz, że to, co widzisz teraz, mnie, pijącą z tobą kawę, rozmawiającą o budowie w ten letni, upalny poranek, to jestem ja? To nieprawda. W każdym razie nie cała. Jestem w środku zmrożona. Swoją energię przeznaczam na kontrolę nad strachem i rozpaczą, bo wiem, że inaczej bym umarła. Zmuszam się co rano, by wstać, umyć się, uczesać i wyjść z psem na spacer. Idę do naszego domu, by pracować. Zmuszam się do jedzenia, picia, zmiany pościeli. Bo każda z tych rzeczy wydaje mi się całkowicie pozbawiona sensu. A jednak to robię. Tak, masz rację, jestem silna. Ale tylko w połowie. Druga część mnie krzyczy głośno w mojej głowie, od kilku tygodni, bez przerwy...

Zapaliłam kolejnego papierosa i siedziałam w milczeniu, obserwując siedzące na gzymsach gołębie. Maria, zamyślona i nieobecna, milczała wraz ze mną, wpatrzona w wielki zegar na fasadzie Duomo, który powoli, nie zważając na nasze słowa i myśli, przesuwał swoje wskazówki do przodu.

III.

Rzeczy i ludzie

1.

— Franco! Franco!

Mały, drobny Francesco, z serca Sycylii, w dziwacznej czapce, trzymającej się jakimś cudem na tyle jego długiej, wąskiej głowy, stał na szczycie schodów i darł się w głąb domu.

— Franco! *Porca Madonna* — dołączył do niego Marco. — Franco, chodź tu!

Marco, w przeciwieństwie do Francesca, był wielki i zwalisty, i na przekór swojej posturze, niezwykle szybki. Obserwowałam go kilka razy, gdy tynkował jadalnię. Szedł jak taran. Zaczynał po siódmej, a kończył punktualnie o dwunastej, z małą przerwą na kawę. Miarowy ruch ręki, bez jednego wahnięcia czy błędu. Spocony Francesco biegiem przygotowywał i nosił zaprawę, bez jednej chwili wytchnienia. Przed przerwą obiadową wyglądał jak zgoniony źrebaczek. Ale czapka nie spadła mu ani razu, przytrzymywana jakimś sycylijskim zaklęciem. Nie potrafiłam przestać się uśmiechać, gdy patrzyłam na twarz Marca, na której, bez względu na to, o czym się rozmawiało i co się działo, zawsze

malowało się ogromne, pełne napięcia zaskoczenie. Usta i oczy szeroko otwarte, brwi uniesione, ramiona w górę, i to jego „eee", w wersji *hardcore*.

— Matko przenajświętsza, zaraz idę, do cholery jasnej! — odkrzyknął z samej góry Franco i ciężko zbiegł po schodach. Kamienne stopnie zadudniły głośno pod jego ciężarem. — Co jest?

— Marco nie wie, jakie zawiasy wprawić w drzwi — powiedział Francesco, zadzierając głowę, by spojrzeć w twarz Franco. Był od niego prawie o połowę mniejszy.

— Jakie zawiasy, Franco, mam wprawić? — odezwał się Marco, ignorując swojego pomocnika i w zdumieniu patrząc na szefa, jakby widział go pierwszy raz w życiu.

— Jakie zawiasy? No te, co tu leżą, do diabła! — Franco roześmiał się i wskazał na podłogę. — Te właśnie!

— *Porca Madonna*, te! — zdziwił się jeszcze bardziej Marco. — Patrz, Francesco, te!

— Anka, kogo ja zatrudniam? Powiedz? — Franco, siwy, czerstwy, zaśmiał się tubalnie i pobiegł z tupotem na górę. Ze schodów posypał się kurz, wprost ma moją głowę.

Na budowie panował tłok. Pracowała ekipa Fabrizia, czyli Franco, Marco, Luigi i Francesco. Pojawił się Maurizio, hydraulik, wraz z pomocnikami, Markiem i Santem, a elektrycy Gianni i Pietro ryli ściany pod rury na kable. Ich maszyna do robienia rynienek w starych, kamiennych ścianach dudniła i grzmiała jak tutejsze nagle pojawiające się burze. Gdy włączyli ją po raz pierwszy, przerażona pobiegłam pędem na górę, by zobaczyć, co się stało. Wpadłam do pokoju zdyszana i rozglądałam się, gdzie ta katastrofa. Pietro, w ochronnych słuchawkach, nawet mnie nie zauważył, ale Gianni stanął za mną i przez huk i hałas próbował mi coś powiedzieć. W końcu kiwnął ręką i zeszliśmy niżej.

— Teraz tak będzie. Przez miesiąc. Przepraszam, ale kujemy w kamieniu, dlatego tak wszystko drży.

— Miesiąc?

— Może dłużej. — Uśmiechnął się. — Idź na kawę do Kappa Caffè, tu się teraz nie da wytrzymać. Chociaż pewnie tam też nas usłyszysz. — Roześmiał się. — I nie martw się, dom przetrzyma. Ale czy twoi sąsiedzi przetrzymają? Nie gwarantuję.

Śmiejąc się, poklepał mnie po ramieniu i zniknął na schodach.

Skończyły się samotne, spokojne dni, gdy w pustym domu chodziłam po pokojach, zastanawiając się, czy będę potrafiła w nim żyć. Teraz rozmyślania o przyszłości poszły w kąt. Musiałam podejmować setki szybkich decyzji i dawać odpowiedzi na wszystkie, pojawiające się jak grad piłeczek, pytania. W których pokojach ma być Internet? Gdzie w kuchni umieścić kontakty? W którym miejscu będą umywalki, a w którym toalety w łazienkach? Gdzie ma stać telewizor? Która ściana ma być otynkowana, a która kamienna?

Dom zrobił się chłodny, mimo słońca. Często padało. Otwarte na oścież drzwi i brak szyb w niektórych oknach powodowały silne przeciągi. Rano chodziłam otulona w sweter i w chustce na głowie, ale wystarczyły trzy wejścia i zejścia przez piętra i umierałam z gorąca. Zdejmowałam wierzchnie okrycie i po chwili marzłam, przewianą zdradliwym podmuchem.

To dzięki Marii, która zgodnie z obietnicą postanowiła mi pomóc, poznałam Fabrizia. Spotkaliśmy się w trójkę na *piazza*, tydzień po naszej rozmowie w kawiarni przy Duomo. Chimenti okazał się mocno zbudowanym pięćdziesięciolatkiem. Miał ciemne, poprzetykane ledwo widoczną siwizną włosy i mocny uścisk dłoni. Nie był wylewny i gadatliwy i koncentrował się tylko na istotnych rzeczach. Zaprowadziłam ich do domu, skąd Silvio zabrał już swoje narzędzia i betoniarkę. Teraz przez Pawła ustalaliśmy tylko ostatnie szczegóły naszego rozliczenia.

— Czy zerwałaś już umowę z Silviem? — spytał mnie Fabrizio, gdy stanęliśmy w holu. — Bo nie moglibyśmy się umawiać na wykonanie pracy, jeśli nadal byście z sobą współpracowali.

— Nie ma go już tutaj, wziął swoje rzeczy ponad tydzień temu. Koniec — powiedziałam.

— Ależ ten dom jest duży! — Maria zajrzała do jadalni i przeszła w stronę piwnic. — Zgubisz się w nim.

— *Będziemy się tu ciągle szukać.*

— Wiem, jest za duży dla mnie. Ale chciałabym wynajmować pokoje turystom. Taki zresztą kiedyś był plan. Na parterze chcę zrobić kuchnię i jadalnię, na pierwszym piętrze pokoje na wynajem, a całe drugie zagospodaruję dla siebie. Sypialnia, salon, łazienka i dwa pokoje gościnne, dla rodziny i przyjaciół — odpowiedziałam Marii.

Fabrizio metodycznie oglądał pomieszczenie po pomieszczeniu. Interesowała go ściana w holu, którą Paweł postanowił wzmocnić, i osuszanie piwnic.

— Kto będzie robił instalacje? — zapytał.

— Gianni elektryczność, a Maurizio ogrzewanie.

— Kiedy wchodzą?

— Mogliby już teraz, ale przez tę przerwę dom nie jest przygotowany.

Pokiwał głową i nie skomentował tego w żaden sposób. Na pierwszym piętrze zaskoczona patrzyłam, jak skakał po podłodze, sprawdzając wytrzymałość starych posadzek. Czułam pod stopami, jak drżały i rezonowały. Obejrzał kaplicę, wewnętrzne podwórka, wszedł na strych i sprawdził dach.

— Chcecie zobaczyć, jaką pracę ostatnio skończyłem? — spytał nagle i popatrzył na mnie i Marię. — Mam jeszcze klucze.

Wydawał się bardziej rozluźniony i spokojniejszy. Przeszło mi przez myśl, że być może to był dla niego duży problem, że zajmuje miejsce innego wykonawcy.

— Ja chętnie — powiedziała Maria i spojrzała na mnie. — A ty?

— Dokąd idziemy?

— Do konwentu świętej Marty. Zrobiliśmy tam renowację części klasztoru i zaadaptowaliśmy go na dzienne hospicjum. Jeszcze nie działa, więc możemy tam wejść.

Przeszliśmy z powrotem na *piazza* i w Happy Bar wypiliśmy kawę.

— Nasze zdrowie. — Kuba podnosi kieliszek z winem i patrzy na mnie z uśmiechem. — Jeśli to był błąd, niech nas piekło pochłonie!

— Nasze zdrowie! Psychiczne. — Wypijam łyk i wybucham śmiechem. — Umowa wstępna podpisana, poszły konie po betonie! Teraz już tylko śmierć nam może zagrodzić drogę.

— Kochana, zapomniałaś? Jesteśmy wieczni!

Konwent znajdował się przy Porta Romana i był dużym kompleksem, w skład którego wchodził stary, zniszczony kościół tuż przy miejskiej bramie, klasztor, częściowo wyremontowany i odnowiony, oraz rozległy plac, który kiedyś mógł być zarówno ogrodem przyklasztornym, jak i cmentarzem. Teraz porastała go trawa i jakieś zielsko, nie zostało już nic, co mogłoby wskazywać na jego pierwotne przeznaczenie.

Fabrizio wprowadził nas na teren odremontowanego hospicjum. Nie dziwię się, że chciał pochwalić się tą realizacją, bo była naprawdę imponująca. Sale i świetlice były już wyposażone, pokoje i łazienki gotowe na przyjęcie pacjentów. Wszędzie panowała idealna czystość. Obejrzałam posadzki, ściany i nowe okna w części mieszkalnej, stylizowane na stare, z malutkimi okiennicami. Były perfekcyjnie wykonane. Zeszliśmy do piwnic. Przestałam przysłuchiwać się rozmowie Marii z Fabriziem, weszłam w inny świat. Pomieszczenia były czarne od starości i chłodne, mimo panującego na zewnątrz ciepła. Słabe żarówki ledwo oświetlały przestrzeń. W kątach panował całkowity mrok. Z cienia wyłaniały się gdzieniegdzie wielkie butle na wino. W jednej z sal stały drewniane, potężne beczki, w innej urządzenie do wyciskania winogron. Weszliśmy na najniższy poziom. Kolebkowe sklepienie sięgało naszych głów. Fabrizio szedł pierwszy i pokazywał drogę. Plątanina bocznych korytarzy budziła lęk, łatwo byłoby się tam pogubić na zawsze. Być może ich rozgałęzienia sięgały bardzo daleko w głąb miasta. Gdy doszliśmy do końca, tuż przd nami ukazała się wyłożona dużymi, prostokątnymi kamieniami droga. Kamień był jasny i miejscami wyślizgany od używania.

— Rzymska — powiedział z dumą Fabrizio, przesuwając butem po chropowatej powierzchni. — Jesteśmy pod Porta Romana.

Staliśmy w ciszy w ciemnej, wilgotnej piwnicy, w świetle słabej lampki białoszara droga jaśniała przed nami, idealnie prosta i perfekcyjnie zachowana, prowadząca nas donikąd. Dokładnie nad nami, kilka metrów wyżej, odbywał się cotygodniowy targ, rozpoczynający się od Porta Fiorentina, a kończący rynkiem warzywnym i stoiskami z serami i oliwą na Porta Romana.

Fabrizio pokazał nam wnętrze zakrystii, ze zmyślnym bębnem do pozostawiania niechcianych niemowląt, tak skonstruowanym, że żadna ze stron, ani pozostawiająca swoje dziecko matka, ani odbierająca je po drugiej stronie siostra zakonna, nie mogły się zobaczyć. Wystarczyło pociągnąć za sznurek, by odezwał się mały dzwonek, zawieszony tuż przy bębnie. Jego dźwięk był delikatny i miły dla ucha, a przecież zawsze wieszczył jakąś tragedię, przyszłe życie u obcych ludzi i brak domu.

Nie spiesząc się, przeszliśmy przez dawną klasztorną kuchnię, gdzie wszystko było olbrzymie, jak w domu wielkoluda, kominek, garnki, wiszące na ścianie chochle i stół na środku do przygotowywania jedzenia. Jego gruby, drewniany blat był na narożnikach posiekany niezliczoną ilością nacięć, tworzących drobną, czarną siatkę rys.

— Tu kroili pietruszkę, czosnek i inne przyprawy — powiedział Fabrizio, widząc, że pochyliłam się nad stołem.

Klasztor był pusty od czasów wojny, kuchni nie używano od wielu lat, ale ciągle pachniało w niej dymem drzewnym i ziołami.

Strych był pozostawiony bez renowacji i zachował się w nienaruszonej formie, pokrywając się jedynie z roku na rok kolejnymi warstwami kurzu. Krętymi korytarzami weszliśmy na najwyższy poziom. Było gorąco. Prosty, dość wąski korytarz ciągnął się przez całą długość budynku. Po obydwu jego stronach znajdowały się niewielkie drzwi prowadzące do cel mniszek. Otwierałam je kolejno, słuchając z przyjemnością, jak skrzypią, i zaglądałam do środka z dziwnym uczuciem smutku i tęsknoty. Wszędzie te same malutkie pokoiki, każdy z zakratowanym oknem i drewnianym krzyżem na ścianie. Małe, wbudowane w ścianę szafki mogły kiedyś pomieścić tylko najpotrzebniejsze, osobiste rzeczy. Łóżka, proste, zbite z desek, pokryte siennikami ze słomy, stanowiły całe wyposażenie. Podłogi z ciemnego cotto nadal gdzieniegdzie prześwitywały połyskliwą *cerą,* mieszanką wosku i parafiny, mimo grubej warstwy kurzu.

— Jakie to wszystko małe — powiedziała Maria, stając za mną w progu jednego z pokoi. — Zobacz na te łóżka, wyglądają na dziecinne. Nie dłuższe niż półtora metra.

Cel było z trzydzieści, niektóre mocno zdewastowane. Podeszłam do okna w jednej z nich i wyjrzałam. Na dole, wśród starych dachówek, widać było kolorowe białe i zielone dachy stoisk targowych. Na górę docierał szum rozmów, odgłosy samochodów i pojedyncze nawoływania sprzedawców. Mniszki, zamknięte w swoich pokoikach, też słyszały odgłosy żyjącego miasteczka, śmiechy, okrzyki i kłótnie. Przesunęłam palcem po poręczy łóżka i zdjęłam szary dywanik kurzu. Ciemne drewno, z jaśniejszymi przetarciami od wieloletniego dotykania, miało lekki połysk. Pewnie nacierano je i konserwowano, tak jak podłogi, *cerą*, dzięki czemu pachniało miodem.

— A teraz coś wam pokażę — dobiegł mnie głos Fabrizia.

Wyjrzałam na zewnątrz. Fabrizio klękał na środku korytarza. Sięgnął po jedną z cegieł, podniósł ją z łatwością z posadzki i przywołał nas kiwnięciem ręki.

— Zobaczcie, teraz zdejmę drewniany, specjalnie wykonany kafelek i co widzimy? Nasze mniszki podsłuchiwały, o czym się rozmawiało w pokojach księży. Albo podglądały, spryciary. Małe grzeszki małych mniszek, co?

Roześmiał się i zamknął skrytkę w taki sposób, że znów niczym nie wyróżniała się od reszty podłogi.

— W przyszłym tygodniu dam ci wycenę — powiedział na odchodnym, gdy żegnaliśmy się na małym placyku przed bramą konwentu. — Jeśli zaakceptujesz, możemy zaczynać.

— Dziękuję za wycieczkę w przeszłość. — Podałam mu rękę i mocno uścisnęłam. — Nigdy jej nie zapomnę.

— To tylko historia. Domy bez pomocy ludzi znikają. Dlatego lubię pracować w starych budynkach.

Uśmiechnął się i odszedł małą, zacienioną uliczką w stronę *corso*.

2.

Dni mijały jednostajnie i spokojnie. Codzienny rytm, któremu poddałam się z rezygnacją i wytchnieniem. Obserwowałam z przyjemnością pracujących w domu ludzi. Lubiłam ich zwykłe rozmowy, melodyjne pogwizdywania, niespodziewanie zaśpiewaną na całe gardło piosenkę i nagłe wybuchy śmiechu. Wykonywali swoją pracę rzetelnie i bez pośpiechu. Nie widziałam między nimi żadnych napięć. Trzy różne ekipy, dziesięć osób i praca w symbiozie, pełna zaskakujących mnie wzajemnych grzeczności, a nawet kurtuazji.

Zawsze o dziewiątej drużyna Fabrizia robiła sobie przerwę na kawę i śniadanie. Wyciągali ze swoich plecaczków wielkie pajdy chleba z mortadelą i, stojąc w wykańczanej jadalni, jedli łapczywie, powoli odgryzając każdy kęs.

— Anka, chodź, dzisiaj mamy świeże *panettone.* Jadłaś?

— A co to jest?

— Babka drożdżowa — powiedział Franco i urwał bezceremonialnie kawałek stojącego na stoliku w kolorowym pudełku ciasta. — Masz, bardzo dobre.

— Dziękuję.

— Jedz, jak będziesz chciała jeszcze, to mów.

Wsunął mi w rękę spory kawał pachnącej babki z rodzynkami i uśmiechnął się szeroko.

— To nie moje, Luigiego. Dlatego ci nie skąpię, ha, ha, ha.

— *Porca Madonna* — odezwał się z kąta Marco i zamilkł, wgryzając się w swoją gigantyczną kanapkę.

Poprzedniego dnia, przed południem, natknęłam się przypadkiem na Carlę, która złapała mnie bez ceregieli za rękę i zaciągnęła do kawiarni. Początek października był ciepły i słoneczny, choć po kolorze światła i dłuższych cieniach czuło się, że idzie jesień.

— Nie widziałam cię już ponad miesiąc. Opowiadaj! — Wytarła głośno nos i popatrzyła na mnie zza okularów. — Jak budowa?

— Wyrzuciłam Silvia. Teraz pracuje dla mnie ekipa Fabrizia — powiedziałam, trzymając w palcach ciepłą filiżankę z parującym cappuccino. — Są świetni.

— Dlaczego go wyrzuciłaś?

— Bo się opierniczał w pracy i chciał mnie skasować kilkakrotnie drożej, niż podał w ofercie.

— Pewnie myślał, że jak jesteś cudzoziemką, to dasz się nabrać. Kiedyś Amerykanie, Niemcy czy Anglicy szastali kasą przy remontach. Teraz jest kryzys, a jakoś trzeba zarabiać. Fabrizio jest dobry. Jego ojciec, a teraz on zawsze remontowali kościoły, zna się na renowacji — odparła i uśmiechnęła się do mnie. — Jak się trzymasz? Chyba nie jest źle, co?

— Nie. Mam dużo pracy. Wieczorami padam ze zmęczenia.

— Ale dom zmienia się na pewno, przyznaj.

— Tak. Maurizio rozkłada instalację hydrauliczną. Zniknął mi na tydzień, ale pewnie niedługo się pojawi. Czasem mu się to zdarza. Jest w porządku, po prostu ma taki defekt, że znika. — Roześmiałam się i upiłam łyk. — Chciałabym kupić trochę starych mebli, kilka sztuk, jakiś stół do jadalni, może szafę do holu, ale nie wiem, gdzie szukać.

Carla poklepała moją rękę na stoliku i znów sięgnęła po chusteczkę. Wytarła nos i uśmiechnęła się szeroko.

— A ja mam kogoś, kto ci to ułatwi. Nazywa się Renato i mieszka nieopodal *piazza*. Ma swoją graciarnię z różnościami, ale też zna dużo ludzi. — Carla pochyliła się nad stolikiem i wyszeptała mi do ucha: — Jest niesamowicie tani. Nie mów nikomu, za ile sprzedaje te swoje rzeczy, dobrze? Zaraz je rozdrapią.

— Okej.

— To wypij kawę, pójdziemy do niego.

— Teraz?

— Czemu nie?

Wzruszyłam ramionami. Właściwie dlaczego nie? Nie miałam żadnych planów w ten chłodny poranek, ciepła kawa w pachnącym wnętrzu kawiarni dodała mi energii.

— Jak sypiasz?

— Całkiem nieźle. Przesypiam ostatnio całą noc.

— To dobrze. Kontaktujesz się z córką?

— Tak, piszemy do siebie maile, wszystko jest dobrze. Przyjedzie tu do mnie na święta.

— Cudownie. Poznasz mnie z nią, dobrze?

— Tak.

— Wypiłaś? To chodź. — Carla energicznie wstała i zaczęła motać na szyi swój kaszmirowy szal w kolorze głębokiego granatu.

Patrzyłam w zachwycie na jej rude włosy, kontrastujące z ciemnym kolorem wokół twarzy. Była zjawiskowa.

— Musisz poznać Renata — dodała na ulicy, idąc szybko w stronę *piazza* — nie będziesz żałowała.

Renato miał magazyn obok swojego domu. Gdy Carla zadzwoniła do drzwi, wychylił się z okna na pierwszym piętrze, pomachał do nas i zszedł na dół. Był szczupłym, mężczyzną około sześćdziesiątki, poruszającym się i mówiącym powoli, jakby z wysiłkiem lub zastanowieniem. Otworzył wielkie wrota i zapalił światło. Pod sam sufit piętrzyły się w nim stare, zakurzone krzesła, lustra i komody. Przyszło mi na myśl, czy to aby nie te same, które zastaliśmy w naszym domu, gdy w ubiegłym roku oglądaliśmy go wraz z Kubą w pewne majowe popołudnie.

— I co? Na pewno coś znajdziesz. Zobacz, ile drzwi. — Carla wskazała na kąt na tyłach pomieszczenia. — Obejrzyj sobie wszystko. Ja idę rozliczyć się za szafę.

Przeszłam na sam koniec. Na półkach leżały stare książki

i pióra ze stalowymi nasadkami, pomiędzy nimi stały wazony, donice i łysawe, brudne lalki. Koło mnie, na podłodze, stał zakurzony, czarny rower ze skórzanym siedzeniem i ładnie wyprofilowaną kierownicą. Pod siedzeniem wisiał malutki kuferek na narzędzia.

Pod ścianami, poukładane jedna na drugiej, piętrzyły się szafki nocne.

— Co cię interesuje? — odezwał się tuż za mną Renato.

— Anka — Kuba staje za mną znienacka i puka mnie w ramię.

— Kuba, do cholery, zobacz, wylałam kawę! Nie strasz mnie w ten sposób!

Odwróciłam się gwałtownie i zrobiłam krok wstecz. W miejscu, gdzie staliśmy, było ciasno i prawie potknęłam się o jakiś wysoki stojak na kwiaty. Renato stał blisko, widziałam jego jasne, niebieskie oczy i sieć zmarszczek przy ustach. Uśmiechał się łagodnie.

— Jeszcze nie wiem — odpowiedziałam speszona. — Wszystko po trochu.

— Jak coś wybierzesz, zawiozę ci to do domu — powiedział — za darmo. Jeśli będziesz czegoś potrzebowała, nie wiem, kogoś do pomocy, to ci pomogę.

— Dziękuję — odpowiedziałam i wyswobodziłam się z ciasnego kąta. Wyszłam na zewnątrz i zapaliłam papierosa. Renato wyszedł za mną.

— Nie pal — powiedział, czekając, aż Carla skończy przeglądać jakieś stare czasopisma. — Za trzy miesiące mam operację serca w Mediolanie. Przez fajki. Nie mogę oddychać. Dlatego jestem taki powolny. Jak żółw.

Popatrzyłam na jego miłą, pogodną twarz. Miał wypieki na policzkach i ciężko wciągał powietrze.

— Przykro mi. Kiedyś rzucę. Zresztą nie palę dużo, pięć papierosów, mniej więcej. Przyjdź do mojego domu, zobaczysz, jakie drzwi będę potrzebowała, dobrze? Bo samej trudno mi zdecydować.

— Przyjdę.

Przebywanie z tym dopiero co poznanym człowiekiem sprawiało mi przyjemność. Jego spokojny sposób mówienia, łagodność, prawie nieśmiałość uspokajały mnie i wyciszały.

— To co — Carla stanęła koło mnie i wzięła Renata za rękę — wszystko dobrze? Nieźle wyglądasz, staruszku.

— Ale czuję się podle — powiedział Renato i zaczął szukać w kieszeniach spodni klucza. — Jak umrę, macie przynosić mi kwiaty. Koledzy będą mi zazdrościć.

— Nie umrzesz — roześmiała się Carla. — Złego licho nie bierze. Trzymaj się, Renato. I nie pij za dużo winka.

Pogroziła mu palcem i ruszyłyśmy z powrotem na *piazza*.

— To bardzo dobry człowiek. Mam nadzieję, że go w tym Mediolanie naprawią. Wiesz, nie mówiłam ci, ale prawdopodobnie wyjadę z mężem do Turynu. Nie da się tak żyć, on tam, a ja tu. W końcu znajdzie tam sobie nową żonę.

— Szkoda — odpowiedziałam szczerze zmartwiona. Brakowałoby mi Carli, nawet jeśli widujemy się raz na dwa miesiące. — Kiedy?

— W styczniu. Chyba. A ty zgodnie z planem wprowadzisz się do domu w grudniu, przed świętami?

— Chciałabym, ale nic nie mówię. Wolę nie zapeszać.

— Trzymam kciuki, by się udało.

— Ja za ciebie też.

— Jakby coś szło nie tak, daj znać, uprzedzę Heather, że zostaniesz dłużej. Nie powinna robić problemów. Z tego, co wiem, przyjedzie dopiero w marcu.

— Dziękuję za wszystko. — Pocałowałam Carlę w oba policzki i pożegnałam się z nią przed piekarnią. Patrzyłam, jak znika w oddali, w szarym, prostym płaszczyku, granatowym szalu i jaskraworudych, prawie miedzianych włosach.

3.

Portal ujawnił się niespodziewanie pewnego listopadowego dnia, gdy Franco zbijał tynk przy studni. Planowałam odsłonić kawałek kamiennej ściany, tym bardziej że na kolebkowym suficie były odkryte ładne cegły.

— Anka! Anka! — zawołał mnie Cosimo, nowy murarz, bo Marco potrzebował wsparcia.

— Idę! — Zbiegłam po schodach i wpadłam na Francesco, który targał na piętro fragment rusztowania.

— *Porca*... — zaczął i zamilkł, bo ostatnio Franco zabronił im przeklinać. W każdym razie mieli się hamować.

— Wszystko dobrze — powiedziałam. — Nic nie słyszałam.

— Idź, zobacz co znaleźliśmy.

Przy studni stała cała ekipa i debatowała. Na ścianie widać było częściowo odkryty, olbrzymi kamienny portal. Zbudowany był z ogromnych głazów, poustawianych jeden na drugi i ginął w ceglanym suficie.

— O! A co to? — stałam zaskoczona.

— Odkryliśmy właśnie — pierwszy odezwał się Francesco, który odstawił rusztowanie i podszedł do mnie.

— Co odkryliśmy, hę? Ty odkryłeś? — spojrzał na niego Franco — zawsze wszystko on! Szef się znalazł.

Zerknęłam na Francesca. Zadowolony uśmiechnął się do mnie, jakby nie słyszał.

— Ładny, co?

— Super.

Podeszłam do ściany i pogłaskałam kamienie. Na brzegach ktoś je ładnie wykończył, ryjąc ukośne linie.

W środku były pokłute, prawdopodobnie po to, by lepiej trzymał się tynk.

— XIII wiek — odezwał się Franco i zaczął omiatać szczotką całość. — Piękny.

Obserwowałam odkrycie z zainteresowaniem. Odwróciłam się do chłopaków.

— A gdzie druga część? — spytałam.

Spojrzeli po sobie zaskoczeni.

— No, jeśli to portal, to na razie widzimy jedną część. Zgadza się? Musi być też druga.

Przyglądaliśmy się wszyscy. Ekipa kiwała głowami. Zgadza się.

— W kuchni — odezwał się Francesco.

Franco gromił go wzrokiem. Przez dziurę, która niebawem stanie się oknem w kuchni, zerkaliśmy wszyscy na ścianę. Była świeża i pachnąca. Wczoraj Cosimo skończył ją tynkować.

— *Porca Madonna*! — krzyknął Franco i pobiegł do kuchni. Ruszyliśmy za nim. Stanęliśmy przed skończoną ścianą.

— Cholera jasna! Cosimo! Zatynkowałeś go!

— No.

Cosimo oparł się o wejście i skręcił papierosa.

— Nieźle wyszło, co?

— Nieźle, ale teraz musimy skuwać!

Przeszły mnie ciarki. Jeszcze wczoraj cieszyłam się jak dziecko, że oto kuchnia zaczęła wyglądać jak normalne pomieszczenie, a nie jak jakaś jaskinia.

— Anka, skuwamy, co? — Franco chwycił łom. — Ty decydujesz.

Patrzyłam po ich twarzach. Czekali na moją decyzję. Jeśli nie ruszylibyśmy tynku, portal zniknąłby na zawsze. Z drugiej strony miałam zgodzić się na demolkę. Zacisnęłam wargi.

— No?

Milczałam. Spoglądałam przez otwór okienny na odkrycie Franca. Kurczę, piękny.

— Zbijamy — odezwał się Francesco.

— Zbijamy, Francesco. Masz rację.

Francesco zerknął triumfująco na Franca i wyniośle wyprostowany wyszedł.

— To do roboty, chłopaki. — Franco z solidnym zamachem walnął łomem w ścianę. Cosimo wzruszył ramionami i palił spokojnie dalej. Wyglądało na to, że nie miał zamiaru pomagać.

W zasadzie to mu się nie dziwiłam, pracował nad tą ścianą cały wczorajszy dzień.

— Tyle roboty... — odezwał sie w końcu i zaczął śpiewać, potwornie fałszując. Jego śpiew zagłuszał jednostajny rytm uderzeń łomu o ścianę.

Po południu, gdy odsłonięte zostały obydwie części, Paweł spojrzał na portal z podziwem. Po oczyszczeniu go z pyłu, dostrzegliśmy na krawędziach kamieni, wewnątrz portalu, ślady otarć i wygładzenia, wyraźnie ciemniejsze od pozostałych części. Tędy wchodzono, wjeżdżały wozy, ocierano się ubraniami.

— Niezły. Bardzo stary. Na górze była poprzeczna belka, która spinała dwie części. Teraz jest pomiędzy sufitem a podłogą.

— To znaczy, że wejście było wyższe, tak?

— Tak.

— A to znaczy, że to była wielka brama, którą wjeżdżało się do wewnątrz.

— Na to wygląda.

— To wytłumacz mi, skąd w takim razie ta studnia. Prawie w świetle wjazdu. To nielogiczne — zauważyłam. — Przecież znaczyłoby to, że studnia jest późniejsza niż portal. Zrobiono ją, gdy wjazd został zamurowany.

— Równie dobrze studnia była zakryta, gdy budowano portal. Jest bardzo stara, ma formę rzymskich studzien.

Staliśmy w milczeniu, analizując wszystko. Nic mi nie pasowało.

— Sami tego nie rozwiążemy — dodał Paweł po chwili. — Jak już będzie trochę spokojniej, pójdziemy do archiwum miejskiego, do Patrizia Dante i porozmawiamy sobie o tym odkryciu. On ma niesamowitą wiedzę. Jedno jest pewne. Jak powstawała publikacja na temat starego centrum Sansepolcro, gdzie skatalogowane są wszystkie domy, na ten temat nie napisano nic. A to znaczy, że wjazd był zakryty i nikt nie miał pojęcia o jego istnieniu. I oto jest.

— To jest w takim razie najstarsza część domu, ta ściana i wejście do piwnic.

— I jedna z najstarszych w mieście.

— No to mieliśmy szczęście. Niewiele brakowało, a kazałabym Francowi zatynkować go dokładnie. Coś mnie podkusiło, by jednak skuć.

— Miałaś nosa.

— No.

Uśmiechnęłam się i poklepałam Pawła w ramię. Z mojej rękawiczki posypał sie biały kurz i uniósł się drobinkami nad jego ciemną kurtką.

— O kurczę, przepraszam!

— Daj spokój, jestem przyzwyczajony.

4.

Pewnego dnia, w połowie października, czyściłam małe, zniszczone okno, wychodzące na wewnętrzną studnię, gdzie kiedyś była obrzydliwa ubikacja, dopóki nie rozebrali jej Franco i Luigi, przeklinając przy tym głośno i dosadnie. Patrzyłam na miejsce, gdzie jeszcze wiosną wisiała plątanina dziwnych rur, jakby wszyscy, którzy tu kiedyś mieszkali, postanowili zostawić po sobie pamiątkę w postaci choć jednej, małej rurki kanalizacyjnej. Wtedy wydawało się, że nie da się tego uporządkować.

— No?

— Nic. To nie jest zabawa dla normalnych ludzi. — Kuba zatrzaskuje w końcu zasuwę i patrzy na mnie z uśmiechem.

W oknie naprzeciwko ktoś odsunął firankę i za kratą ukazała się twarz starszej, ładnej kobiety. Patrzyłyśmy chwilę na siebie.

— Dzień dobry — powiedziałam, choć przez zamknięte okno pewnie nie było mnie słychać.

Kobieta sięgnęła po wysoko umieszczoną klamkę, otworzyła jedno skrzydło i pomachała do mnie z egzaltacją.

— Dzień dobry! Jesteśmy sąsiadami! Mam na imię Loretta. Robicie tu remont, prawda?

— Tak — odpowiedziałam, zdziwiona, że dopiero teraz to zauważyła. Maszyna Gianniego i krzyki ekipy Fabrizia było przecież słychać na całej ulicy od ponad miesiąca.

— Wczoraj wróciliśmy z naszego letniego domu w Pulii, siedzieliśmy tam od lipca — odrzekła, jakby odgadując moje myśli, i zachwiała się lekko.

Dopiero teraz zauważyłam, że stała na taborecie, podłoga w jej kuchni znajdowała się dużo niżej niż w sąsiadującej z nią naszej łazience na pierwszym piętrze.

— Jak masz na imię?

— Anka.

— Zapraszam cię na kawę, Anka, zaraz będzie gotowa — powiedziała Loretta.

— Nie chcę przeszkadzać…

— Przyjdź za chwilę, nasze wejście jest od via Gherardi, drzwi będą otwarte, przyjdź. — Uśmiechnęła się szeroko i zniknęła za firanką.

Stałam chwilę z metalową szczotką w ręce i patrzyłam przez zamknięte okno, jak Loretta krząta się w swojej kuchni. Westchnęłam i zdjęłam rękawice. Otrzepałam się z kurzu, poprawiłam włosy, przejrzałam się w brudnej szybie i zeszłam na dół. Prędzej czy później będę musiała poznać swoich sąsiadów. Staruszka z nieodłącznym, cienkim papierosem za każdym razem, gdy widziała mnie na ulicy, witała się serdecznie i dopytywała o remont. Jestem pewna, że kurz, unoszący się z domu, wywozy gruzu czy dostawa piachu musiały dawać się jej we znaki, ale ani razu nie powiedziała słowa skargi. Starsza pani, mieszkająca zaraz obok niej, która często z synem podlewała kwiaty na tarasie, jedynie częściej niż zwykle wycierała dokładnie drzwi i okna i zmiatała swój fragment ulicy. Moimi sąsiadami przez ścianę było dwóch starszych panów, którzy serdecznie się nie lubili. Okazało się, że jeden z nich miał na górze mieszkanie, a drugi garaż na parterze, który kupił wiele lat temu, jako piwnicę, od tego pierwszego. Teraz posiadanie garażu w centrum historycznym było niezłym rarytasem i pan na piętrze nie mógł wybaczyć sobie tej transakcji. Przychodzili na zmianę, nigdy razem, i zagadywali robotników, dając im dobre rady dotyczące sposobu tynkowania, układania rur kanalizacyjnych i najlepszych proporcji betonu.

Palazzo Gherardi, od którego wzięła nazwę ulica, zajmowało cały narożnik via San Giuseppe i via Gherardi. Było dużą, bogatą kamienicą w kiepskim stanie. Tynk odpadał gdzieniegdzie płatami, a dach wymagał kapitalnego remontu. Zastukałam kołatką w półotwarte drzwi i czekałam, przyglądając się herbowi, umieszczonemu nad wejściem.

— Wchodź, wchodź — usłyszałam głos Loretty, schodzącej po schodach. Drzwi otworzyły się szeroko i stanęła w nich mała, korpulentna pani z nienaganną fryzurą. Musiała kiedyś być pięknością, na jej twarzy wciąż widać było ślady dawnej urody, duże oczy, delikatny podbródek i ładnie wykrojone, duże usta.

— Wejdź — zaprosiła mnie do środka i podała swoją dłoń. Mocno uścisnęła mi rękę i pocałowała w policzki.

— Przepraszam za mój strój…

— Daj spokój! No, nareszcie poznałam nową sąsiadkę! Cieszę się, że remontujesz ten dom, był taki zniszczony i smutny. Nasz też wymaga jeszcze dużo pracy, ale z Santem robimy, co możemy. Santo, Santo! — krzyknęła w przestrzeń, nie wypuszczając mojej dłoni. — Chodź, przyszła nasza sąsiadka!

Stałyśmy w obszernym, pięknie zachowanym holu, nad nami, na sklepionym renesansowym suficie umieszczona była duża, ozdobna rozeta z dobrze namalowaną sceną rodzajową. Przy ścianie stała okazała siedemnastowieczna szafa z kluczem z zawieszonym czerwonym, puchatym pomponem. Kamienna posadzka, zapastowana i lśniąca, kontrastowała z ciepłym kolorem ścian. Z sufitu zwisał stary, kuty żyrandol, przerobiony w taki sposób, by można było używać go na prąd.

Santo zszedł po schodach i podszedł do mnie z wyciągniętą ręką. Łysiejący, szczupły mężczyzna uśmiechał się szeroko i serdecznie. Jego okulary bez opraw były opuszczone do połowy nosa. Miał prawdopodobnie ponad siedemdziesiąt lat, ale jego wysportowana sylwetka mogła mylić, ciało miał zwinne, bez grama tłuszczu.

— Witam. Zapraszamy na górę.

Kamienne stopnie były identyczne jak w naszym domu, natomiast kuta poręcz miała ozdobne zawijasy i uchwyty. Nasza ładniejsza — pomyślałam, wchodząc po schodach — ta jest za fikuśna.

Obydwoje byli bardzo rozmowni, żeby nie powiedzieć, gadatliwi. Santo znał trochę angielski i milkł co chwilę, szukając w myślach słowa. Wchodząc na górę, dowiedziałam się, że on pochodzi z Pulii i jest emerytowanym sędzią, a ona z Sansepolcro i całe życie pracowała jako nauczycielka języka francuskiego w liceum. Przypominała mi bardzo moją byłą teściową, która też była nauczycielką i miała podobną urodę i sposób bycia. Nieznoszący sprzeciwu. Nasz związek z Adamem był jej zdaniem największym nieszczęściem, jakie przytrafiło mu się w życiu, i za każdym razem, gdy się widziałyśmy, nie omieszkała mi o tym przypomnieć. Byłyśmy skonfliktowane od pierwszego wejrzenia, jeśli można tak powiedzieć.

Weszliśmy do obszernego salonu, bogato umeblowanego, z mnóstwem staroci i bibelotów. Natychmiast zwróciłam uwagę na pomalowany w sceny biblijne sufit i na ładną, czerwoną posadzkę.

— To Cherubini — powiedział Santo, widząc moje zainteresowanie. — Kupując ten dom, dostaliśmy wśród różnych dokumentów rachunek, jaki wystawił Gherardiemu w tysiąc pięćset siedemdziesiątym roku.

— O! Niesamowite! — Spojrzałam na gospodarzy szczerze zdziwiona. — To interesujące.

— Ten plafon w holu też jest jego autorstwa. W przyszłym roku będziemy robić jego konserwację — dodała Loretta. — Oprowadź Ankę po domu, a ja przygotuję ciasto.

Santo prowadził mnie przez poszczególne pomieszczenia, pełne wysmakowanych mebli i obrazów. Zatrzymywaliśmy się co rusz, bo każda rzecz miała swoją historię. Historię zakupu.

— Ta szafka jest z targu staroci w Bolonii. A ten wazon z weneckiego szkła kupiliśmy w Pradze, dwa lata temu. Byłaś w Pradze?

— Tak, dawno temu.

— Można tam znaleźć piękne szkło.

Widać było, że kupowanie starych przedmiotów zajmowało im większość dostatniego, emeryckiego życia. Czerpali dużą przyjemność z posiadania, ich dom mówił o nich więcej niż oni sami.

Jak dla mnie, było zbyt strojnie i bogato, przepych bił z każdego kąta, brakowało przestrzeni i oddechu. Rzeczy zlewały się w jedną całość, trudno było dostrzec ich urodę, stały jedne obok drugich, zabudowując ciasno przestrzeń. Nawet w łazience umieszczono ozdobne wazy i siedemnastowieczne stoliki, na których leżały koronkowe, finezyjne serwetki z malutkimi pomponikami. Obeszliśmy wszystko i dotarliśmy do kuchni, która została połączona z małym salonikiem. Tu było przytulnie i swojsko.

Na ładnym, secesyjnym stoliku stały delikatne filiżaneczki z parującą kawą oraz talerz z pachnącym ciastem.

— Siadaj i powiedz nam, co cię tu, do Sansepolcro, przygnało. Jak tu trafiłaś? — zapytała Loretta i usiadła blisko mnie. Jak dla mnie, za blisko. Odsunęłam się odrobinę, by poczuć się lepiej, i wypiłam łyk kawy. Była doskonała.

— Znaleźliśmy ten dom prawie dwa lata temu, kupiliśmy go w grudniu ubiegłego roku, a teraz go remontuję.

— Ciężka praca, prawda? Wyobraź sobie, że jak zaczęliśmy remontować nasz, dokładnie trzy lata temu, prawda, Santo? — Loretta zwróciła się do męża. — Tak, trzy, to mieliśmy tylko jeden pokój, w którym dało się mieszkać. Ten, w którym teraz jest łazienka. Malutki, ledwo dało się tam zmieścić materac. I spaliśmy na tym materacu, bez ciepłej wody, a ja gotowałam na kuchence elektrycznej. To była katorga.

— Lori, może Ankę to nie interesuje? — Santo spojrzał na żonę i uśmiechnął się. — To już za nami — powiedział do mnie. — Wy też skończycie i będziecie wspominać to jak przygodę.

— Proszę, poczęstuj się ciastem — Loretta wzięła talerz i podsunęła mi go pod brodę — sama piekłam.

Wybrałam mały kawałek i nałożyłam sobie na talerzyk. Dziobnęłam widelczykiem i wzięłam do ust. Spojrzałam z podziwem na siedzącą obok mnie kobietę. Placek był wilgotny w środku, wytrawny, z wyraźnym aromatem gruszek, wanilii i jakiegoś mocnego alkoholu. Doskonały.

— Mmm, pyszne!

— Ach — Loretta machnęła niedbale ręką — dziękuję, ale to zwykłe ciasto z gruszką, żadne wspaniałości. Kiedyś ci pokażę, jak go zrobić.

— Najpierw muszę mieć kuchnię.

— Powoli, wszystko będzie, i kuchnia, i łazienka, i taras. A gdzie twój mąż? W Polsce?

Połknęłam kolejny kawałeczek ciasta i przyłożyłam do ust filiżankę. Powoli upiłam trochę. Czy mam im mówić, co się wydarzyło? Moje słowa za moment zburzą tę miłą atmosferę popołudniowego podwieczorku i zniszczą pogawędkę o niczym w ich słodkim saloniku, łagodnie oświetlonym koronkowym abażurem. Otworzę usta i wpuszczę tu chłód i tajemnicę. I wszyscy razem, przez ułamek sekundy dotkniemy brutalności życia.

Odstawiłam kawę i popatrzyłam na nich przez chwilę.

— Mój mąż zginął w wypadku w lipcu tego roku.

Loretta upuściła widelczyk. Machinalnie chciała się schylić, ale zrezygnowała.

— Nie! — szepnęła i schwyciła moje ramię. Jej uścisk był zadziwiająco silny.

Patrzyli na mnie, zszokowani. Przypomniałam im, że są miejsca, gdzie rzeczy już nie istnieją.

— To strasznie przykre, wyrazy najszczerszego współczucia. — Santo wstał i objął mnie mocno. — Boże, więc jesteś tu sama, z tą budową. Loretta i ja pomożemy ci w każdej sytuacji, jeśli tylko będziesz czegoś potrzebowała.

Usiadł na miejsce i nerwowo przetarł okulary.

— Dziękuję. Na razie jakoś sobie radzę.

— Jesteśmy wstrząśnięci — odezwała się Loretta, nie puszczając mojej ręki. — To wielka tragedia. Tak mi przykro.

Jej oczy zaszły łzami, spojrzała na Santa i na mnie i zamrugała szybko.

— Chyba już pójdę — powiedziałam i odsunęłam talerzyk. — Dziękuję za kawę i ciasto, może kiedyś zrewanżuję się tym samym...

— Nie, poczekaj. — Loretta zerwała się ze swojego miejsca i podeszła do szafki. — Mamy z Pulii bardzo dobre makarony, zawsze kupujemy tylko w tej jednej firmie, musisz zabrać ze sobą paczkę. I zapakuję ci trochę ciasta, skoro tak ci smakowało, nie odmawiaj, bo mnie zasmucisz.

— I jak będziesz czegoś potrzebowała, albo kontaktu z jakimś fachowcem, albo jakichś narzędzi, pukaj bez zastanowienia, zawsze coś wymyślimy — powiedział Santo. — W końcu niedawno skończyliśmy nasz remont.

— A wy przyjdźcie na budowę, jest straszny bałagan, ale zobaczycie dom. Jest prostszy niż wasze *palazzo*, jednak staram się zachować w nim wszystkie stare elementy.

Loretta zapakowała placek, makaron, a Santo dołożył butelkę wina.

— Weź, to Primitivo di Manduria, z małej lokalnej wytwórni, mamy duży zapas.

Zeszliśmy na dół, gdzie pokazali mi jeszcze piwnice i studnię. Była dużo mniejsza niż nasza, z ceglaną cembrowiną.

— Twój dom był częścią Palazzo Gherardi, kiedyś mieściła się tam kuchnia i zbrojownia. Kawałek dalej były stajnie, z tego, co wiem, ktoś ma tam teraz garaż.

To pewnie ten garaż, który sąsiad po lewej, czyli dziadek nr 1 sprzedał dziadkowi nr 2 i znienawidził go z całego serca — pomyślałam. Otaczająca mnie rzeczywistość znów stała się odrobinę bardziej klarowna.

Pożegnałam ich serdecznie i wyszłam na pustą, ciemną ulicę. Wiał lekki wiatr. Spojrzałam na dom Loretty i Santa, warowny i niedostępny z zewnątrz. W środku dwoje starszych ludzi, bezbronnych wobec nadchodzącej śmierci, zaczarowywało rzeczywistość, planując kolejny nabytek.

5.

Luigi, kowal z Cerbary, pojawił się naszym domu pod koniec października, przyprowadzony przez Renata. Miał mały, czarny berecik na czubku głowy, ze stojącą fantazyjnie antenką, i twarz psotnego chłopca. Szeroko rozstawione oczy były intensywnego, zielononiebieskiego koloru. Mógł mieć czterdzieści lat, może trochę mniej lub trochę więcej, u niektórych ludzi nie jest łatwo określić ich wiek. Był lekko zgarbiony, przez co wydawał się jeszcze bardziej potężny. Przypominał mi Shreka. Przyszedł z kolegą, szczupłym, milczącym, trochę młodszym mężczyzną, by ewentualnie podjąć się wykonania szklanego dachu i przeszklonych drzwi, które miały być zamontowane w miejsce dawnej toalety na parterze. Mówił tubalnym głosem, tłumaczył wszystko powoli i dokładnie i śmiał się zaraźliwie ze swoich żartów. Jego kompan stał zawsze z boku, nie zabierał głosu i wydawał się obojętny na głośne pokrzykiwania Luigiego. Miał delikatne dłonie niepasujące do jego profesji i ładny profil.

— Moja droga, zrobię ci piękny daszek i drzwi, i przepiękną kratę nad studnię. Tylko błagam, uśmiechnij się do nas — wykrzykiwał Luigi, robiąc pomiary. — Renato, powiedz pani, niech się cieszy życiem, spotkała mnie, od tej pory nic nie będzie takie jak przedtem.

— Tak, może tego potem żałować do końca życia — odpowiedział Renato i zwinął miarę. — Zapisałeś, Luca?

Luigi wybuchnął śmiechem i klepnął swojego towarzysza w plecy. Jego wielkie łapsko prawie złamało tamtemu kręgosłup. Z rąk wysunął mu się długopis i upadł na podłogę.

— Luigi, spokojnie, okej?

— Renato — krzyknął Luigi, nie zwracając uwagi na swojego towarzysza. — Nikt nie żałuje, że mnie zna! To co jeszcze, siostrzyczko? Okno na pierwszym piętrze? Będzie okienko jak malowane, tylko daj mi trochę czasu. Idziemy mierzyć, Luca, mój drogi przyjacielu, chodź tu, mamy pracę w zamku, u królewny!

— Na kiedy się z tym uporasz? — zapytałam Luigiego. — Bo ten parter jest trochę pilny.

— A na kiedy, złotko, potrzebujesz? To nocami będę kuł i zrobię. Jak mówię, tak będzie. Powiedz Renato, było kiedyś inaczej?

— Niestety, nie. Słowna bestia.

— Ha! — Luigi spojrzał na mnie z triumfem w oczach. — Widzisz, ślicznotko? W przyszłym tygodniu kończę robotę w L'Aquili, pakuję manatki i wracam tu, by pracować dla ciebie.

— Pracujesz przy odbudowie po trzęsieniu ziemi? — Spojrzałam na niego z zainteresowaniem.

— Tak, słodka, i nie chciej nigdy tego oglądać. To najgorsza rzecz, jaką widziałem w życiu. Zobacz, mamy październik, Renato, a trzęsienie było w kwietniu, czy nie tak?

— Tak.

— No, a ludzie mieszkają pod namiotami i nic nie wskazuje na to, że wrócą do siebie przed wiosną. Co tam wiosną — machnął energicznie ręką — na przyszłą zimę. Miasto w rozsypce, moi drodzy, wielkie nieszczęście, niewyobrażalne.

— Dobrze, że tu nie ma trzęsień ziemi — westchnęłam.

Spojrzeli na mnie we trójkę.

— Dziecino, co ty gadasz, jak to nie ma — zaprotestował Luigi. — Stale się trzęsie, za Città i w okolicach Pieve Santo Stefano. Ostatnio były cztery stopnie, to niemało, co, koledzy? — Popatrzył na Lucę i Renata. — Ale są krótkie. W L'Aquili było długie i dlatego zmiotło miasto! Ha, my też mieszkamy na bombie!

— Renato, powiedz, że to nieprawda — poprosiłam starszego pana. — Chcecie mnie przestraszyć.

— Nie. Tu ciągle ziemia drży. Ale lekko i na chwilę — powiedział Renato. — Nie martw się, będziesz mieszkała w starym domu, one wytrzymywały i wytrzymują wszystko.

— No, chyba że się zawali — roześmiał się Luigi. — Ale pamiętaj, moje kraty przetrwają, nie, chłopaki?

Śmiejąc się do upadłego, schodził po schodach, dudniąc wielkimi butami przy każdym kroku.

— Tylko nie spadnij — mruknął Renato i uśmiechnął się do mnie porozumiewawczo. Dłonią zakręcił mały młynek, dając mi do zrozumienia, że Luigiego, jak zwykle, nie da się traktować poważnie.

— Jutro w Monte Santa Maria Tiberina jest Festa di Castagna — odezwał się Luca, patrząc na mnie. — Może byśmy pojechali?

— Czemu nie, ja zawsze. Ja, drogie chłopaki, jestem wolny ptak, wszędzie polecę — odpowiedział Luigi i chciał klepnąć Renata, ale ten uchylił się w porę.

— Chyba ptaszek — odrzekł Renato z wymownym uśmiechem.

— Ha, ha, Renato, stary druhu, kocham cię i dlatego cię nie zabiję. Ale zobacz tę pięść! — Luigi, szczerząc zęby, wystawił wielkie, umięśnione ramię. — Od małego przy kowadle, ma się tę siłę, co?

Renato pokiwał głową i poklepał Luigiego po bicepsie.

— Anka, pojedziesz z nami, moja cudna. Jutro rano jestem tu o dziewiątej, a ty czekasz w ślicznej sukience, jak moje marzenie! — Popatrzył na mnie z ogniem w oczach. — I uśmiech, uśmiech, chcę widzieć twoje białe ząbki!

Roześmiałam się i uderzyłam Luigiego w klatę. Nawet nie poczuł.

— Nie. To nie jest dobry pomysł — powiedziałam. — Mam dużo pracy.

— Nie odmawiaj mi, słonko, bo mnie ranisz. Bez ciebie będzie — zamilkł na chwilę, patrząc na pozostałych, i szukał odpowiedniego słowa — będzie do dupy.

6.

Monte Santa Maria Tiberina leży niedaleko Sansepolcro, po drugiej stronie doliny Tybru. Jak dowiedziałam się podczas jazdy, jest najmniejszą komuną we Włoszech. Miasteczko położone jest na górze, kamienne, malutkie i strome. Dosłownie kilka ostro zakręcających pod górę uliczek, z górującym nad wszystkim zamkiem.

Zaparkowaliśmy przy znaku „zakaz parkowania".

— Luigi, dostaniesz mandat, nie żal ci kasy? — zapytałam.

— Słoneczko, ci w policji to wszystko moi kumple, nie dadzą mi zginąć. — Luigi pociągnął mnie za ramię. — Chodź, musisz zobaczyć miasteczko. Palce lizać — cmoknął, podniósł szybko moją rękę do ust i przeciągnął językiem po mojej dłoni. Wyrwałam rękę i uderzyłam go w szerokie, twarde plecy.

— We Włoszech będę cię całą lizał, jak najlepsze na świecie, włoskie lody. — Kuba przesuwa język po moich palcach i patrzy mi w oczy. — To jest nawet lepsze.

— Przepraszam, już nie będę, jestem świnia i cham. Uderz mnie jeszcze, Jezu, jak dobrze! Hej! — krzyknął do jakiegoś drobnego, starannie ubranego mężczyzny, stojącego niedaleko bramy. — Niech mnie, Carlo Butti! Zobaczcie! — Podbiegł do mężczyzny i prawie zmiażdżył go w ramionach. Carlo wyglądał przy nim jak mały, niedożywiony chłopczyk.

— Carlo, poznaj moich przyjaciół. Ta dama to Anka, piękna Polka, zobacz, jaki ma gust, piękny płaszczyk, co? To Renato, Lucę znasz! Carlo — odwrócił się do nas — to mój krawiec, szył mi ubranie na ślub! Dawno to było, małżeństwo nie przetrwało, ale garnitur tak!

Klepnął krawca w plecy, aż tamten jęknął i roześmiał się na cały głos.

— Tak, stary, znasz się na robocie, jeden garnitur na wszystkie śluby! Jeszcze mi się przyda, zobaczysz! Zdzwonimy się, moja igiełko, cześć!

Tuż przy bramie miasteczka natknęliśmy się na pierwsze stoisko. Rumiany, wąsaty dziadek siedział na ławce, naprzeciwko swoich produktów i popijał grappę.

— Cześć — zagadał Luigi. — Co tam pijesz dobrego, staruszku? Grappę? Twoja? — Podniósł kieliszek i powąchał. — Mmm, niezła chyba.

— Pewnie, że niezła — odpowiedział staruszek. — Zajmuję się tym prawie siedemdziesiąt lat. Zaraz sprawdzisz. I twoja drużyna też. Chodźcie, dzieci, posmakujecie mojej wódeczki i już innej nie będziecie chcieli pić. Mam też miody, że palce lizać.

Na wszelki wypadek schowałam ręce za siebie.

Starszy pan wstał z ławeczki i przyniósł plastikowe kubki. Wlał każdemu całkiem sporo i podniósł swój do góry.

— Wasze zdrowie, tego nigdy dość. — I jednym ruchem opróżnił kieliszek.

Wypiłam trochę, grappa była świetna, aromatyczna i ostra. W porannym słońcu, pod czerwieniejącymi się jesiennie liśćmi smakowała wyjątkowo. Dopiłam resztę i z przyjemnością czułam, jak powoli spływa w przełyku, grzejąc od środka. Renato poszedł spróbować miodów, które w środku sprzedawała jakaś młoda dziewczyna, Luca, w ciemnych okularach i jasnych dżinsach usiadł samotnie na ławce, niedaleko mnie i w zamyśleniu palił papierosa. Podparł głowę na ręce i patrzył na rozległą dolinę pod nami. Wyglądał jak młody chłopak, czekający spokojnie na umówionej randce. Luigi rozmawiał z wytwórcą grappy, co rusz wybuchając śmiechem. Z niskiego murku, przy którym staliśmy, roztaczał się niezwykły widok na wzgórza, zielone, poprzetykane gdzieniegdzie żółciejącymi plamami liściastych drzew. Siwa, złota mgiełka zasłaniała położone dalej wzniesienia. Słońce przyjemnie ogrzewało moje oparte na kamieniach ręce.

— Anka, chodźże tutaj do nas, jeszcze jeden kieliszeczek, tym razem trochę starszej. — Luigi kiwnął na mnie i podniósł kubeczek do góry. — To dla ciebie. Twoje zdrowie, cudowna kobieto! — Podał mi trunek. — Boże, jaka jesteś piękna w tym słońcu! Marco — zwrócił się do dziadka — trzymaj mnie, bo pofrunę!

Ludzie! Jestem dzisiaj taki szczęśliwy! — krzyknął do wchodzącej przez bramę pary. — Piję najlepszą grappę, przede mną piękna Umbria i towarzyszy mi anioł. Nie o tobie mówię, Luca! Zdrowie! — Wychylił zawartość i mlasnął z zadowoleniem.

Kobieta i mężczyzna zatrzymali się przy nas, śmiejąc się głośno. Dziadek natychmiast wlał im swoją wódeczkę. Kolejny kieliszeczek już poczułam we krwi. Szumiało mi słodko w głowie. Ciepło jesiennego słońca, zapach pieczonych kasztanów i otaczające mnie kolory wirowały lekko wokół. Było mi dobrze. Byłam pewna, że trzeci kieliszek by mnie upił, chociaż nie wiem, czy miałabym coś przeciwko.

Renato przyszedł i usiadł obok mnie. Podał mi małą paczkę.

— Miód kasztanowy. Dla ciebie.

— Dziękuję, Renato. To miłe z twojej strony.

— Podoba ci się tutaj?

— Tu?

— No, we Włoszech.

— Tak. Mam mało czasu na inne życie, dużo pracuję. Wtedy nie myślę.

— Carla mi mówiła...

— Tak. Nie mówmy teraz o tym, dobrze mi z wami.

Renato wziął mnie za rękę i mocno uścisnął. Odpowiedziałam mu uściskiem. Jego ręce były mocne, spracowane i przyjemnie ciepłe.

— Jak będziesz chciała sobie porozmawiać, to wiesz, gdzie jestem. Lepiej pogadać, niż milczeć samotnie. Dobrze?

— Tak, Renato, dziękuję ci. I za miodzik.

Idąc pod górę, napotykaliśmy co rusz różne stoiska. Była kobieta z krosnami, sprzedająca piękne, ciepłe szale i narzuty, była biżuteria z miedzi, na placu koło kościoła stało stoisko z ceramiką, ręcznie robione talerze i misy miały piękne, pastelowe kolory. Zaraz obok dwie młode dziewczyny robiły świece starą tradycyjną metodą, polewając długie, wiszące knoty roztopionym, naturalnym woskiem, pachnącym miodem. Luca zniknął gdzieś w tłumie. Luigi znał prawie wszystkich. Jak powiedział, sam także przez kilka kilka lat wystawiał swój kowalski warsztat na różnych świętach w miastach umbryjskich.

— Hej, zobaczcie, kto tu siedzi! Mój druh, Piero, ty stary koniu, jeszcze jeździsz po jarmarkach!

Luigi stanął przy równie dużym jak on, potężnie zbudowanym mężczyźnie w średniowiecznej kapocie z surowego, grubo tkanego materiału. Mężczyzna był łysy, o trochę diabolicznym wyglądzie, ciemne, prawie czarne oczy patrzyły na nas z rozbawieniem. Na rozłożonej przed nim ladzie leżały toporki, siekiery i inne kopie średniowiecznej broni. Dwaj mali chłopcy, siedmio-, może ośmioletni podbiegli znienacka, potrącając stół, chwycili za drewniane, dziecięce miecze i krzycząc zawzięcie, zaczęli się nimi okładać po głowach.

— Hej, hej, panowie! — Luigi złapał ich za szyje i odsunął na bezpieczną odległość. — Wiecie, kto to jest? — Wskazał na Piera i pochylił się nad chłopcami. — To sekret, nikt tu o tym nie wie. Gdyby się ktoś dowiedział — Luigi zniżył głos i pochylił się niżej — to wtedy on wpadłby w furię, a wówczas... To bardzo niebezpieczny facet. Albo dobra, powiem wam, chłopcy, podpadliście mu, więc powinniście znać prawdę. Ale buzie na kłódkę, okej?

Chłopcy przestraszeni pokiwali głowami. Luigi prawie kucał, cały czas trzymając cienkie, dziecięce szyje w swoich wielkich łapskach.

— To kat — szepnął tak, aby wszyscy słyszeli. Popatrzył na nas groźnie i mrugnął do Piera. — Wykonuje wyroki śmierci na zlecenie rządu. Słyszeliście o Berlusconim? Więc radzę, uważajcie panowie, wystarczy mu podpaść i — tu zrobił przerwę, puścił jednego z chłopaczków i przejechał ręką po szyi — ciach. Śmierć. Lepiej stąd idźcie, on jest nieprzewidywalny.

Chłopcy ruszyli pędem przed siebie, nie oglądając się na nas.

— Pamiętajcie, ani słowa! — krzyknął za uciekającymi dziećmi. — Nikomu!

— Nastraszyłeś dzieci, Luigi — śmiał się Piero.

— Nic im nie będzie, brachu, mają diabła za skórą. Jak tam

twoja rodzina, dobrze? Zobacz, kto dzisiaj mi towarzyszy, Anka, moja chlebodawczyni, sama słodycz, i Renato. Renato ledwo dyszy, bo zamiast kochać kobiety i pić wino, palił fajki. — Luigi spojrzał na Renata i roześmiał się na całe gardło. — Masz stracha staruszku, co? W Mediolanie cię pokroją i boisz się, że nie wrócisz w jednym kawałku.

Renato podrapał się po głowie i popatrzył na Piera z uśmiechem.

— Masz na tego drania jakiś sposób, czy on nigdy nie milknie?

— Renato, jego uciszy tylko kobieta. Jak był żonaty, to pamiętasz, jaki był mrukliwy. Chodził cichy i potulny jak baranek.

— Stare dzieje, chłopaki, bardzo stare. Ale fakt, małżeństwo mi nie służy. Ja potrzebuję powietrza! Przestrzeni! Pięknego ciała! Chryste, panowie, życie jest piękne! — Luigi znienacka podniósł mnie i zakręcił się w powietrzu. Krzyknęłam. Czułam, jak wiruje mi w głowie. Odstawił mnie delikatnie i uśmiechnął się szeroko. — Dzisiaj zamek jest otwarty! Jemy *ciaccię*, pijemy wino! Bo jutro może nas szlag trafić!

Na zamku obejrzeliśmy piwnice, do których schody były niskie i płaskie, by kiedyś można było zjechać na dół końmi. Na piętrze, w jednej z ogromnych sal, rozstawiono długie stoły, przy których, siedząc na ławach, można było zjeść tradycyjne danie umbryjskie, *ciaccię*. Cienki, gorący, przypieczony na palenisku z obydwu stron placek, który można było rozdzielić w palcach i w parujący środek włożyć szpinak, pieczone kiełbaski, *prosciutto crudo* i sery. Do tego podano czerwone i białe wino, które Luigi wlewał w siebie w ogromnych ilościach. Sala była pełna ludzi, gwar zagłuszał nasze rozmowy. Ludzie głośno rozmawiali, jedli, dzieci goniły pomiędzy stołami, kelnerzy biegali, potykając się o rozwrzeszczaną dzieciarnię. Wyglądało to tak, jakby wszyscy się znali.

— I co, Anka — Luigi krzyknął do mnie przez stół, nalewając mi do kubka — nie żałujesz, że zostawiłaś dla nas pracę? To jest moja Umbria, to jest raj, najdroższa! Zobacz, proste, najlepsze jedzenie, wino, krajobrazy i przyjaciele! I kobieta jak cud świata! Co więcej potrzeba? Ja się pytam?

— Kota — odpowiedziałam bez zastanowienia.

— Kota? — Spojrzeli na mnie zaskoczeni. Byłam już lekko wstawiona. Roześmiałam się głośno.

— „Niechby się rozgościli u mnie: kobieta, która myśleć umie, kot, co wśród książek lubi spacer, i przyjaciele w wiernym tłumie, bez których chęć do życia tracę" — wyrecytowałam, najlepiej jak potrafiłam, po włosku. — Apollinaire. Taki francuski poeta.

— Boże! Poezja! Jesteś nie tylko piękna. Jesteś… cudowna! — Luigi wstał i podniósł swój kubek. — Słuchajcie! Słuchajcie, przyjaciele. Jestem Luigi, z Cerbary. Niektórzy mnie znają. Wypijemy zdrowie mojej przyjaciółki z Polski! Anka! Cudzie znad Wisły, twoje zdrowie! — Luigi wzniósł toast i jednym haustem wypił zawartość. — Kocham Polaków! Co za ludzie, mówię wam!

Siedzący najbliżej przyglądali mi się z zainteresowaniem i uśmiechając się, podnieśli swoje wino i wypili.

— Luigi, łobuzie — odezwał się jakiś młody chłopak — znów się zakochałeś!

— Vittore, jutro cię zabiję, ale dziś pij do upadłego — odkrzyknął Luigi i uniósł kubek w stronę chłopaka. — Twoje zdrowie!

— Dziękuję — powiedziałam speszona. — Luigi, siadaj, do diabła. Narobiłeś mi wstydu.

Luigi usiadł, wyciągnął swoją wielką rękę, chwycił moją dłoń i pocałował nad stołem.

— Dziękuję ci, kobieto, że istniejesz! Co za dzień, przyjaciele!

— Jeszcze trochę wina i poprosisz ją o rękę — powiedział Renato. — A jutro z walizką będziesz czekał przy jej drzwiach.

— By pojutrze zniknąć — odezwał się Luca i uśmiechnął się do mnie. Miał nieśmiały, ładny uśmiech.

— Panowie, jestem kochliwy, bo mam duże serce! Mam czystą duszę! Mam czterdzieści pięć lat i kocham życie! Kocham! I co tam, koledzy, jutro nie istnieje, jutro może nas nie być. Teraz ma być pięknie. Reszta się nie liczy. — Popatrzył na mnie i uśmiechnął się szeroko. — Zobacz, jaki piękny dzień ci podarowaliśmy, moja gwiazdo. Zostałabyś w domu i nie uśmiechnęłabyś się ani razu. A tak miałaś słońce, miałaś słodką grappę, nas, życie! Powiedz, że nas za to kochasz.

— Kocham was. — Roześmiałam się. — Twoje zdrowie, Luigi, wasze, panowie, dziękuję. Naprawdę. Jestem szczęśliwa.

Luca dotknął mojego kubka swoim, Renato uśmiechnął się do mnie. Popatrzyłam mu w oczy. Twoje zdrowie, Renato, nie bój się, będzie dobrze.

7.

— Anka! — Maria stała przy stoisku z kwiatami i machała do mnie z daleka. We wtorek zawsze odbywał się targ. Przyszłam poszukać metalowej podstawki, na której mogłabym stawiać moccę, włoską maszynkę do parzenia kawy. Fajerki na kuchence były zbyt duże i nie mogłam z niej korzystać.

— Cześć. — Podeszłam do niej i pocałowałam w policzki. — Jak się masz? Jak mieszkanie?

— Wszystko dobrze. A u ciebie? Fabrizio działa?

— Perfekcyjnie.

W jaskrawym świetle przedpołudniowego słońca jej twarz wydawała się blada i zmęczona. Miała niedbale upięte i niestarannie uczesane włosy.

— Idziemy do mnie na kawę? Zobaczysz mój warsztat — powiedziała i zapłaciła za kwiaty. — Masz, proszę.

Podała mi duży bukiet suszonych, niebieskoszarych kwiatów.

— Nie, dziękuję.

— Ojej, weź, mnie to bardziej cieszy, niż gdybym postawiła je na swoim stole.

— Dziękuję. Są śliczne.

— To co, idziemy?

Maria mieszkała niedaleko Piazza Garibaldi.

— Jeśli kiedyś będziesz chciała się z kimś umawiać w jakimś mieście we Włoszech — mówi Kuba, nie podnosząc oczu znad komputera — to zawsze na Piazza Garibaldi.

— Dlaczego?

— Bo w każdej, najmniejszej mieścinie zawsze jest taki plac.

Mały, wolno stojący domek miał od frontu dużą bramę wjazdową, jak do garażu, a z boku drzwi wejściowe, zarośnięte pnącą się zielenią. Weszłyśmy bramą, jak się okazało, wprost do pracowni.

— Tu działam — powiedziała Maria i położyła torebkę na stole. — Rozbierz się, tu jest wieszak. Ja wstawię kawę na gaz.

Rozglądałam się po wnętrzu. Na wprost drzwi stało biurko zastawione książkami. Zaraz obok stolik z lutownicą. Na ścianach wisiały rysunki i wzory biżuterii. Na szklanej tacy, porozkładane oddzielnie, w równych rzędach leżały kolorowe modele. Delikatne kwiaty, greckie ornamenty, proste ogniwa łańcuszków. Wszystko z modeliny.

— Zobacz. — Maria wyciągnęła segregator i pokazała zdjęcie z jakiegoś czasopisma, z reklamą Valentino. Modelka była naga, na tle szarobłękitnego atłasu, owinięta tylko srebrną bransoletą w formie węża, z oczami z granatowych kamieni. — To zrobiłam ostatnio. Robię prototypy. Później na ich podstawie przygotowuje się masową produkcję. Masową, to za dużo powiedziane. Zwykle produkuje się kilkaset sztuk.

— Ciekawe.

— Jestem z tej pracy zadowolona. Chodź, kawa gotowa.

Część mieszkalna składała się z przedpokoju, połączonego z kuchnią, nad którą znajdował się, podwieszony na wielkich belkach, nieduży salon. Metalowe schody z drewnianymi stopniami prowadziły na górę. Pod ścianami stały niskie regały pełne książek i płyt winylowych. Drugą część mieszkania stanowiły dwie sypialnie na piętrze i mała łazienka.

Na oknach wisiały lniane, toskańskie zasłonki z prostym haftem.

— Ładne — dotknęłam jednej z nich — tradycyjne.

— Mam je od mojej mamy, a ona od babci. Tak to sobie przekazujemy.

Usiadłyśmy przy stole. Sufit, będący jednocześnie podłogą saloniku, był dość nisko. Kuchenka była mikroskopijna, bardziej do przygotowywania kawy niż gotowania.

— Macie dzieci? — spytałam.

— Nie.

Maria zamieszała kawę i popatrzyła na mnie bez słowa. Spuściłam oczy. Pożałowałam pytania.

— A twój mąż? W pracy?

— Stefano? Dziś jeździ na rowerze. Zaraz powinien tu być.

— Bardzo przytulny dom — powiedziałam, choć wydawał mi się smutny i bez życia. Maria też była smutna.

— Wszystko dobrze? — Spojrzałam na nią i podniosłam do ust kawę. — Powiedz.

— Nie.

Milczałam, czekając na ciąg dalszy. Siedziałyśmy w ciszy, słuchając grającego gdzieś cicho radia.

— Maria…

— Mój mąż mnie zdradza.

Nic nie odpowiedziałam. Przygnębienie biło z każdego kąta tego domu. Jego mieszkańcy nie czuli się tu u siebie. Zimna, pozbawiona rozgardiaszu kuchnia ogłaszała wokół, że tutaj się wspólnie nie jada.

— Powiedział mi o tym tydzień temu. I jeszcze, że ma dość życia tutaj. Chce rozwodu.

— Znasz ją?

— Tak.

W głębi trzasnęły drzwi. Wszedł wysoki, szczupły mężczyzna w obcisłym stroju kolarskim. Był proporcjonalnie zbudowany. Miał spocone włosy i zaczerwienioną twarz. Zdjął okulary i spojrzał na nas z góry. Jego oczy były spokojne, w kolorze miodu. Uśmiechnął się, pokazując idealne zęby. Włoski, nonszalancki przystojniak pewny swojej urody. Otarł czoło ramieniem i wyciągnął do mnie rękę.

— Cześć. Stefano.

— Anka.

— Jadę jeszcze do ojca, bo coś nie tak z łańcuchem, dobrze? — uśmiechnął się do Marii i sięgnął po jabłko z dużej misy na szafce. Podrzucił je, złapał w locie i nagryzł z chrzęstem.

— Dobrze — odpowiedziała Maria i spojrzała mi w oczy. — Cześć.

— Do zobaczenia — Stefano pomachał mi i wyszedł.

Drzwi ponownie trzasnęły i znów zostałyśmy w ciszy tego martwego domu.

— To moja koleżanka — odezwała się Maria. — Banalne, prawda?

— Tak.

— Jak film klasy C.

— Daj spokój — położyłam jej dłoń na ramieniu — nie mów tak. Jakbyś pomniejszała swój ból.

— A on ma się dobrze. — Sięgnęła do kieszeni i wyjęła chusteczkę. — Zobacz, to jest to, co ostatnio tak naprawdę robię. Siedzę przy stole i płaczę.

Nie odzywałam się, patrząc, jak wyciera oczy.

— Nasz związek… Oszalałam na jego punkcie. Widziałaś go. Wiesz, jak mi imponowało, że jest właśnie ze mną? Okazało się, że to było dziesięć lat w plecy. Zniknęło z życiorysu, o tak. — Pstryknęła palcami i ukryła twarz dłoniach. — Zobacz. Zestarzałam się przy sukinsynu, a on teraz odchodzi. Z młodszą.

Podniosła twarz i spojrzała na mnie zapłakana.

— Jestem zdruzgotana, Anka. Stale widzę w wyobraźni, jak są razem, jak jej dotyka, wiesz, te ręce, które zawsze dotykały mnie. Szepcze jej słowa, które trafiały kiedyś do mnie, jakieś intymne gesty, odgarnia jej kosmyk włosów, otula szyję szalem. To mnie niszczy. Może gdybyśmy mieli dzieci, zostałby ojcem, byłoby inaczej. Ale nie mamy dzieci, on nie mógł, więc jest, jak jest. Zasłonki zostaną ze mną na zawsze.

Milczałam, patrząc na wiszącą przy lodówce tablicę, do której dawno temu ktoś przyczepił jakiś bilet, stary, przyżółkły rachunek i zdjęcie Stefana i Marii, na tle zaśnieżonych gór. Przeniosłam wzrok na Marię.

— Nie wiem, co ci powiedzieć. Nie byłam w takiej sytuacji. Mój mąż mnie nie zdradził, tylko zginął. Nie mam do niego o nic żalu. Myślę o nim, brakuje mi jego dotyku, ciepła, szeptów. To było takie zmysłowe... Ale nie cierpię z powodu jego nielojalności, tylko jego braku. To coś innego...

Patrzyłam na Marię i mówiłam cicho, jakby ktoś mógł nas usłyszeć.

— Nie wiem, co jest bardziej nieodwracalne. Zdrada czy śmierć. Nigdy o tym nie myślałam. Ale teraz, gdy tak rozmawiamy, sądzę, że jedno i drugie. Nie cofniesz czasu, to co się stało, będzie już na zawsze.

— Myślisz o innych mężczyznach? — zapytała Maria. — Po takiej tragedii?

— Tak. A właściwie nie. To jest tak, że myślę o innych, by poruszyli we mnie te same struny, co Kuba. Bym mogła znów poczuć tę samą przyjemność intymnego bycia z drugim człowiekiem. I bym mogła zatopić się w cieple czyjegoś ciała i ogrzać, bo jestem w środku lodowata. Ale nie tęsknię za związkiem z innym facetem, bo tamten był doskonały. Jedyny.

Zamilkłam. Maria też milczała. Zegar na Duomo wybił jedenastą. Wstałam i sięgnęłam po torebkę i bukiet.

— Pójdę już.

— Dziękuję.

— Za co? — Uśmiechnęłam się do niej i poprawiłam włosy. — To ja dziękuję za kawę. I kwiaty.

— Ale chociaż sobie posiedziałyśmy przy kawie. I to się liczy, wiesz? — Pocałowała mnie w policzki.

Przytuliłam ją mocno. Ze zdjęcia patrzył mi w oczy Stefano, uśmiechnięty i rozluźniony, obejmując wpatrzoną w niego Marię. Piękny zdobywca.

— Zadbaj o siebie, jesteś śliczną kobietą — szepnęłam jej nad głową.

8.

— Mamuś — głos Marty był trochę zachrypnięty i spięty — tylko się nie denerwuj, błagam.

— Co się stało? — stałam ze słuchawką w ręku, oparta o drzwi i obserwowałam śpiące przy kominku koty.

— Tylko obiecaj, że się nie będziesz denerwować.

— Chryste, Marta, mów, bo zaczynam się bać. — Sięgnęłam po leżące na stole papierosy i zaczęłam rozglądać się za zapalniczką.

— Złamałam nogę i założyli mi gips. — Marta oddychała głośno w słuchawkę. — Wczoraj.

— Gdzie?

— Zeskoczyłam ze stopnia tramwaju i tak jakoś krzywo stanęłam. Rano był lód na ulicy i się poślizgnęłam. Złożyli ją, proste złamanie, bez odłamków, ale noga boli jak diabli. Dobrze, że był ze mną Gucior, bo nie wiem, co by było.

— Trafiłaś do dobrego lekarza? — Zapaliłam papierosa i usiadłam na krześle. Koty wstały leniwie i podeszły do mnie, by pocierać się o nogi.

— Tak, w Poznaniu mieszka kuzynka Gucia, jest anestezjologiem w Akademii, zaraz umówiła mnie z chirurgiem. Powiedział, że będę leżeć miesiąc, a potem mogę kuśtykać. Mamuś, nie będę mogła przyjechać na święta... Tak mi przykro.

— Przestań, najważniejsze, że nie wpadłaś pod ten cholerny tramwaj. Przyjedziesz, jak zdejmą ci gips. — Kucnęłam i pogłaskałam koty. Natychmiast zaczęły mruczeć. Nie miałam dla nich ostatnio czasu.

— Ale będziesz tam sama — powiedziała Marta i zamilkła, pełna wyrzutów sumienia.

Jej przyjazd uzgodniłyśmy jeszcze latem, cieszyłam się na tę wizytę, stęskniłam się za nią. Chciałam, byśmy miały spokojny, niespieszny tydzień, bez świątecznych wizyt i napięcia, jakie niosą przygotowania... Nikt nas by nie motywował i zmuszał do szykowania jedzenia i staropolskiej gościnności. Usiadłam z powrotem na krześle.

— Martuś, dobrze mi tu. Nie chcę, byś się zamartwiała. Wiesz, że lubię pobyć sama. Jakbym chciała być z ludźmi, na pewno znalazłabym na to sposób. Wystarczyłoby zadzwonić i zaprosić kilka osób na Boże Narodzenie w Toskanii. Zapewniam cię, że byłaby kolejka.

— Na przykład Gośka z dziećmi — roześmiała się Marta.

— O tak. Albo Radek z Izką. Jeszcze dziś byliby spakowani.

Zachichotałyśmy. Radek i jego przyjaciółka Iza, znajomi graficy z Warszawy, słynęli z tego, że latem podążali śladem znajomych, po drogach i bezdrożach Europy, aby tylko załapać się gdzieś na darmowy, kilkudniowy nocleg. Każdą wykorzystaną w ten sposób okazję uznawali za swój kolejny, wakacyjny sukces, porównywalny na przykład ze zdobyciem następnego ośmiotysięcznika. Doszło do tego, że ich przyjaciele tworzyli fałszywe plany wakacyjne, z nieistniejącymi miejscowościami, by zmylić pościg.

— Wszystko dobrze? — zapytała Marta, wyraźnie uspokojona.

— Tak. Ale remont się ślimaczy.

— Przedłużyłaś najem?

— Jeszcze nie — odpowiedziałam — ale już powiedziałam Carli, że musimy skontaktować się z Anglikami. Nie będzie z tym problemu. W końcu poza sezonem wpadną im pieniądze za kolejny miesiąc. Poznałam nowych sąsiadów.

— I co?

— Zabawni. Nazywam ich „papużki", bo są nierozłączni. A poza tym on jest emerytowanym sędzią. Mają bardzo okazały, bogaty dom. Takie Palazzo Nobile. A ona przypomina babcię Zosię, wiesz, pani nauczycielka. Nawet wygląda podobnie.

— A ja byłam u babci tydzień temu. Widziałam się z tatą. Kazał cię pozdrowić. Utył, wiesz?

— Kiedyś zostanie Buddą — uśmiechnęłam się do siebie. Adam, kiedy byliśmy jeszcze razem, chciał przejść na buddyzm.

— Chyba nie. Za bardzo lubi żeberka z grilla.

Roześmiałyśmy się.

— Nic nie potrzebujesz? — spytałam.

— Nie, dbają tu o mnie. Na pewno nie będzie ci smutno? — Marta najwyraźniej nie mogła się pogodzić z nową sytuacją. — Wiesz, nie dość, że będziesz sama, to jeszcze za granicą. I Kuba... nie ma go.

Milczałam, myśląc o tym, że rok temu o tej porze zaczynałam chodzić po sklepach i wybierać prezenty. Znalazłam wtedy dla Kuby ładny, skórzany portfel, w czarnym kolorze, z dużą ilością przegródek. Dałam mu go zaraz po powrocie do domu.

— Piękny. Dziękuję. Z jakiej to okazji?

— Boże Narodzenie — odpowiadam.

— Przecież będzie za miesiąc. — Kuba patrzy na mnie i gładzi delikatną skórkę. — Trochę się pospieszyłaś.

— No tak. Ale nie mogłam się doczekać.

— Myślę o nim często — powiedziała Marta cicho — a ty?

— Stale. W każdej sytuacji.

Znów zapadła cisza.

— A z Maćkiem rozmawiałaś? — spytała Marta. — Zadzwoń do niego, ucieszy się.

— Wysłaliśmy sobie kilka maili. Ale zadzwonię, na pewno.

— Trzymasz się, mamuś?

— Tak. Życie trwa.

— To dobrze. Kocham cię.

— Ja ciebie też. Zadzwonię niebawem, dobrze?

9.

Luigi przyszedł do mnie prawie tydzień po terminie, na który byliśmy umówieni. Kłamczuch — pomyślałam o nim i jego przechwałkach o punktualności. Zdziwiona patrzyłam, jak razem z Lucą wchodzą po wysokich schodach na via della Castellina. To była niezapowiedziana wizyta i chyba nie wróżyła nic dobrego.

— Dobry wieczór, moja piękna — wysapał i wszedł do pokoju. Za nim wślizgnął się cicho Luca i rozejrzał się po mieszkaniu. — Musimy pogadać, słoneczko. — Luigi złapał mnie za ręce i potarł nimi swoje zarośnięte policzki. — Usiądziemy, co?

Był nieogolony i przygaszony. Nawet berecik jakby oklapł i zsunął się na bok.

Zaprosiłam ich do środka. Usiedliśmy przy stole w kuchni. Sięgnęłam po moccę, by przygotować kawę, ale Luigi pokręcił przecząco głową. Spojrzałam na Lucę i napotkałam jego wzrok na sobie.

— Nie chcecie kawy?

— Nie, mój aniele. Ale jak masz jakieś winko, to daj.

Zdjęłam z półki czerwone chianti i wyjęłam z szafki kieliszki. Luigi otworzył wino i rozlał każdemu do pełna. Wziął swój kieliszek do ręki, podniósł i popatrzył na mnie z przygnębieniem.

— Twoje zdrowie, najpiękniejsza Polko, jaką znam.

Wychylił kieliszek i odstawił z impetem. Nalał sobie kolejny i westchnął.

— Niech to szlag trafi! Luca, kurwa, jak ja mam jej to powiedzieć, brachu?

Napiłam się wina i popatrzyłam na nich z niepokojem. Miny mieli średnie. Luigi wyglądał, jakby nie spał od kilku dni.

— Co się dzieje? — spytałam i upiłam trochę. — Luca?

Luca obracał w szczupłych palcach kieliszek i milczał.

— Moja gwiazdko jedyna — Luigi złapał moją rękę, przyłożył do swojej twarzy i pocałował jej wnętrze — mamy taką dupę, że kurwa mać…

Wyrwałam rękę i spojrzałam na Lucę ze strachem. Przeniosłam wzrok na Luigiego, który nalewał sobie trzeci kieliszek. Wyjęłam mu z ręki butelkę.

— Mów albo się wynoś — powiedziałam.

— Jezu, kobieto, wal mnie w mordę, wal... Zaraz się upiję...

— Nie zapłacili mu w L'Aquili — powiedział cicho Luca i oderwał wzrok od kieliszka. Wypił resztę i nalał sobie znowu. — Wziął kredyt pod zastaw domu, kupił materiały, a jego pieniądze, które płacił rząd, przejęła mafia. Nie dostał ani grosza. Firma, która go zatrudniała, rozpłynęła się w powietrzu z forsą.

— Boże... — wypiłam resztę i ostrożnie odstawiłam kieliszek.

Spojrzałam na Luigiego. Siedział z twarzą smutnego dziecka, z ręką podpierającą policzek i patrzył w stół. Podniósł na mnie ciężki wzrok i westchnął.

— Mówię ci, królewno, wszystko szlag trafił. Wszystko. Mam długi, że ja cię pierdolę, słonko. Ponad sto tysięcy euro. Bank zabierze mi dom, kurwa. — Walnął pięścią w stół i spojrzał na mnie z rozpaczą. Kieliszki i butelka podskoczyły od uderzenia. Otwieracz spadł na podłogę.

— Nie zrobię ci tej roboty, najdroższa, przepraszam. Tak chciałem dla ciebie pracować. — Znów chwycił moją rękę i ścisnął mocno. — Pomyślałem, że będę cię widział codziennie i że w końcu też mnie polubisz. Chryste, piję od tygodnia, bo się nie mogę, kurwa, z tym pogodzić, rozumiesz? Nie mogę tego znieść, kobieto, że tyrałem dla nich jak wół, od kwietnia do teraz, prawie rok. Jeździłem tam w poniedziałki o piątej rano, wracałem, zjebany jak pies, w soboty po południu. Tydzień w tydzień. Żadnej taryfy ulgowej. Zatrudniłem czterech ludzi, płaciłem im regularnie, kurwa, skończyłem pracę tak, jak się umawialiśmy. Technicy z miasta odebrali wszystko bez jednej uwagi, rozumiesz? — Potrząsnął moją ręką. — A oni mnie wyruchali. Od samego początku wiedzieli, że nie zapłacą. A ja, stary koń, dałem się podpuścić jak dziecko. Kurwa! — ryknął i wlał sobie resztę wina. — Zabili mi moją duszę, księżniczko! Chuj tam pieniądze! Najwyżej stracę ten cholerny dom! Mam go w dupie! Ale tu — uderzył się w pierś — tu, moja jedyna, jest czarno! Odebrali mi wiarę w ludzi, rozumiesz? Luigi jest jak pusta beczka! Dlatego chleję jak świnia!

Umilkł i patrzył na mnie bez słowa. Wyswobodziłam rękę. Była czerwona, z wyraźnym odciskiem palców Luigiego. Jutro będzie sina.

— Ciebie to wystarczy dotknąć. I już masz sińce.

— Bo jestem delikatną panienką.

Spojrzałam na Lucę. Utkwił wzrok w moim zaczerwienionym ramieniu.

— Co zrobisz, Luigi? — zapytałam cicho. Było mi żal tego szalonego olbrzyma, siedzącego teraz z opuszczonymi ramionami, w milczeniu, przy moim stole.

— Kumple z Città załatwili mi robotę w Hiszpanii, moja wiosenko. Wczoraj podpisałem kontrakt. Byłem tak nawalony, że nawet go nie przeczytałem. To rządowa robota, dla Enelu, na cztery lata, za dobre pieniądze.

Luigi położył głowę na stole.

— To jest jakieś wyjście, chyba... Spłacisz kredyt.

Sięgnął po omacku po moją rękę i przykrył nią swoje oczy. Moja dłoń wydawała się mała na jego wielkiej głowie. Pogłaskałam go po włosach.

— Ach, śliczna moja blondyneczko...

Spojrzałam na Lucę. Patrzyliśmy na siebie przez chwilę w milczeniu. Wstałam i zapaliłam papierosa. Stanęłam przy oknie, na zewnątrz było ciemno, wiał silny wiatr. Od gór napływało zimne powietrze.

— Nie martw się tym moim dachem. Poradzę sobie, Luigi. To nie jest teraz twój problem, dobrze?

Luigi podniósł głowę i potrząsnął nią mocno. Przesunął dłońmi po twarzy i popatrzył na siedzącego obok, zamkniętego w sobie Lucę. Klepnął go w plecy.

— On ci nie pomoże. Nie ma do tej roboty drygu, aniołku. To niespełniony artysta, rzeźbiarz. Robi ze mną, a tak naprawdę interesują go tylko jego odlewy. Mam innego kowala, z Lamy. Nazywa się Lorenzo. Przyślę go do ciebie.

— Dobrze. Dziękuję.

— Znikam. Chodź, przytulę się do ciebie, słodka. Oszalałem na twoim punkcie, ale życie, kurwa, nie rozpieszcza. — Rozłożył szeroko ramiona, zajmując pół kuchni. — Chodź do mnie.

Przytuliłam się do jego wielkiej klaty, a Luigi delikatnie pogładził moje włosy i wtulił w nie twarz. Poklepałam go lekko po plecach. Wielki, zraniony Shrek.

Oderwał się ode mnie, założył beret i wyszedł bez słowa. Luca stał chwilę niezdecydowany, jakby chciał mi coś powiedzieć. W końcu ruszył do wyjścia.

— Trzymaj się, mała — powiedział, chwytając klamkę. Potrzymał ją chwilę i spojrzał na mnie bez uśmiechu. Przyłożył palce do czoła, salutując, i wyszedł, cicho zamykając za sobą drzwi.

IV.

Cienie nad studnią

1.

Sylwestra przesiedziałam w domu, czytając. Pies, przerażony, jak co rok odgłosami petard, schował się pod koc. Wystawał mu tylko fragment podwiniętego ze strachu ogona. Renato zapraszał mnie na kolację do swojej przyjaciółki, Daniele, ale się wykręciłam. Obiecałam, że spotkamy się w pierwszych tygodniach stycznia.

Po południu w Nowy Rok przestało padać i wiatr rozgonił chmury. Wzięłam ciepłą kurtkę i postanowiłam przejść się z Pinią. Ale mimo że długo ją namawiałam i ciągnęłam smycz, nie ruszyła tyłka. Jakby przyspawano ją do podłogi. Nie wyszła jeszcze z wczorajszej traumy. Poszłam więc sama. Było zimno i wietrznie. Ulice zasypane były confetti i resztkami petard. Na *piazza* spacerowali najwytrwalsi, w powietrzu wirowały śmieci, podwiewane podmuchami wiatru. Palazzo Vescovado było otwarte. Z katedry dochodziły odgłosy koncertu organowego, zatrzymałam się, by posłuchać. Zastanawiałam się, czy wejść, ale nie miałam ochoty siedzieć w ławce. Na końcu loggii, przy wyjściu z drugiej strony, zobaczyłam uchylone, drewniane drzwiczki, pomalowane na kolor ściany. Pamiętam, że zawsze były zamknięte i prawie niezauważalne. W środku paliło sie światło. Zajrzałam. W małym, zwyczajnym pomieszczeniu, które wyglądało jak zagracone biuro, nie było nikogo. Zawróciłam i powoli, patrząc w mroku na freski, kierowałam się do głównego wyjścia. Na wprost mnie szedł szybko jakiś człowiek, w ciemności nie widziałam jego twarzy. Miał na sobie gruby, szary golf i ciepły szalik w barwne pasy. Zwolniłam, bo sylwetka wydawała mi się znajoma.

— Luca! — powiedziałam, gdy mijał mnie zamyślony.

Podniósł gwałtownie głowę. Podeszłam do niego. Uśmiechnął się i wyciągnął do mnie obie ręce.

— Cześć — powiedział zaskoczony. — Szczęśliwego Nowego Roku! Co za spotkanie!

— Cześć. — Podałam mu dłonie. — Przechodziłam właśnie przez loggię. Jak się masz? Luigi wyjechał?

— Tak. — Luca przypatrywał mi się uradowany i potrząsał lekko moimi dłońmi. — Marzniesz.

— Nic mi nie będzie — powiedziałam i wyciągnęłam z kieszeni rękawiczki. — Co u ciebie?

— Dobrze.

Ręce założył z tyłu na plecach i patrzył na mnie bez słowa.

— Pójdę już. Trzymaj się — powiedziałam. — I pozdrów tego wielkiego wariata, jak będziesz go widział.

— Poczekaj. — Złapał mnie za rękę. — Masz czas?

— Tak.

— To chodź. Zabiorę cię do nieba.

Uśmiechnął się i podszedł do tajemniczych drzwi.

— Wejdziemy na wieżę. Moi przyjaciele są tam dzisiaj. — Pociągnął mnie za sobą.

— Nie wiem, czy mogę.

— Możesz. Proszę.

Wąskimi, drewnianymi schodami zaczęliśmy wspinać się na górę. Stopnie były wyświecone na krawędziach, poręcze błyszczały od dotyku wielu rąk. Tuż za ścianą, na wyciągnięcie ręki, głośno grały organy. Przechodziliśmy w milczeniu przez niewielkie pomieszczenia, wchodząc coraz wyżej. W ostatnim, trochę większym od pozostałych, zdziwiona popatrzyłam na Lucę. Duży stół był zastawiony butelkami z winem i ciastem na papierowych tackach.

— Dzwonnicy mają swoje święto — powiedział, widząc mój pytający wzrok.

Wąziutkimi schodkami wyszliśmy na zewnątrz. Uderzył mnie silny podmuch wiatru. Na dzwonnicy było kilku mężczyzn i mały chłopczyk. Luca podszedł i mnie przedstawił.

Staliśmy na szczycie. Nad nami, na potężnych, drewnianych balach, wisiały ciężkie, zielonkawe dzwony. W sumie było ich pięć. Oprócz nich, niżej, powiązane metalowymi sznurami, zawieszone były mniejsze dzwonki. Dzwonnica nie miała ścian, tylko kamienne narożniki. Wolne przestrzenie pomiędzy nimi zasłonięto siatką. Podeszłam do jednej z nich. W dole widać było jasno oświetlone *piazza*, nielicznych spacerowiczów i postawiony na środku, bożonarodzeniowy żłobek. Niebo było przezroczyste, ciemne, tylko w oddali, na horyzoncie, jaśniało żółtozielonym światłem.

— Ładne, co? — Luca stanął za mną i wskazał ręką przede mną. — Tam jest Anghiari, na zachodzie. A ta jasna linia to droga do Sansepolcro. Powietrze dzisiaj jest bardzo czyste, dlatego widać szczegóły.

Patrzyłam w dal, na ostre, czarne krawędzie gór i oświetlone ciepłym światłem przyczepione do zbocza miasteczko. Wiatr huczał pomiędzy kamiennymi kolumnami wieży, zbudowanymi z dużych, zniszczonych przez deszcze kamieni.

— Chodź na dół, jeszcze mamy dziesięć minut, zapraszają nas na wino. I ogrzejemy się trochę — powiedział Luca i dotknął mojego ramienia.

W pomieszczeniu było zacisznie. Jeden z mężczyzn, Umberto, sięgnął po butelkę i plastikowe kubki i podszedł do nas.

— Luca, napijemy się z twoją znajomą — powiedział, wyciągając do mnie rękę z kubkiem.

— Skąd jesteś? — spytał, nalewając mi do pełna. — Z Niemiec?

— Nie. Z Polski — odpowiedziałam i upiłam łyk. Delikatne, stołowe wino, w sam raz do obiadu.

— Smakuje? Sam robiłem. Mam małą winnicę. A w ogóle pracuję w liceum artystycznym, uczę rysunku. A teraz kawałek ciasta. — Podsunął mi talerzyk.

— Też sam robiłeś? — spytałam z uśmiechem.

— Tak. Jestem artystą. Umiem wszystko. Wypijmy nasze zdrowie. Szczęśliwego Nowego Roku.

— Nawzajem — powiedziałam i spojrzałam na Lucę. Patrzył na mnie zza wychylanego kubka.

— Co tu robisz, Anka? W Sansepolcro. — Umberto ponownie napełnił kieliszki.

— Mieszkam i remontuję dom.

— W Borgo?

— Tak, na via San Giuseppe.

— Chcesz tu zostać na stałe? — Podniósł kubeczek do góry. — Zdrowie, kochani.

Wypiłam kolejną kolejkę i poczułam, jak ogarnia mnie lekkie zamroczenie. Wino było nadspodziewanie mocne.

— Tak. Zostaję tutaj. Umberto, nie lej mi więcej — uprzedziłam kolejne napełnienie kubeczka. — Zaraz będę pijana. A wtedy nie zejdę z wieży.

— Chodźcie na górę, zbliża się szósta. — Umberto nalał sobie i Luce i odstawił butelkę. Odwrócił się do kolegów, a potem do nas. — Idę. I czekam na was. Zobaczysz, spodoba ci się. — Spojrzał na mnie, uśmiechnął się i poszedł.

Luca stał bez słowa i patrzył na mnie, kończąc wino. Już przyzwyczaiłam się do jego milczącej obecności. Wszyscy powoli wchodzili po stopniach. Chłopiec podbiegł do stołu i błyskawicznie sięgnął po leżące najbliżej ciastko. Zerknął, czy zauważyliśmy, i przykleił się do stojącego tyłem ojca.

Szumiało mi w głowie. Schodki na górny poziom wydały mi się przeszkodą nie do pokonania.

— Luca, jak ja tam wejdę? Jestem trochę pijana — roześmiałam się cicho. — To młode wino jest szybkie.

— Pragnę cię.

Spojrzałam na Lucę zaskoczona. Przestałam się uśmiechać. Zamrugałam oczami, przez moje ciało przeszedł gwałtowny strumień pożądania i zawirował mocno w brzuchu. Nabrałam powietrza i wolno wypuściłam. Spotkałam jego wzrok. Nie był zuchwały. Patrzył na mnie spokojnie, z czułością.

— Pragnę cię — powtórzył. — Chcę iść z tobą do łóżka. Chcę cię dotykać — przesunął palcem po moich wargach — całą...

Opuścił rękę i przyglądał się mojej twarzy. Czułam bijące od niego ciepło i słyszałam jego głęboki oddech. Moje ciało natychmiast zareagowało. Rozluźniło się i pragnęło więcej.

— No chodźcie. — W otworze w suficie ukazała się głowa Umberto. — Luca, przyjacielu, co z tobą?

Umberto zniknął, a ja oderwałam się z trudem od miejsca, gdzie stałam, unieruchomiona przez chwilę słowami Luki i krążącym we krwi winem. Ostrożnie weszłam na górny poziom i wystawiłam twarz na wiatr. Czułam, jak przyjemnie chłodzi moje płonące policzki. Waliło mi serce. Otuliłam się szalem i oparłam o mur. Luca wyszedł za mną i stanął obok, patrząc na mnie bez uśmiechu.

Czterech mężczyzn uruchamiało dzwony, pociągając za wiszące z ich serc sznury. Prawie fruwali, wznosząc się z każdym wahnięciem. Ostatni, największy, trzeba było rozkołysać na górze, depcząc grubą belkę, na której był zawieszony. Do tego potrzebne były dwie osoby. Małe dzwonki zadzwoniły ostro, gdy starszy, drobny pan, Alberto, pociągał za pęk metalowych drutów. Rozkołysane dzwony napełniały powietrze głębokim dźwiękiem, miałam wrażenie, że wiatr gęstnieje. Mury, o które byłam oparta, zaczęły drżeć i się kołysać. Gdy umilkły mniejsze dzwony, które zatrzymano, wiążąc linami ich serca, a pozostał w ruchu tylko ten największy, wieża wyraźnie kołysała się w ciemnościach, w rytmie uderzeń, jakby poddawała się nieuchronnemu, codziennemu rytuałowi, ogarniającemu ją od podstawy do samej góry. Była całkowicie posłuszna poleceniom, jakie wydawał dzwon, dyktując jej, jak ma się ruszać. Bez niego wieża traciła rację bytu, pozbawiona duszy, pusta i głucha. Ten wybijany miarowo rytm, niszcząc ją i osłabiając przez setki lat, był jednocześnie jej jedynym powodem istnienia.

Wpatrzona w rozkołysany, podniecający ruch setek ton żelaza nad głową, bezwzględny i gwałtowny, poszukałam, nie odrywając wzroku od dzwonu, dłoni Luki i mocno zacisnęłam na niej palce. Przepełniało mnie, z każdym uderzeniem, coraz większe pożądanie, chciałam natychmiast zatopić się w ciele tego cichego mężczyzny, znaleźć własny, jednostajny rytm, który wyzwoliłby mnie z wielomiesięcznego napięcia, skurczenia, płytkiego oddechu i bezsennych nocy. Chciałam na chwilę uwolnić się od strachu i zapomnieć.

Schodziliśmy powoli na dół, ostrożnie stawiając nogi. Miałam ochotę zbiec jak najszybciej z tych płytkich, stromych schodków. W środku czułam drżenie i energię, tak jakby dźwięki, z którymi się zetknęłam, napełniły mnie po brzegi. Gdy wyszliśmy przed Duomo, stanęłam na chodniku i spojrzałam Luce w twarz. Wziął bez słowa moją rękę i poszliśmy szybko na via della Castellina. Słyszałam obok jego przyspieszony, głęboki oddech.

Poprowadziłam Lucę wprost do sypialni. Zatrzymał się na środku i zdjął sweter i szal. Stanęłam przed nim i bez ruchu patrzyłam, jak jego zwinne palce zaczynają mnie szybko rozbierać, zdejmując ostrożnie każdą rzecz. Miał ciepłe, delikatne ręce, które pewnie i zdecydowanie pozbawiały mnie ubrania. Przymknęłam oczy i stałam, słysząc w sobie cały czas miarowy, intensywny dźwięk dzwonu. Spojrzałam na Lucę dopiero wtedy, gdy położył mi dłonie na piersiach.

2.

Oriela zajmowała się renowacją mebli. Miała małą pracownię, zawaloną od góry do dołu starymi, zniszczonymi komodami czy stołami. Wyglądało to prawie jak u Renata, tylko zapach był inny. Pachniało terpentyną i miodem. Nie rozumiałam wszystkiego, co mówiła, bo posługiwała się umbryjskim dialektem, ale dogadywałyśmy się bez problemu. Poznałam ją przypadkiem, odwiedzając sklepy z antykami, których było zatrzęsienie w okolicach Città di Castello, i wracałam czasem, bo polubiłam to ciasne miejsce i rozmowy z jego właścicielką. Wszystko tutaj było nieskomplikowane. Teraz odnawiała moje dwie szafy, które kupiłam u Daniele, zaraz obok jej warsztatu. Jedna z szaf, olbrzymia, siedemnastowieczna, która kiedyś prawdopodobnie stała w kościelnej zakrystii, wymagała mniej pracy. Druga, toskańska, była potwornie zniszczona, i właściwie to należało ją odtworzyć. Nie miała trzech nóg, tyłu i była od góry do dołu pokryta spieczoną, popękaną farbą. Ale miała piękną formę i proporcje i zakochałam się w niej od pierwszego spojrzenia.

— Małą wykończymy tylko *cerą*, Oriela, jak już ją oczyścisz z brudu i farby. Jest ładna sama w sobie. Dużą przyciemnimy, bo ten kolor jest jakby wypłowiały.

Przesunęłam palcem po matowych drzwiach i dotknęłam klucza.

— A środek szafy? *Gommalaca*?

— Co to jest?

Oriela otworzyła dużą puszkę i pokazała zawartość. Przemieszała pędzlem i podniosła go do góry. Bursztynowy płyn spływał powoli szerokim, leniwym strumieniem.

— To tradycyjny sposób, tutaj, w Toskanii i Umbrii. Używa się tego od setek lat. To naturalny środek, bez chemii. Zabezpiecza drewno i chroni przed grzybami, pleśnią i kornikami.

— Ty tu jesteś fachowcem. Robimy, jak powiedziałaś.

Oriela uśmiechnęła się do mnie i odłożyła puszkę.

— Jak remont? Kończysz?

— Prawie. Mam problemy z kowalem. Doprowadza mnie do szału.

— Kto to? Stąd?

— Tak. Ma na imię Lorenzo. Polecił mi go inny kowal, który wyjechał do Hiszpanii. I trafiłam na diabła.

Oriela roześmiała się głośno i zaczęła przygotowywać kawę.

— Opowiedz. — Postawiła moccę na kuchence i oparła się o biurko.

— To cała historia. Miał zrobić przeszklony sufit i ścianę na małe, wewnętrzne podwórko. I zrobił. Ale zastosował stal nieocynkowaną i już teraz zaczyna rdzewieć. To samo nad studnią. Chciałam przeszklić otwór nad studnią, bo jest niezwykła, ale spieprzył robotę i zrobił za małe szyby. A potem za duże. A potem znów krzywe. Nie wiem, jak mu się to do tej pory opłaca, bo to specjalne szyby, takie, po których można chodzić. Bardzo drogie. Zrobił też z nich okno na tarasie i oczywiście przecieka. W kuchni wstawił metalowe okno, miało być uchylne i było. Tak bardzo, że jak je otworzyłam, spadło mi na głowę siedemdziesiąt kilo żelaza i szkła. Cud, że żyję.

Oriela otworzyła szerzej oczy i położyła sobie rękę na piersi. Pokręciła z niedowierzaniem głową i postawiła przed nami dwie małe filiżanki.

— To nie koniec. Do tych przeszklonych drzwi i okien użył silikonu, wiesz, wykończył nim szyby dookoła i wyszło tak brzydko, że się zupełnie załamałam. Grube, nieforemne grudy tego plastiku wystają teraz poza szyby i szpecą.

— Powinnaś zabić tego, co ci go polecił.

Luigi w bereciku z antenką.

— Nie martw się, zabiję, jak tylko wróci.

— Napij się kawy. — Przesunęła w moją stronę jedną z filiżanek. — To drań.

Wypiłam łyk i uśmiechnęłam się do Orieli. Była małą, pulchną kobietą, z ładnymi dołeczkami w policzkach i bujną, ciemną czupryną, której kosmyki sterczały na wszystkie strony. Jak na swoją tuszę, poruszała się zwinnie i z wdziękiem.

— A inne prace?

— Sprzątam. Przez znajomego Renata, Filippa, poznałam dwie superdziewczyny, Sati i Narayanę. Porządkujemy razem dom. Póki co zrobiłyśmy jadalnię i kuchnię. Meble kuchenne zamontował Renato. Przesunęli mu operację na połowę marca, więc miał czas.

— Transport z Polski dojechał?

— Tak. Nienaruszony. Filippo wszystkim się zajął. Zawsze się wierci, jak mamy rozmawiać o zapłacie. Za rozładowanie prawie całego tira, przewiezienie rzeczy do domu i wniesienie do środka wziął z kolegą sto pięćdziesiąt euro.

— Dobry chłopak. Kiedy się wprowadzasz?

— Za tydzień. — Skończyłam kawę i odstawiłam filiżankę. — Dziękuję. Przedłużyłam sobie pobyt w tym wynajmowanym mieszkaniu o trzy miesiące.

Wstałam i pomachałam jej ręką.

— Idę. Trzymaj się. *Gommalaca* — pokręciłam głową — co za nazwa!

3.

Pierwsza noc w nowym miejscu przypadła na wietrzny, lodowaty dzień trzeciego marca. Wiało od samego rana. Sati sprzątała mieszkanie Heather, a Filippo przewoził moje rzeczy, które zmieściłam w kilku kartonach. Koty po raz pierwszy miały zmienić miejsce zamieszkania. Bez żalu opuszczałam to zaciszne mieszkanie, dokuczała mi w nim obcość nie moich sprzętów i świadomość, że zaraz niedaleko, dwie przecznice dalej jest dom, który na mnie czeka. Dom na via San Giuseppe nie był jeszcze gotowy. W jadalni na dole stał tylko stół i kilka krzeseł, remont piwnic zostawiłam na później, pokoje na wynajem czekały na swoją kolej. Na górze, na moim piętrze postawiłam łóżko, naszą szafę z Sopotu i fotel. Pokój był duży i miałam wrażenie, że w nim ginę. Na oknach brakowało zasłon, które dodałyby wnętrzu trochę ciepła. Pocieszeniem były kominki, w sypialni na wprost łóżka i w jadalni, w których Renato rano napalił przyniesionym przez Filippa drewnem.

Od kiedy zniknęli robotnicy, dom opustoszał i zaczął ze mną rozmawiać. Stukały okiennice, szeleściła na tarasie zapomniana przez kogoś folia, gdzieś kapała woda. Wieczorami, gdy sama sprzątałam i porządkowałam pomieszczenia, zapalałam światła i nie mogłam się powstrzymać, by co rusz nie oglądać się za siebie, czując za plecami czyjąś bolesną obecność. Złościło mnie to, bo miałam dość czasu, by dom oswoić. Teraz miałam w nim spać i czułam niepokój. Chciałam, by był ktoś teraz ze mną. Ale byłam sama.

Luca pojawiał się na via della Castellina jeszcze kilka razy. W ciszy, bez słów szukaliśmy w sobie zapomnienia, nie pytając ani o nasze dotychczasowe życie, ani o towarzyszący nam smutek. Ciepło naszych ciał i słodycz gwałtownego zespolenia, tylko to było wówczas ważne. Był dobrym człowiekiem, czułam to po jego delikatnym dotyku, po cichych szeptach, po czułym spojrzeniu. Prawie nie rozmawialiśmy. Słuchaliśmy czasem muzyki, leżąc w łóżku i trzymając się za ręce. Jego obecność mnie koiła, uspokajała, ale nie mógłby zostać w moim świecie. Nie byłam gotowa na jakikolwiek związek. Lubiłam jego niespodziewane pojawianie się w nocy, zimną kurtkę, nieśmiały, czuły gest, wypijane wino i nagłe, niecierpliwe dotykanie swoich dłoni na kuchennym stole, w jasnym kręgu lampy, budzące wzajemne pożądanie. Milczał, a ja czerpałam przyjemność z tej wspólnej ciszy. Dwa tygodnie temu przyniósł mi niewielki odlew kobiety, chropowaty i szorstki, jakby niedokończony, kaleczący palce. Drobna postać wygięta w lękliwym, niepewnym tańcu.

— Jutro jadę na miesiąc do Berlina — powiedział, wręczając mi ją ostrożnie na wejściu, zawiniętą w cieniutką bibułkę, i to były jedyne słowa, które tej nocy od niego usłyszałam.

Filippo przywiózł resztę rzeczy z mieszkania i kosze z kotami. Wyjęłam ich miseczki, nasypałam jedzenia i otworzyłam klatki. Nie wychodziły, wyciągając tylko cienkie szyje i wąchając intensywnie zapachy. Pierwszy zdecydował się opuścić schronienie Serek, Petunia wahała się dłużej, zanim wystawiła łapki. Filippo spieszył się do swojej dziewczyny, pogłaskał chwilę psa i pożegnał się. Odprowadziłam go na dół. Gdy wyjmowałam z jego samochodu ostatnią siatkę, przyszła Loretta. Ubrana w ciepłe futerko, z torebką od Fendi, trzymała w ręce plastikowy, wysoki pojemnik.

— Anka, wyjeżdżamy do Garfagniany, na tydzień. Przyniosłam ci rosół. Dziś ugotowałam. Kup sobie do niego tortellini z mięsem. Najlepsze są na via Manzioni, u Carla.

Pocałowała mnie w policzki i ruszyła do stojącej nieopodal lancii.

— Dziękuję! Dziś tu śpię!

— To miłych snów. Zapamiętaj, co ci się śniło. Spełni się! — Pokiwała mi ręką i wsiadła do auta.

Wróciłam na górę. Było cicho i ciepło. Pogoda na zewnątrz pogarszała się z godziny na godzinę. Siedziałam na łóżku, obserwowałam zwierzęta i słuchałam trzaskania drewna w gorącym kominku. Jest miło — powiedziałam sama do siebie — dom jest czysty, pomalowany, znam w nim każdy kąt. Za chwilę zadomowią się w nim koty, pies ma już swoje miejsce.

Wiatr za oknem zawył silniej i uderzył deszczem o szyby. Nadchodził zmierzch. Na ulicy zapaliła się latarnia, oświetlając mocnym światłem mokry krąg chodnika. U staruszki naprzeciwko jeszcze było jasno. Koty, przyczajone nisko przy podłodze, badały teren. Wyczyszczone, pomarańczowo-czerwone cotto lśniło w świetle mrugających promieni. Kartony z książkami, ustawione równo pod ścianą, czekały na rozpakowanie. Chciałam już otoczyć się książkami, znajomymi okładkami i zapachem papieru. Chciałam podejść do regału, patrzeć długo na grzbiety, wysuwać co jakiś czas któryś, by wreszcie trafić na ten właściwy, w tym momencie jedyny tytuł. Renato obiecał, że może jutro zamocuje półki. Póki co, nie chciałam otwierać kartonów. Stałam przy nich i patrzyłam na równe, techniczne pismo Kuby na każdym z nich. Zielony pisak — książki i dokumenty. Przesunęłam palcem po literach. Wyraźny, duży napis BELETRYSTYKA, powtarzany przeze mnie szeptem po chwili stracił znaczenie i był tylko dźwiękiem, brzmiąc obco, jak ładne, egzotyczne imię lub zagraniczna marka roweru. Serek wskoczył na jeden z kartonów i zaczął go obwąchiwać. HISTORIA MUZYKI. Znów powiodłam palcem po napisie i zatrzymałam się przy jednej z liter. „H" było większe od pozostałych głosek, pisak natrafił na zgrubienie w kartonie i widać było, że podskoczył w tym miejscu. Kto o tym pamięta? O tym drobnym, nieistotnym incydencie, nawet mniej ważnym niż mucha siadająca na obrusie. Wystarczy machnięcie ręki i opowieść się kończy. Jutro, może pojutrze, gdy wyrzucę kartony, ten fakt zniknie na zawsze, przestanie istnieć. Dowód na istnienie Kuby.

— Jesteś tu? — odezwałam się na głos. — Jesteś, kochany?

Pies podniósł głowę z posłania i spojrzał na mnie zdziwiony. Mój głos odbił się od pustych ścian i rozpadł. W kominku strzeliło kolejne polano i błysnęły iskry.

— Widzę to większe „H", wyobrażasz to sobie? Dostrzegłam ten ułamek sekundy, mgnienie chwili, gdy końcówka pisaka wpada ci najpierw w zagłębienie w papierze, by natychmiast wyskoczyć na malutkiej, mikroskopijnej górce. Pisak ze skrzypieniem sunie dalej. Koniec historii. Film się kończy. Czy to znaczy, że kiedyś byłeś?

Posłuchałam ciszy. Za oknem wzmagał się wiatr.

— Przetrwałam, wiesz? — powiedziałam głośno. — Jestem tutaj. Zrobiłam to, Kuba. Jestem w naszym domu. Płonie ogień. Nasze koty tu są. Trochę się boję, ale zaraz mi przejdzie. Pójdę na dół i zrobię sobie herbatę.

Odpowiedział mi cicho zawodzący komin. Petunia otarła się o mnie i zamruczała.

— Muszę wyrzucić ten karton, Kuba. Muszę wyprać twoją koszulę, tę ulubioną. Nie wiem, gdzie odłożyłam tę szarą fajkę. Znikasz mi, Kuba. Akurat teraz, gdy dom okazał się taki duży i cichy.

Zadzwonił dzwonek do drzwi wejściowych. I zaraz potem znów, bardziej natarczywie. Przesunęłam raz jeszcze palcem po literze. Niechętnie otworzyłam drzwi i zeszłam powoli po schodach, zapalając światła na półpiętrach. Było już zupełnie ciemno. Na szklany dach z bębnieniem padał deszcz. W drzwiach stał Renato, z winem w ręce.

— Pomyślałem, że przyjdę. Pierwszy wieczór tutaj, nie powinnaś być sama.

Złożył parasol i zdjął ciepły, puchowy płaszcz. Odebrałam go od niego i powiesiłam na wieszaku.

Weszliśmy do jadalni. Zapaliłam stojącą na stole lampę. Duże, wychodzące na ulicę drzwi, które pełniły funkcję okna, zasłoniłam delikatnie zrobioną wczoraj naprędce zasłonką.

— Coś masz minę nietęgą, Anka. — Renato usiadł ciężko na krześle, które zresztą od niego kupiłam. — Wszystko jest dobrze?

— Trochę tu pusto — powiedziałam cicho.

Na blacie kuchennym stały kieliszki. Przyniosłam dwa i postawiłam na stole. Wróciłam do kuchni po otwieracz, ale nie potrafiłam go znaleźć. W końcu dostrzegłam go obok zlewu, w małym koszyku na oliwę i balsamico.

Renato otworzył butelkę i rozlał wino do kieliszków.

— Twoje zdrowie, Anka. Dokonałaś cudu. Zmartwychwstał dom. I ty. Alleluja.

Podniósł kieliszek, stuknął delikatnie o mój i wypił. Wypiłam łyk i spojrzałam na etykietę butelki, a potem na siedzącego przy mnie mężczyznę.

— Renato, cholera, kupiłeś Barolo!

Renato zakrył uśmiech kieliszkiem i wypił kolejny łyk wina.

— E, w końcu taka okazja się często nie zdarza.

— Twoje zdrowie, przyjacielu — powiedziałam i wychyliłam zawartość do końca. — Jedno z lepszych win, jakie piłam.

— Jak ci tu dzisiaj? — spytał, patrząc na mnie uważnie.

— Z tobą super.

— A samej?

— A samej chujowo.

Renato roześmiał się głośno i pogroził mi palcem. Wlał wino do kieliszków i spoważniał.

— Boisz się?

— Tak. Ale nie duchów, Renato. — Popatrzyłam mu w oczy i podniosłam kieliszek do ust. Upiłam trochę i postawiłam go na stole. — Dopóki ten dom był zniszczony i brudny, jak wtedy, gdy go kupowaliśmy, to był nasz, mój i Kuby. Takim go widzieliśmy razem, prawie dwa lata temu. Teraz się zmienił, rozejrzyj się. To już się zrobił tylko mój dom. Kubę po trochu wykurzył stąd Fabrizio, Gianni, Santo, nawet ty. I ja.

Renato milczał i słuchał. Popijał małymi łyczkami wino i patrzył, jak zapalam papierosa.

— Wiesz, postanowiłam wyprać koszulę Kuby, którą zostawił przed wypadkiem, w domu. Była przepocona, pachniała nim. Spałam z nią parę tygodni. Ale tak się nie da. On już nie śni mi się tak często, jak kiedyś. Zapominam, jakie miał usta.

— Tak jest zawsze.

— On znika, Renato. Zostaję teraz naprawdę sama.

— A Luca?

— Skąd wiesz? — Spojrzałam na niego uważnie.

— To małe miasto. Nie od niego. To milczek, nie powiedziałby nikomu.

Zaciągnęłam się papierosem i patrzyłam Renato w oczy.

— To tylko... Wspólna przyjemność, rozumiesz?

— To dobry chłopak, trochę dziwak, ale trudno się dziwić. Miał chorą umysłowo matkę. Była nieznośna. Znałem ich rodzinę, gdy jeszcze żył ojciec. Zmarł na serce, nagle, i wtedy nastąpił krach. Matka wpadła w depresję, a potem było już tylko gorzej. Przerwał studia, prawie ukończone, a podobno zbierał jakieś nagrody, i plątał się w różnych miejscach. — Renato bawił się korkiem, turlając go po stole. Spojrzał na mnie.

— Powinnaś mieć kogoś na dłużej. To smutne, samotność.

— Bawisz się w swatkę?

— Nie. Martwię się o ciebie. O Lucę nie. Jest facetem, jakoś sobie radzi. Nie widywałem go z kobietami, myślałem, że jest gejem.

— Renato! Zaglądasz ludziom do gaci, stary zbereźniku?

Machnął ręką i roześmiał się głośno.

— E, troszkę. Mówiłem ci, że to małe miasto.

Wybuchnęliśmy śmiechem. Podniosłam kieliszek.

— Twoje zdrowie. Dobrze, że jesteś. Kocham cię.

— Ja ciebie też, babo z żelaza.

Wstałam i wyjęłam z lodówki sery. Postawiłam na stole i włączyłam płytę z Armstrongiem. Zrobiło się milej.

— Kiedy przyjedzie twoja córka?

— Za miesiąc. I zostanie dłużej.

— Ładna?

— A jak myślisz. Pewnie, że ładna.

Jedliśmy cienkie kawałki *pecorino*, popijając winem. Armstrong grał leniwie. Za oknem szalała wichura, woda gwałtownymi porywami uderzała w okno. W kominku spokojnie palił się ogień.

— Dobre życie jest dobre, wiesz? Jak to wino — odezwał się Renato. — Ma smak, kolor i trochę uderza do głowy. Takie miałem życie, moja droga.

Położyłam dłoń na jego dłoni.

— Tylko mi się tu nie wybieraj na tamten świat. Jeszcze pożyjesz trochę. Potrzebuję cię do remontu pierwszego piętra.

— Za tydzień operacja. Nieodwołalnie.

— Będzie dobrze.

— Jakby co, zaopiekujesz się moim kotem.

— Wkurzasz mnie. Zaopiekuję. Ale nie myśl tak.

— Mam sześćdziesiąt pięć lat. I kompletnie zniszczone serce.

— Będzie dobrze. — Ścisnęłam jego rękę i podniosłam ją do ust. Pocałowałam i położyłam na stole. — Masz tu wrócić i zameldować się u mnie. Pamiętaj, że czekam.

Wstałam i wrzuciłam do kominka kawałek drewna. Pomarańczowa poświata rozlała się po ścianach jadalni, zamigotały delikatne cienie.

— Wiesz, ilu ludzi grzało się w tym miejscu przez lata — powiedziałam, siadając przy ogniu. — To niesamowite, że teraz tu sobie siedzimy, pijemy winko i czujemy przyjemne ciepło, tak jak oni kiedyś. Myślę czasem, że wszyscy oni tu zostali, na zawsze, w miejscach, gdzie spędzili całe życie, gdzie się urodzili, zmarli, kochali, mieli dzieci. I że jestem dla nich intruzem, który zakłóca ich spokój.

Renato uśmiechnął się do mnie, wstał i przysiadł się bliżej ognia. Wyciągnął dłonie i ogrzewał je sobie przez chwilę.

— Gdyby nie ty, byłoby im nadal zimno — powiedział cicho i usiadł obok. — Jesteś już, kochana, domownikiem, masz te same prawa.

— Myślisz?

— Jestem pewien.

— Czasem słyszę różne odgłosy.

— To stary dom. Mruczy.

Siedzieliśmy, słuchając trzaskania drewna. Spojrzałam na Renata.

— Tu, w tej niszy, odkryłam zimą, podczas zbijania tynku, stare gniazdo myszy, z dużą górką kasztanowych łupin. Nie wiem, ile mogło mieć lat. Trzysta? Wiesz, próchno... Tak sobie myślę, że ci ludzie, siedząc tak jak my teraz, na pewno słyszeli, w takie wieczory jak ten, to ciche skrobanie za ścianą, szelesty i stuki. Może oni też się bali? Może też myśleli, że są intruzami? A to tylko myszy wcinały kasztany — roześmiałam się.

Renato poklepał mnie po kolanie i podniósł się z wysiłkiem. Podszedł do stołu i dopił resztę wina z kieliszka.

— Pójdę teraz sobie. Już późno. Śpij dobrze, moja droga. Teraz to już twoja twierdza. Ty tu od dziś rządzisz. Zasłużyłaś na to.

Wstałam i podałam mu płaszcz. Zapiął się szczelnie i podszedł do wyjścia. Pocałowałam go w ciepłe, zapadnięte policzki. Otworzył drzwi, sięgnął po parasol i wyszedł cicho na zewnątrz, wpuszczając do domu porywisty podmuch i zimny, gwałtowny deszcz.

Usiadłam chwilę przy gasnącym kominku. Wino i ciepło rozleniwiło mnie i wyciszyło. W mroku, patrząc na ogień, myślałam o jutrzejszym dniu. Miałam wrażenie, że dom oddycha spokojnie przez sen. Potem pogasiłam światła na parterze i weszłam powoli na górę. Nie przyspieszyłam przy drzwiach na pierwszym piętrze i nie miałam ochoty się obejrzeć za siebie.

— To moja twierdza, ale nie będę was niepokoić — powiedziałam cicho — możecie mi czasem pomruczeć. Najlepiej jakąś ciekawą historię.

Posłowie

Od kilkunastu lat, odkąd nasz poczciwy aparat fotograficzny został zastąpiony cyfrową lustrzanką, nie oglądamy naszych zdjęć. Najpierw robimy ich całe mnóstwo, nieograniczeni już ilością klatek na filmie i wolni od kosztów naświetlania i wywoływania. Potem zgrywamy zawartość karty pamięci do komputera, wierząc, że są tam bezpieczne. A wtedy one znikają w czeluściach teczek i plików i już nigdy się z nich nie wyłaniają. Całe kontenery zdjęć z naszych podróży, z cichych zachwytów, albo tych zrobionych z nudy. Niby je mamy, a tak naprawdę przestają istnieć. Nasze tradycyjne zdjęcia, poupychane w różnych zakamarkach domu, w naddartych kopertach co rusz wyskakują z ukrycia i od czasu do czasu same wpadają nam w ręce. Zwykle wtedy odkładam to, co w tym momencie robię, zapominam o tym, czego właśnie szukam, siadam i zaczynam je przeglądać. Znienacka przypomniane zdarzenia, oglądane w innym świetle i czasie, budzą emocje. Zobacz, kościół w Tuji! Ten dziadek, co nam otworzył wtedy strych, już nie żyje, wiesz? Patrz, jaka byłam szczupła! Ta twoja granatowa kurtka była fajna, prawda? Widzisz, Artur jeszcze z Agnieszką. Ha, ha, kociaki na talerzu po makaronie ślizgają się na oliwie z oliwek! Chryste, kto wpadł na ten idiotyczny pomysł? Jolka? Nie wierzę!

Zapisuj te chwile — zachęcał mnie mój mąż od momentu, gdy zdecydowaliśmy się na wyjazd do Włoch i zakup domu — wszystko dzieje się tak szybko, za chwilę będziemy w innej rzeczywistości i zapomnimy o detalach. Długo kazałam się prosić. Zawsze znajdowałam jakąś wymówkę: oczywiście brak czasu, oczywiście Ważne Sprawy i oczywiście inne oczywiste powody. Nie miałam ochoty na ręczne zapiski w notesie, a komputerowe notatki, tak jak nasze zdjęcia, rozpierzchłyby się natychmiast, ukryte w wielu plikach o nic nie mówiących nazwach. Do tego dochodził element ludzki, czyli ja ze swoją niereformowalną niesystematycznością. Szkoda czasu — odpowiadałam mężowi — jestem leniwą, zgnuśniałą, z postępującą demencją, słabą kobietą. Zacznę pisać kilka zdań i nie skończę. Zapiszę jako „notatka" i żegnaj, wspomnienie. Rób ty lepiej te swoje zdjęcia, może kiedyś je wydrukujemy? Jednak myśl o opisaniu tej historii, ludzi i znikających chwil męczyła mnie i dręczyła. Dom, remontowany i odnawiany, zmieniał się z dnia na dzień i czułam, że wymyka mi się z rąk, przechodząc swoje błyskawiczne metamorfozy. Rzeczy następowały po sobie, a ja przyglądałam się temu bezradnie. Byłam pod wyraźną dyktaturą teraźniejszości i przestało mi się to podobać.

Blog pojawił się niespodziewanie, pewnego listopadowego dnia. Nie będę wymyślać jego fascynujących narodzin, aby uatrakcyjnić narrację. Po prostu usiadłam, stworzyłam blog i napisałam notkę o rocznicy zakupu. Spodobało mi się. Niby nie docierało do mnie, że gdzieś tam ktoś to przeczyta, ale jednak myśl, że tak może się zdarzyć, mobilizowała mnie w jakiś tajemniczy, masochistyczny sposób. Zaczęłam być systematyczna, co wprawiało mnie w pewne zakłopotanie. Dni i prace następowały w coraz szybszym tempie, a ja, powodowana niezrozumiałym dla siebie samej poczuciem obowiązku, zasypiając czasem ze zmęczenia, robiłam wpis dla siebie i moich pierwszych czytelników. Najpierw z pewną nieśmiałością, hacząc słowa i gubiąc myśl, później coraz pewniej, z coraz większą nonszalancją. Aż wreszcie pojawił się pomysł na książkę.

Zaczęło się od kilku maili. Potem doszło do spotkania w wydawnictwie. Był luty. Tam, w gąszczu korytarzy, natychmiast się zgubiłam. Gdy mnie w końcu odnaleziono, prezes już czekał. W malutkim pokoiku,